言語の交流
―日本語と韓国語における借用語―

金敬鎬

HAKUEISHA

まえがき

　日本列島と朝鮮半島（以下、韓半島）は地理的、そして政治的近隣関係によって古代から現代に至るまで各分野で多くの交流がなされてきたことは周知の事実であろう。

　また、日本と韓国は言語的な面でも同じ漢字文化圏に属しており、歴史的に長い間、文化および文明などの交流を通じて言語の借用も同時に行われた。したがって、日韓両国語の間にはかなりの借用語がそれぞれの言語に存在し、それぞれの言語に影響を与え、用いられるものも多い。

　一般的に言語の借用は文化や文明などの伝達、または受容を通じて行われる傾向がある。つまり文化、文明を伝達する側の言語がそれを受容する側に流入したり、借用されることとなる。韓国語における借用語を時代の観点からみると、古代では主に漢字と共に中国語が借用されていた。また、近代以後には日本語が、そして現代に入ってからは西欧語および英語がその中心を成している。その中でも、とくに韓国語における日本語系借用語は近代以降、植民地支配などを通し韓国語に大量に流入していた。現在も口語にはその名残が多くあり語源もわからずに用いられている、たとえば、日本語の「特攻隊」という表現が、韓国語では「독고다이［tokkotai］[1]」という語形で、「一人で行動したり、物事を決めることをする。」人を指す意味として変化し、用いられる。

　反面、古代には中国の漢字や漢文書籍などが韓国から日本へ伝わってきた。それに関する記述を引用する。

1　日本語の「特攻隊」が、韓国語では「一人で行動したり、物事を決めることをする。」人を指す意味として使われる。例文：「인생은 독고다이다.」

生没年不詳。古代の渡来人。和邇吉師（わににきし）ともいう。『古事記』『日本書紀』には、応神（おうじん）天皇のとき百済（くだら）王が王仁に『論語』10巻、『千字文』一巻をつけて貢進したとある。[2]

　すなわち、韓半島から日本列島に文明などを伝えながら言葉も流入したことが推察できる。

　そして、現在においては「キムチ、チマチョゴリ、チゲ」などの韓国語借用語が日本語として使われている。

　これまでの研究にも、古代における韓国語と日本語の類似性がみられるものは多くあるというように、かつて渡来人による日本語への影響はかなりあったと推測される。

　借用語に関しては、先学によって幾分の研究が行われてきたのは事実だが、そのほとんどは、主に語彙的な観点からのものが多かった。すなわち、借用語に関する研究が語彙的な観点に偏っていたため、借用の過程で起きる音韻や表記の変化に注目し、その現象を取り上げたものはあまり見当たらない。

　したがって、本書においては日本語と韓国語の音韻体系の違いによる音韻変化および漢字語の音読みの違いによって生じる変化など、用例を中心にその実態を明らかにしたい。

　なお、言語交流の観点から借用語を分析すると、借用語は借用対象、借用時期、借用経路などによって音韻や形態を変え、多様な形で現れる。その実態を「音形のみの借用語」と「字形のみの借用語」に分類し、例文などを用いてそれぞれの違いをまとめたい。

　中国語をはじめ韓国語と日本語は同じ漢字文化圏に属し、表意文字である漢字が使われていたので、借用語において表音文字であるローマ字を使う西欧言語圏とは異なる背景を持っている。したがって、日本語と

---

[2] 『日本大百科全書（ニッポニカ）』小学館 (https://kotobank.jp/word/%E7%8E%8B%E4%BB%81-154262)

韓国語における借用語を分析するには漢字の表意性を考えながらも、日本語の表記手段である仮名と韓国語の表記手段であるハングルが持っている表音性を含めて、各々の特徴を考察しなければならない。

したがって、本書では日韓語彙交流史をはじめ、近代以降韓国語に流入、受容され、韓国語の中で使われている日本語系借用語を個別的、具体的に取り扱いたい。本書で取り上げられている用例は文献を中心に通時的、そして共時的な観点から韓国語における日本語系借用語を対象にそれぞれの音韻変化と形態変化などを詳細に分析する。

なお、日本語からの借用語を語種によって分析すると漢語や固有語（和語）、外来語などに分けられる。一方、借用における形態も多様で、「사라다/sarata/, サラダ」は、日本語からの語形で、「샐러드/sɛlrʌti/, salad」は、英語からの直接借用の語形である。「사라다/sarata/, サラダ」は、音を中心にした音形借用であり、「葉書：엽서/jʌpsʌ/」は、日本語の「ハガキ」の漢字表記をそのまま韓国語の漢字音読みした語形で、字形借用と分類できる。したがって、借用語に現れる諸現象を音声言語と文字言語の面から分析し、その音形と表記の変化を用例を中心に取りまとめる。

なお、韓国語における日本語系借用語は口語や俗語、専門用語等に多く見られる。その一部として医学用語を取り上げ、近代以降韓国語に取り入れられた医学用語の借用経路や成立、影響とその実態を調べ、まとめる。調査のために、韓国で1906年に刊行された『解剖学巻一』における医学用語とその底本と思われる日本の『実用解剖学』における用語との比較を行い、その関連性と影響を分析する。

漢字で表記される外国地名の場合、「西班牙（スペイン）」のような表記は近代以降西洋の外国地名が中国で漢字表記された後、日本と韓国への借用が行われ、使われていた。しかし、中国で当てられた漢字表記は中国の漢字音に基づいたので借用された外国地名の漢字表記を日本語と韓国語の音読みにした場合にはその音形が異なる。そのよう

な点を踏まえて外国地名の漢字表記を文献を中心に調べ、その語源および出典などを明らかにし、漢字文化圏における外国地名の漢字表記の実態を明確にする。

　本書が韓国語と日本語の交流および借用語における音韻や表記の変化などを理解するのに少しでも役に立つことを願いたい。また、韓国語と日本語の語彙交流および両言語の借用語について関心を持っている学習者と研究者たちには、一つの基礎資料になってほしいと思う。

金　敬鎬

目次

まえがき i

第 1 章

総論

1. はじめに 2
2. 韓国語から日本語に伝わった言葉 6
3. 日本語から韓国語に伝わった言葉 8

第 2 章

借用語と外来語の概念

1. **中国語における借用語**..19
2. **日本語における借用語**..21
   - 2-1 既存の定義について 22
   - 2-2 日本語における借用語の分類 25
3. **韓国語における借用語**..31
   - 3-1 借用語の定義 32
   - 3-2 韓国語における借用語の問題 33
   - 3-3 韓国語における借用語の分類と定義 36

| 4 | 日本と韓国における借用語の実態 | 38 |

4-1　借用の時期 39
4-2　日本語における借用語の系統 40
4-3　韓国語における借用語の実態 48

第3章

韓国語における日本語系借用語

| 1 | 日本語系借用語の分類 | 65 |
| 2 | 日本語系借用語の特徴 | 71 |

2-1　日本語系借用語の音形や語形の変容 71
2-2　日本語系借用語の判別 73

第4章

韓国語における日本語系借用語の諸様相

| 1 | 借用語における日・韓両国語の音韻と表記 | 78 |
| 2 | 両国語の音韻体系 | 79 |

2-1　母音 79
2-2　半母音 85
2-3　子音 88

3	日本語のモーラ音素と韓国語の終声の比較	99
	3-1　日本語の撥音と韓国語の終声	99
	3-2　日本語の促音と韓国語の終声	101
	3-3　日本語の長音と韓国語の長音	103
4	外来語の表記規則および表記実態	105
	4-1　日本語における外来語表記規則	106
	4-2　韓国語における外来語の表記規則と実態	110
5	日本語系借用語の音形と表記	126
	5-1　日本語系借用語の漢字による表記	126
	5-2　日本語系漢字借用語の音形	129
	5-3　和語系借用語の音形変化	134

第5章

借用経路による借用語の音形と字形

1	日本経由の西欧語系外来語	141
2	日本語経由の外来語の音形	143
3	日本語経由の西欧語の語形	171
4	漢字語借用語の特徴	188
	4-1　韓国語における漢字語の位相	190
	4-2　韓国語における漢字語の起源的系譜	190
	4-3　日本語から借用された漢字語	192
	4-4　日本製訳語系漢字語	199

第 6 章

医学用語の借用の実態

- 1 日本における近代医学用語の成立過程 227
- 2 韓国における西洋医学書の翻訳 230
- 3 医学翻訳書に現れる医学用語の形態 232
  - 3-1 『解剖学卷一』の翻訳の実態 232
  - 3-2 『解剖学卷一』における医学用語の特徴 234
- 4 医学用語の成立および借用 239

第 7 章

外国地名に関する漢字表記の借用

- 1 外国地名に対する漢字表記の嚆矢 243
- 2 中国の文献における外国地名の漢字表記 245
  - 2-1 『坤輿万国全図（1602）』の外国地名の漢字表記と影響 246
- 3 日本の文献に現れる外国地名の漢字表記 261
  - 3-1 『采覧異言』における外国地名の漢字表記 262
  - 3-2 近代の文献における外国地名の漢字表記 267
- 4 韓国語における外国地名の漢字表記 278
  - 4-1 『芝峰類説（1614）』における外国地名 280
  - 4-2 近代の文献における外国地名の漢字表記 285

むすび	307
あとがき	311
参考文献・資料	312

第 1 章

総論

1 はじめに

　言語はコミュニケーションの道具である。本能的な生活を営む動物と違ってすべての人間は言語を駆使し、コミュニケーションを図る。ほとんどの人間はコミュニケーションを行うために言語を作り出すわけであるが、どれほどの言語形態が存在するかという疑問が生じる。地球上にいくつの言語が存在するのかを調べた調査結果がある。それによれば、約7,168（2023年）の言語があることがわかる[3]。

　そして、音に意味が加わって使われる単語は語種（単語の生成や出自）によって分類すると固有語と借用語に大別される。固有語とはモノや概念を表したい時にある言語において必要に応じて独自に造られた単語である。それと違って外部からモノや概念などが流入する際に一緒に流入する単語が借用語である。また、固有語と借用語が結合したりして造られた言葉を混種語と分類する。それぞれの言語において語種の比率構成は異なる。同じ文化システムや言語体系を持っている部落や集団、民族が完全に閉鎖されていればその民族には固有語だけが存在することになる。しかし、「人間は社会的動物である。」という定義があるように、地球上のほとんどの人間や民族は孤立することはなく、互いに交流したり、生活を営むために移動したり他の文明や文化を受け入れる。それによって新しい文明や文化、言語などと接触することとなる。とくに、最近のようなグローバル化とインターネットやスマホの普及によるＳＮＳ（ソーシャルネットワークシステム）の使用は、新しい文明や文化の流入が世界的にほぼ同時に行われ、言語の借用も積極的に行われることとなる。つまり言語の交流が盛んになっていることにより、借用語の占める比率は益々増える傾向であ

---

[3] INTERBOOKS＜【2023年最新版】世界の言語データ＞「ほとんどの場合その使用者は1,000人未満です。その一方で、わずか23の言語が世界人口の半分以上を占めている」

る。地球上の言語はそれぞれの言語が持っている形態、すなわち各々の独特な文法体系や音韻体系などはそれぞれ異なる。しかし音声器官を使って音を発し、それに意味が加わることによって成立する本質は変わらない。そのような背景により言語はそれぞれの相違とは関係なく、異文化との接触や交流に伴って自然に借用が行われることとなる。

日本と韓国は歴史的かつ地理的な背景によって昔から中国語の影響を受け、同じ漢字文化圏を形成しているので他の国と比べ古代から今日まで様々な分野においての交流行われ、影響を受けあっている。すなわち、両国は言語の面においても古代から互いの交流や接触によって相手国の言葉が借用語として流入し、使われている。

日本語と韓国語における言語の交流や影響に関するこれまでの研究は両国の親族関係、すなわち、系統面を明らかにすることに重点が置かれている。そのために、古代における両国語の語彙や音韻などについての比較・対照による研究が主に行われ、両言語の共通点や相違点を究明してきた傾向がある。語順や語彙など、両国語の共通する部分が多いので両国語の同系を主張する説もあるが、資料などの制約や両言語が持っているそれぞれの特徴などによっていまだに究明されていない部分も多く存在する。

このような古代における語彙や音韻などの研究方法とは異なって、ここ数十年日本では近世・近代漢語や西洋語の訳語とともに借用語についての研究が行われ、系統の面だけはなく、個別語の研究について大きな成果が挙がっている。しかし、韓国語においては、借用語における個別語に関する研究はいまだに多くの研究課題を残している。したがって、韓国語における個別語の研究の一環としても、韓国語における借用語の研究は重要な意味を持つ。

日・韓両国における借用語の研究においては、両国語の語彙史のみならず、歴史・文化史などの諸分野と密接な関係があることは言うまでもない。

借用語は借用対象・借用時期・借用経路によって多様性が現れる。韓国語における借用語は、古代には中国語を中心としたのが、19世紀以降からは、借用元が日本語に変わり始めた。さらに日本からの植民地時代に、韓国では日本語が共用語として用いられたことで、韓国語には多くの日本語系借用語が流入し、定着して用いられている。

　一方、日本語と韓国語は同じ漢字文化圏であり、各々の固有文字である仮名とハングルを有し、かつ中国の漢字が表記手段の一つとして認められている。その漢字によって両国語における借用の方法は、表音文字のみを使用している言語圏において行われる借用とは異なり、借用の方法にも多様な形態が現れる。したがって、日本語と韓国語における借用語の研究においては漢字の表意性と表音性による特色と仮名やハングルが有する表音性などによる借用語について区別し、各々の語形を考察しなければならない。それにもかかわらず、これまでの韓国語における借用語の研究は一つにまとめて借用語あるいは外来語として扱ってきたのである。

　韓国語における日本語系借用語は、語種によって分類すると、漢字語（字音語）、和語（固有語）、外来語（二次的借用語）などに分けられる。なお、その借用の形態はさまざまである。たとえば、日本で造語された「出張（シュッチョウ）」の場合、日本語の有する音形は除かれ韓国語の漢字音読み化が行われ、「출장/chulcaŋ/」に音形が変わって用いられるので、字形のみが借用されることになる。日本語の固有語は「다다미（/tatami/ 畳）」のように日本語の音形がそのまま借用される場合もあるが、漢字で表記されて訓読みされる「内訳（ウチワケ）」のような語は、字形だけが借用され音読み化して「내역/nɛjʌk/」として用いられる。

　他方、西欧語から日本語に借用されて日本語に定着している外来語が、日本語を経由して二次的に韓国語に借用される場合、「사라다（/sarata/ サラダ）」のように日本語の音韻や文法規則が適用された形で用いられ、

直接借用された語「샐러드（salad）」とは異なる形をもって現れる。

　日本語と韓国語は固有文字を有し、かつ漢字を表記手段として使っているが、各々の漢字音が異なり、音韻体系にも相違がある。そのために、借用語においても語種や方法によってさまざまな形態が現れる。すなわち、借用語は他言語からの流入によるもので、受け止める語と受け止められる語の言語体系の相違によって変容が生ずるために、借用対象や経路によって語形の相違が現れることである。

　このような韓国語における日本語系借用語についての研究には色々な方法がありうるが、その借用対象や経路などを明らかにするためには、音韻や表記などの比較による考察が必要である。本書においては、音韻や表記を中心として日本語系借用語を分析し、その結果を取り挙げる。

　言語研究の一環としても、音韻や表記を中心にした韓国語における日本語系借用語の研究は重要な意味を持つが、語彙研究においても重要な研究テーマである。さらに、両国語の音韻や表記などの類似点や相違点を明らかにすることにもつながる。

　韓国語における日本語系借用語は、前述したとおり、その借用方法によって音形のみの借用や字形のみの借用など、さまざまな借用形態が現れる。とくに日・韓両国語はともに漢字文化圏に属しているので、漢字を表記手段の一つとして使っているが、中国の漢語との関連によって、その出自や借用経路を明らかにすることが難解である。したがって、本書においては可能な限り韓国語における日本語系借用語の借用経路や実態を明らかにしたい。そのために、先行研究や文献などによる理論的な方法と実証的な方法に基づいて考察、分析を行う。

2　韓国語から日本語に伝わった言葉

　これまでの研究によれば韓国から日本へ伝わった言葉として、古代の韓国語と日本語の類似性が見られる言葉がいくつかある。表記に関する研究として「日本の古金石文における表記の方法に古代韓国の古朝鮮での用法が現われる」[4] という報告がある。このように、かつての朝鮮半島からの渡来人による日本語への影響はかなりあると推測される。なお、語彙や音韻の類似性の観点から両言語の交流や影響があったことを示す例が次のように見られる。

① クマ（熊）　　←「韓：곰/kom/」
② コホリ（郡）　←「韓：고을/kowl/」
③ ハタ（畑）　　←「韓：밭/pat/」
④ ムレ（群）　　←「韓：무리/muri/」　など

　上記の例①の場合は、日本語の「くま（熊），[kuma]」の語源が、韓国語の固有語である「곰/kom/」から来たという主張である。つまり、韓国語の「곰/kom/」が日本に伝わり、母音「-o」が「-u」に変わり、音節末の「-m」が子音であるため、母音「-a」を付けて開音節化したという根拠である。他の用例も韓国語の語源から日本に伝わったものがそれぞれの音韻変化を起こし、現在の語形になったという説である。

　李基文氏[5] は古代韓国語と日本語との類似性を取り上げ、高句麗の4つの地名における4つの数詞が古代日本語の数詞と完全に一致することを明らかにした。

4　藤井茂利（1990）「郷歌の漢字の用法と万葉の漢字の用法」日本語語源研究会編『語源探求』＜明治書院＞所収
5　李基文（1988）『国語史概説』韓国塔出版社

① 高句麗の数詞：
- /mil/「密」（三）
- /uc/「于次」（五）
- /nanən/「乱隠」（七）
- /tək/「徳」（十）

② 対応する古代日本の数詞：
- 「mi」（三）
- 「itu」（五）
- 「nana」（七）
- 「towo」（十）

また、現代日本語における韓国語固有語系の借用語として、次のような例がある。

③ チョンガ、キムチ、チマチョゴリ、チゲなど

その内、チゲの意味について日本語の辞書を参照すると次のような解説がある。

▶ チゲの解説[6]
《(朝鮮語)》朝鮮料理の鍋物のこと。魚介や肉、豆腐・野菜・<u>キムチ</u>などを入れ、<u>テンジャン</u>・<u>コチュジャン</u>などで味をつける。

日本語と韓国語との接触についてその背景を調べると、古代には主

---

[6] 「goo 辞書」https://dictionary.goo.ne.jp/word/%E3%83%81%E3%82%B2/（2024 年 9 月 25 日、確認）

に韓国語から日本語に影響を与えたことと推察される。しかし古代のことなので、文献上に見られる日本語における韓国語系借用語の数は、それほど多くはない。

3　日本語から韓国語に伝わった言葉

　日本語から韓国語に伝わった借用語は、古代ではなく近現代の時期に流入した語が多い。しかも、固有語のように用いられる言葉もある。一つの例として、現代韓国語では日本語の「タバコ」のことを「담배/tampε/」という。その語源を探ると日本語の「タバコ」が漢字表記を通して、音形が変容し「담배/tampε/」になったことがわかる。
　ここで、最近は話題になっているチャットGPT（ChatGPT）を通して韓国語の「담배/tampε/」の語源を調べてみる。

> 담배의 어원은 포르투갈어 "tabaco"에서 유래한 것으로, 이는 담배 식물과 관련이 있습니다. 이 단어는 스페인어와 영어에도 영향을 주었으며, 담배가 유럽에 전파되는 과정에서 변형되어 사용되었습니다. 또한, 일본어 "타바코（タバコ）"와도 연결됩니다. 한국어에서는 "담배"라는 명칭이 사용되며, 역사적으로 다양한 문화에서 흡연과 관련된 관습이 존재해 왔습니다.
> （日本語訳：タバコの語源はポルトガル語の「tabaco」に由来し、これはタバコの植物と関連しています。この単語はスペイン語と英語にも影響を与え、タバコがヨーロッパに伝播される過程で変形して使われました。また、日本語の「タバコ」とも関連があります。中略…）

　そして、韓国のネットには次のような詳細な説明もある。

우리나라에는 1592년 임진왜란을 전후로 담배가 왜군들에 의해 들어온 것으로 알려진다. 이렇게 들어온 담배는 민간에 급속히 확산되었는데, 이수광 (1563~1628) 의 《지봉유설》에 따르면 우리나라의 담배는 1611~1612년에 '담바고 (淡婆姑)' 라는 이름으로 일본에서 처음 들어왔다고 기록돼 있다.[7]
(日本語訳：韓国には1592年の文禄の役を前後にタバコが倭軍によって伝わったと知られている。このように入ってきたタバコは民間に急速に拡散したが、イ・スグァン (1563~1628) の『芝峰類説』によると、韓国のタバコは1611~1612年に「タンバゴ (淡婆姑)」という名称で日本から初めて伝わってきたと記録されている。中略…)

上記の説明で確認できるように、韓国語における「담배/tampɛ/」の語源は、日本語であることがわかる。
そして、日本語の「タバコ」は元々ポルトガルから借用されて日本で使われる借用語である[8]。日本の文献によれば、タバコについて下記のような多様な表記が見られる。

・タバコ・タンバコ・タボコ・多巴古・佗波子・姑烟・淡婆姑・煙草・烟草・莨[9]

韓国の文献に日本語が初めて姿をみせるのは、江戸時代、幕府と親善関係を保つために日本を訪問した朝鮮通信使によって記された行事記録である。

---

7 https://jy-studio.tistory.com/m/9 <最終確認：2024年10月6日参照>
8 日本語の「タバコ」の語源はキューバ付近のインディアン族の「tabaco」がポルトガルを通した「tabaco」に由来する。馬場良二 (2008)「ポルトガル語からの外来語」『国文研究』第53巻、熊本県立大学日本語日本文学会
9 『宛字外来語辞典』(1991) 柏書房

宋民（1989）は1876年以前と以降を区分して、次のような語が上記の朝鮮通信使と修信使たちの記録に見られることを明らかにしている[10]。

① 淡麻古（多葉粉）[11]/tammako/

　例として取り挙げた韓国語の漢字表記「淡麻古/tammako/」は、日本語の「タバコ」に韓国語の漢字を当てたものか、日本語の漢字宛字をそのまま借用したか、一概には断定しきれないところもあるが、日本語の文献にはその用例は見あたらない。
　おそらく、「淡麻古（담마고/tammako/）」の表記は、漢字の表意性が除かれ、表音機能だけが使われた例であると推察される。この「淡麻古」の表記は、韓国語の漢字音としては「담마고/tammako/」と読まれる。韓国語の漢字音には、固有語には存在する「바/pa/」の音が存在しない。したがって、日本語の「バ/ba/」にあたる韓国語の「바/pa/」の音形を、代わりに「마/ma/」の音形を持つ漢字「麻/ma/」を当てたものと推測できる。
　要するに、韓国の文献に現れるこの「淡麻古/tammako/」の漢字表記は、日本語の「タバコ」の「バ」音の鼻音性を表すために、一音節に「淡（담/tam/）」を付けた後、二音節の「バ」にあたる漢字「麻/ma/」を以って日本語の「ば/pa/」を表したことである。そして、「タバコ/tabako/」は原語の音形とは異なる「담배/tampɛ/」の形に変化し、今日では固有語と思われているほどである。
　このように、韓国語において固有語と思われている言葉の中には、日本語から借用された後、音形が変化し、使われる借用語が多数ある。

10　宋敏（1989）「韓国語内の日本的外来語問題」『日本学報第23輯』
11　金綺秀（1867）「修信使日記」韓国国史編纂委員会1974『修信使記録全』探求堂

② 고구마/Kokuma/（薩摩芋の対馬の方言の転）

　19世紀以前に韓国語に入った日本語からの借用語は、そのほとんどが物に関する名である。物と一緒にその呼び名が伝わり、それらの音形に韓国の音韻規則が適用されたものである。たとえば、韓国語の「고구마/Kokuma/」は、日本語の対馬方言である「コーコイモ (kookooimo, kookoimo, kookomo, koikoimo)」[12]から由来する言葉である。つまり、対馬方言の「コーコイモ (kookooimo)」に韓国語の漢字音で同じ音形を持つ「古貴麻（고귀마/kokwima/）」を当てたものである。それが、現代においては、「고구마/kokuma/」の形に定着して、サツマイモの意味として固有語のように認識され、用いられている。
　また、「サツマイモ」のもう一つの漢字表記である「甘藷」が、韓国語に流入して「ジャガイモ」の意で用いられていた例がある。
　日本語の「サツマイモ」の対馬方言「コーコイモ」が韓国に伝わって、「古貴麻」という漢字表記が与えられた後、韓国語の漢字音読みの「고귀마/kokwima/」として用いられ、その後、音の変化を経て、「고구마/kokuma/」に定着したことは前述したとおりである。しかし、日本語の「薩摩芋」を表すもう一つの漢字表記である中国の「甘藷」が別のルートで借用され、韓国語においては、そのまま韓国語の漢字音読みとして「감저/kamcʌ/」と読まれ、日本語の「ジャガイモ」の意として使われた。韓国語のソウル中心の共通語では、「甘藷」の韓国語の漢字音読み「감저/kamcʌ/」の最後の母音が、前の母音「ㅏ/a/」の影響によって母音同化で「감자/kamca/」に変わり「ジャガイモ」の意を持つ語として定着した経緯がある。このように、日本語においては同じ意を持つ「薩摩芋」と「甘藷」という言葉が、韓国語においては、対馬方言から入った「고구마/kokuma/」は「サツマイモ」の意

12　徳川宗賢、W.A. グロータース編（1976）『方言地理学図集』秋山書店

で用いられる一方、中国から流入した「甘藷」は韓国語の漢字音読みが与えられ「감자/kamca/」の音形を持ち、「ジャガイモ」の意として定着し、いわば意味の役割分担が行われている。

このように、韓国語には日本語から借用され、音形や語形変化を経て、固有語のように用いられるものが多い。

近代以降に日本語から借用された語彙の中の一部を取り上げると次のようなものがある。

- 「大統領」(president の意訳)
- 「伯理璽天徳」(president の音訳)
- 「独逸」(Deutschland の音訳)

上記の用例は、西欧語が日本語を通して漢字語として訳され、いわば新文明語彙として流入したものである。

そして、植民地の時期には日本語が公用語として使用され、とくに和語系や日本語を経由した西欧語系外来語が多く流入する。

- 구루마 (「クルマ」車)
- 다다미 (「タタミ」畳)
- 사라다 (「サラダ」)

和語系借用語は現代においてもなお口語として用いられている傾向がある。

사라다 (「サラダ」)」の場合、辞書では、英語から影響を受けた「샐러드/sɛlrʌti/」は国際的な標準用語で、「サラダ」は日本式発音と文化的変形を反映した表現と説明されている。

そして、植民地時代 (1945年まで) 以降からは韓国において日本語からの和語系の借用は前に比べ少なくなった。しかし、「日・韓国

交正常化（1965）」によって新しい和製漢語、和製英語、漢字訳語、日本語の混種語、略語などが借用されるようになる。

・漢字語：高速道路・冷戦
・外来語：고로께（[korok'e] コロッケ）・리모콘（[rimokʰon] リモコン）
・混種語：財테크（[cɛtʰekhi] 財テク）・가라오케（[karaokʰe] カラオケ）など

　このように、韓国語のなかに用いられている日本語系借用語は思った以上に多い。さらに「社会」、「学校」、「哲学」などは近代以降西洋語が日本に伝わり、漢字で翻訳された漢字翻訳語である。つまり、このような語彙は日本語から借用された語彙である。しかし、韓国語では中国語から借用された「聖書」、「基督教」のような語彙と区別せずに、漢字で表記されたということだけで漢字語として扱う。したがって、漢字語を対象にして借用の系統を区別すると韓国語における日本語系借用語は、おびただしい。

　借用語についてその語源や経路、時期などを探ると、韓国は19世紀までには中国の影響を受けてきた。その後、19世紀以降からは政治的な背景によって日本からの影響を受けるようになる。その結果、韓国語の漢字語には中国語からの借用語と日本語からの借用語が混在している。

　その中でも日本語系借用語の特徴は、漢字で表記されているものはほとんどが韓国語の漢字音読みで読まれることから日本語の字音語や訓読みされる和語、医学用語、外国地名まで、原語である日本語とは異なる語形を持って、用いられていることである。

第 2 章

借用語と外来語の概念

借用語と外来語という用語は、一般的に同じような意味を持っているが、漢字からその意味を分析すると、「借用語」は「借りて用いられる言葉」の意味であり、「外来語」は、「他の言語（外部）から来た言葉」の意味で解釈される。したがって、この章においてはまず、借用語と外来語という用語についてその概念を明らかにしておきたい。

> 外来語（E. exotic）は帰化語（E. donizen）、借入語、借用語（E. loan-word, borrowed word）、舶載語、舶来語、輸入語（E. imported word）などともゆうが、みなおなじものをさし、その意味するところまったくおなじである。[13]

　引用のように日本語における借用語や外来語について、「loan-word, borrowed word」にあたる訳は異なるにしても、各々の名称が表す概念は大方、同様の意であろう。どのような立場で見るかによってその訳や名称が異なるだけである。
　すなわち、借用語という用語は「loan-word, borrowed word」の訳語として、「他言語要素からの借用された語」の意味を表す。しかし、この用語の成立を考えると西欧語で作られた「loan-word, borrowed word」を日本語で訳し、使っているということがわかる。つまり、「loan-word, borrowed word」は、直訳で「借りた」と「言葉」が合成して、「借用語」という用語として成立したことである。「外来語」の意味を漢字の意味で分析すると「外来」からの「語」である。「外来」の意味は「外から来る」という意味を持つので、「外来語」とはつまり「外部からの言葉」の意味を持つ。言い換えると、「外国からきた言葉」の意味で、英語でいうと「Foreign　Language」の意味が強い。
　しかし、よく考えると西欧語と言語体系や構造が異なる日本語や中

---

[13]　荒川惣兵衛（1943）『外来語概説』（1986）名著普及会１頁

国語、そして韓国語においてこの用語をそのまま使うには多少問題がある。したがって、借用語についての概念を明らかにする必要がある。

「loan-word, borrowed word」の訳語である「借用語」や「外来語」というのは、他の言語体系から言語の諸要素を借り入れて用いられるすべての言葉を指す意味を持つが、各々の言語の成立事情や構造には相違が存在するので、その借用形式や方法は異なる。

たとえば、表音文字が用いられている西欧言語圏においては他の言語から借用が行われる場合、借用される対象語の音形や意味だけをとり入れる傾向がある。いわば、音声言語として借用されることが一般的である。しかし、表意性を持つ漢字を表記手段として使っていた中国語・日本語・韓国語[14]のいわゆる漢字文化圏においては、西欧圏と違って、漢字を通して借用が行われる傾向がある。たとえば、中国語から日本語に借用された「袈裟」のように、語形や音形だけではなく字形まで借り入れることや、「畢竟」が日本語では、「ヒッキョウ」、韓国語では「필경/philkjʌŋ/」になるように本来の中国語の有する音形は捨てられ、字形と意味だけを借用することがある。したがって、中国語・日本語・韓国語における借用語の実態は、西欧言語圏における借用方式と方法が異なるので、借用語に関する概念や分類も変わるはずである。

言い換えれば、表音文字だけを使う西欧語のような言語圏においては、他言語の体系から言語要素を借りる際には、対象語の音形と意味だけを借りてその音形を自国語の言語体系に併せ使うのが一般的である。しかし、日本語と韓国語は独自に表音文字である仮名やハングルを主な表記手段として持っていながら、中国の漢字を一緒に使っている。したがって漢字文化圏における借用においては表音文字だけを表

---

14 日本語と韓国語は固有文字である「仮名」や「ハングル」が使われているが、並びに漢字も表記手段の一つとして認められている。

記手段として用いている西欧言語圏における借用方法とはその内容や状況が異なる。

　日本語の場合は、西洋語系の言語要素を借用する際には、一般的に「サラダ」のように音形と意味だけを借用する。一方、「O.K」のように西洋語の文字まで一緒に借用して、日本語の中に用いる例も稀に見られるが、原則的には西欧語系の外来語は日本語の文字である片仮名で表記する[15]ことになっている。

　しかし、中国語系の漢語の借用においては、日本語と韓国語共に借用語の音形や意味だけではなく、漢字そのものも一緒に借り用いられている。すなわち古代に独自の文字体系を持っていなかった日本語と韓国語は中国語の漢字を借り、中国語で作られた漢語の語形や音形および字形などと一緒にその語が有する概念まですべてを受け取って漢字で表記したのである。このような点において中国語系の漢語は日本語と韓国語において西洋語系の外来語の借用とはその過程や方法などが本質的に違う。

　荒川惣兵衛（1932）は、外来語の定義について「外来語すなわち音訳借用語」と定義しながら、日本語における外来語の実態として次のように述べている。

> 語（word）と文字（letter）と別物であることは言を俟たない（いうことでもない[16]）。しかし文字のなかった我が国においては、文字をも借用して居る。故に我が国における外来語の中には、語の外に文字といふ要素も入る。即ち我が国の外来語には音と意義と文字の三要素を立てることが出来る。[17]

15　日本語のなかの外来語を仮名で書く習慣は、「新井白石の著述（『西洋紀聞』—18世紀始め）に見られる」と説明されている。平成3年「国語審議会答申『外来語の表記』前文」の「外来語を片仮名で書く習慣について」所収

16　筆者の追加。

17　荒川惣兵衛（1943）『外来語学序説』（名著普及会）（1986）10-11頁

引用のように、西欧言語圏の「loan-word, borrowed word」の訳語である借用語の概念と漢字文化圏における借用語の概念は異なる。漢字文化圏における中国語、日本語、韓国語においては漢字が文字体系の一部や語構成要素として用いられている。したがって、各々の言語における借用語の概念について一瞥する必要がある。その後、定義を明らかにすべきである。

1　中国語における借用語

　漢字は、意味を表す文字なので表意文字と称されるのが一般的である。しかし、正確にいうと漢字は表意性だけではなく表音性も持っている文字であるので、表語文字と称するべきである。つまり、音に意味が結合すれば言葉になるので、漢字は表語文字である。
　漢字を用いている中国語では、ある外国語を借用する場合、たとえば、「opium（アヘン）」を「鴉片」のように漢字の表音性だけを用いて音形や意味だけを借用する。つまり、原語の英語の「opium/oʊpiəm/」が持っている音形を取り、中国語の漢字で「鴉片 /yāpiàn/」と用いることが可能である。しかし、「bible/baɪbl/」を借用する場合には「聖書」のように翻訳して借用する。つまり、漢字が持っている固有の表意性を生かして外国語の原語が持っている意味だけを取り、借用の対象である原語の音形を捨てる。このように表記手段として漢字を用いている漢字文化圏においては、漢字の表意性を用いて意訳する形で外国語を借用することが頻繁に行われる。これは翻訳の中でも、とくに意訳である。したがって、西欧言語圏において行われる借用（音形と意味）と異なり、ある面においては借用ではなく概念のみが伝わり、一つの新しい造語ともいうべきである。

この借用に現れる二つのやり方は、表意性と表音性を有している漢字を用いている漢字文化圏の特徴である。
　このような事情によって、中国語においては、他言語の体系から借用される語でも音形と意味を一緒にとり入れていない語は外来語として認めないという主張がある。裏付けのために、中国語学者の高名凱・劉正炎の説（1958）を引用する。

> よく知られているように言語のいかなる成分もすべて音と義の結合したものであり、単語もその例外たりえない。外国語の単語もその音声部分があり、またその語義部分があり、その二つの部分はいずれも外国語の単語に不可欠な要素である。外国語の中から自己の言語に存在しない意義の単語を音と義をひっくるめて自己の言語の移入した。このような単語こそが外来語なのである。なぜならば、それは「音と義の結合したもの」をまるごと全部持ち込んできたからである。もしただ外国語の単語が表す意義を持ち込んだだけであれば、それはただ外来の概念が表現するところの意味にすぎず外来の単語ではない。なぜなら我々は外国語の単語「音と義の結合物」を自己の単語に移入しておらず、ただその概念が表すところの意義を持ち込んだにすぎないからである。[18]

　すなわち、外来語はあくまでも外国語に由来する語であって、言語学上の定義をもつ語とは、音形と意義の結合物でなければならない。要するに、意味だけの移入は外来語（借用語）と認められないという主張である。
　一方、昔日本では中国語から多くの漢語を受け入れたが、近代以降

18　高名凱・劉正炎（1958）『現代漢語外来詞研究』（鳥井克之訳（1988）『現代中国語における外来語研究』＜関西大学出版部＞）

には、日本で造語された訳語が逆に中国語に借用されることがある。たとえば「社会」のような単語は、英語の「society」が漢字で訳され定着した言葉である。「社会」のような日本語から中国語に借用された言葉、いわゆる漢字訳語系借用語は、西欧語から中国語に直接借用された語とは方法が異なる。

すなわち、中国語における日本語系の訳語の借用は、字形は「社会」そのまま受け取られるが、音形は日本語の「シャカイ」ではなく、中国語の漢字音読み「/shèhuī/」に改めて受け止められて使われている。すなわち、日本語からの借用語のうち、漢字で表記される語は、音形の借用を伴わないのが中国語における日本語系借用語の有する大きな特質である。したがって、中国語においては、借用語を「音声借用」と「書写形式（表記形式）」の二つに分けている。西欧語系からの借用語のうち、「opium/oʊpiəm/」を漢字表記した「鴉片」のような語は「音声借用」として、日本語からの借用語である「社会」のような語は、「書写借用」として区別される。

このように、表意文字である漢字が形態素として用いられる中国語においては借用語をめぐって、その概念や範囲について表音文字を用いる他の言語とは異なる事情がある。また「社会」のように日本語の訳語からの借用語は音形を伴わないものとして、外来語のなかでも特殊なものとして取り扱っていることがわかる。

2 日本語における借用語

日本語の場合、表記体系として固有の文字である仮名（平仮名、片仮名）と中国の文字である漢字が用いられている。中国語からの借用語は当然、漢字で表記されているが、西欧語からの借用語については

片仮名で表記することが一般的である[19]。したがって、文字言語の場合には、借用語の表記形態が異なり、語源も明確になる。

2-1　既存の定義について

「借用語」と「外来語」は文字どおり、外の言語体系の言語要素を借りて、自国語の言語枠に取り入れられたものを指す用語である。しかし、その定義にも観点によって説明や概念が異なるため、日本における諸定義をまず整理しておく。

国語学辞典類においては、次のような説明がある。

> 外国語が翻訳されずにそのまま用いられ、その使用が社会的に承認され、国語として定着したもの。すなわち、国語化した外国語ともいう。[20]

つまり、外国語から借りてきた言葉に、日本語の要素が反映され、翻訳されずに原語と同じ音形と意味をもって、日本語の体系の中で定着し、用いられることを指す。

また、他国の言語体系の資料（語・句・文字等）を自国語体系に借り入れて、その使用が社会的に承認されたものを借用語[21]という立場もある。

前田太郎氏は、外来語を日本語の中の一つとして、語種における概

19　外来語を片仮名で表記する傾向は、明治時代から目立ちはじめ、第二次世界大戦後に一般的な傾向として定着しました。その利点としては、原音に近く表記するために片仮名が適していること、漢字平仮名交じり文の中で語のまとまりを目立たせる効果があることが挙げられています。＜平成９年、文化庁発行「言葉に関する問答集－外来語編－」＞

20　佐藤喜代治編（1977）『国語学研究辞典』明治書院

21　国語学会編（1980）『国語学大辞典』東京堂出版

念という立場から、次のように説かれている。

> 和語を除いた外からのものは総て外来語である。即ち大和言葉といはるるものが生粋の土語と云ふことに帰着するのである。[22]

固有語以外のものは、すべて外来語とみるこの見解は、原則的には正しいが、英語の「society」を翻訳したように日本で造られた漢字翻訳語は、外来語と扱うべきかどうかが課題になる。
また、社会言語的な立場で楳垣実氏は次のように述べている。

> 他国の言語体系の資料を、自国の言語体系に借り入れて、その使用を社会的に承認したもの、これを外来語と呼ぶ。[23]

つまり、借用語もしくは外来語としての資格を得るための条件として外国語から取り入れられた後、社会的に承認されたかどうかに重点が置かれている。なお、これらの諸説に基づいて外来語についての概念を整理すれば、借用語とは、他言語の言語体系からその言語の要素（音形、字形、意味など）を借りて自国語の体系に取り入れ、その言語社会において通用されるものということになる。

しかし、上記に引用した定義にしたがえば、外国語と外来語の区別が曖昧になる恐れがある。

外来語はそれぞれの国語に定着し、用いられる語であると定義する際、「サプライズ（驚き）」のような言葉は、どこまでが外国語でどこまでが外来語かの境目を設定するのは難しいこととなる。たとえば、外来語と外国語の区別について次のような主張がある。

22　前田太郎（1886）『外来語の研究』岩波書店
23　楳垣実（1944）『増補日本外来語の研究』青年通信社出版部 11 頁

> ＜中略＞日本人が日本語で話をするときにふつうに使うことばは、それがもともとは英語から来ているものであったとしても、日本語式に発音されていれば、それは「外来語」であると言って差し支えないでしょう。たとえばエリザベスと言うときの［リ］は（英語のLの音ではなく）舌をはじく日本語の［リ］であるし、また［ス］は（舌をかむような発音ではなく）サシスセソの［ス］である以上、これは外国語ではなく外来語であると考えるのが一般的です＜中略＞。[24]

日本語母語話者が話す外国語の単語を外来語と定義しているが、果たして、聞いたこともない外国語を日本人が日本語の中で一緒に使っただけで外来語になるかどうかは疑問が残る。いわば話し手のみではなく聞き手の理解も問題になり、どの程度の人が理解できるかも外来語の定義に関わるべきである。

このように、社会的な承認という問題に関しては、いかなる方法で外国語と外来語を区別するかは難しい問題である。これらについては次のような説がある。

> 承認の程度には、種々の段階的な差があり、二重国籍的な性質は避けられない。理論上は所属の言語体系と社会的承認の有無で決定できるはずだが、実際上は使用者の外国語意識の有無で主観的に決まる。欧州語などからの近年の外来語は外国語意識が濃いが、漢語などは外来語とさえ感じないので、外来語のなかにも同様の意識上の差があり、日本語中に外国語を引用・混用する場合もあ

---

[24] NHK放送文化研究所＜「外来語」？「外国語」？アクセントは？＞メディア研究部・放送用語　塩田雄大（2024年9月15日参照）
https://www.nhk.or.jp/bunken/summary/kotoba/term/098.html.

り得るから、それらと外来語との間に客観的な線を引くことは難しい。[25]

　すなわち、社会的承認の問題や区別は社会言語学的な調査方法を通して解決すべき問題であろう。確かに外国語と区別して外来語を国語の一部として認めるのにどのような基準に基づいて決めるべきかは難しい問題である。
　本書においては、社会的承認の問題はひとまずさし置いて、一般言語学の立場から論ずることにする。
　一般言語学的立場からこれらの定義をまとめれば、他国語の言語体系から借り入れられ自国語の文法体系と音韻体系ないし表記体系が反映された、また文字で表記された語はすべて外来語または借用語といえる。
　外国語からの借用は各言語が有する性質や体系が異なるのでその借用における有り様も各言語ごとに様々である。
　したがって、日本語における借用語にはどのような借用語が流入して、存在するかをまとめておきたい。

2-2　日本語における借用語の分類

　日本語の漢語の中で字音語は、昔から中国語の影響を受けている。つまり、古くから日本語においては中国の表記手段である漢字が借り入れられ、日本語の固有文字である仮名が成立した後にも共に表記手段の一つとして用いられている。古代に中国から漢字やそれに伴う中国系の漢語を受容する際には、その漢語が持っている音形と字形、そしてそれらが表す意味をすべて借用した。しかし元来中国語系の漢語が持っていた固有の音形は、日本語に流入してからは日本独自の字音

25　国語学会編（1980）『国語学大辞典』東京堂出版

によって読まれ、その音形が日本語のものに変えられるようになってしまう。さらに中国語から借用された漢字や漢語の語形は、日本語の中において新しい造語成分として使われ独自の日本製漢語を創り出している。

一方、西欧語からの借用においては、字形は除いてその音形のみを借用して日本語の仮名で表記したりしている。

このように、日本語における借用語には独特な借用の方法で、諸言語から語を借用している。

そのような日本語における他言語からの借用の方法は、大別すると3つに分けられる。

一つ目の方法は、たとえば「キリスト」のように、原語の音形と意味を受け入れることである。しかし、このような言葉は、文字言語で用いられる際には、片仮名で表記することである。表音文字である仮名を固有文字として有する日本語は外国語からの借用において、西欧系語の間における借用の方式と同じく音形や意味だけを受け取り、自国語の言語体系に併せることである。

二つ目の方法は、たとえば英語の「telephone」を「電話」のように訳して意味だけを借用する方法である。すなわち、借用において対象になる語の意味だけを取り、漢字を用いて、意訳するいわゆる音形は捨て意味だけを借用することである。借用語は音形と意味を取り入れたものであるという論にしたがえば、一種の創製ともいうべき訳語である。

三つ目は、中国の漢語の借用において、「聖書」のように原語である中国語の本来の音形「shèngshū」を除いて、「せいしょ」にして、漢字の字形だけを受け取る方法である。

しかし、日本語において、そもそも中国から借用された漢語は、外国語から借用された語であるので、外来語として扱われるべきだが、日本語の表記手段として漢字が用いられるなど、漢語がもっている特

性上、漢語は西欧系の外来語とは別格として扱われる。

　日本語における中国から借用された漢語を如何に分類するべきかについて、松村明氏は次のように指摘している。

　　日本語の中には、色々の外国語から入ってきて、日本語化した語がある。これが日本語における外来語である。古くから日本語に入ってきた外国語として中国語がある。これはその文字である漢字とともに、日本語の上に大きな影響をおよぼしており、我国固有の言語である和語に対して漢語という。これに対して、十六世紀の半ば以降、日本語に入ってきて、これまた、日本語の上にいろいろと影響を及ぼした西欧諸国の諸言語がある。これを一般に外来語と呼んでいる。広義には、漢語も外来語の一種に含めて扱われる。ただ、漢語は、西欧語系の外来語に比して、色々の点で日本語化が進んでおり、西欧語系の外来語とは異なった性格を持っている面がある。それで、一般に日本語の語彙をその語の出自から見た場合に、固有の日本語である和語と、漢字と共に、中国語から入ってきて日本語化した漢語と西欧語に由来する外来語と、この三つに分類することが行われる。和語・漢語・外来語の三つに分類して場合に、外来語とは、主として西欧語系の外来語を指していうのである。[26]

　確かに、他の言語から伝来したものは総て借用語であるという定義に基づけば、中国語から流入した漢字や漢語は広い意味における借用文字や借用語である。しかし、漢字を文字体系のなかの一つとして用いている日本語においては、そもそも漢語が外国語から伝来したということにおいては外来の性質を持っているものの、漢字で表記されている面において西欧系の外来語とはその性質が異なる。

26　松村明（1986）「漢語と外来語」『日本語の世界 2』中央公論社所収 273-274 頁

荒川惣兵衛（1932）は『外来語序説』において、日本語における外来語について、「文字をも借用した日本語の外来語に文字という要素もはいることがある」と指摘し、外来語の定義として、「外来語すなわち音訳借用語」としながら、次のように説明している。

　外国語を借用するにあたって二つの手段がある。意義のみを借用するか、音と意義とを両方とも一緒に借用するか、である。意義のみを借用したものを翻訳借用語、またわ単に翻訳語（E、translation（loan word））といい、音と意義とを両方ともいっしょに借用したものを音訳借用語、またわ字訳借用語（E、transliteration）とゆう。外来語とわすなわちこの音訳借用語のことである。[27]

これにしたがって、音、意義、文字という三つの要素の組み合わせによって、日本語の外来語を次のように分類しているので、それに関する問題を取り挙げる。

　　（１）音のみを借用したもの：外国の商標
　　（２）意味のみを借用したもの：汽車・電話
　　（３）文字のみを借用したもの：俤・働・腺
　　（４）音と意味を借用したもの：
　　　　ａ．仮名を以って音を写すもの：ハイカラ
　　　　ｂ．漢字を以って音を写すもの：夜叉・切支丹・瓦斯・倶楽部・
　　　　　　麦酒
　　（５）音と文字とを借用したもの：（古代）万葉仮名
　　　　　　　　　　　　　　　　　：（現代）Ｙシャツ

---

[27] 荒川惣兵衛『外来語序説』＜名著普及会（1988）＞ 9-10 頁

（6）意味と文字とを借用したもの：訓読の文字・アラビア数字
（7）音と意味と文字とを借用したもの：
　　a．音読の文字：忠（ちゅう）・孝（かう）
　　b．英語のローマ字：O.K

　この分類について、ヨーロッパ諸言語の言語接触による語彙借用に関する研究におけるBetz[28]の分類に基づいて、荒川氏の分類に対する疑問として沈国威氏が指摘するところをまとめると次のようになる。

（1）は、音だけの語が存在し得ないのと同じく、音だけの借用語も存在し得ない。
（2）は、「汽車、電話」の例が挙がっているが、「くるま」で「car」の意味を表すというように、既存の語をもって外来の意味を表す場合はともかく、「汽車」のように漢字（語基）で新しい文字、または語を作る場合は、やはりBetzの借用形成語、つまり、他言語のモデルの刺激による、自国語の素材からの語の新形成とすべきであろう。
（3）は、借用したのは文字ではなく、偏旁部首という漢字の部品とそれを組み立てる方法である。
（4）のbは漢字も外来の文字という点において、（7）に含めることはそれを別項に立てるのと同程度に可能である。
（6）は、文字（漢字）と訓との関係（訓が表す意味は漢字の伝来と関係なく既存のもの）を考慮に入れれば、むしろ（3）の文字のみを借用したものに分類すべきところである。
（7）は、音と意味と文字を借用したものとしての音読の漢字と、（2）の漢字訳語との区別が必ずしもはっきりしていない。

28　飯嶋一泰（1987）がBetzのドイツ語のデータに即して考案した借用形式。（沈国威（1994）『近代日中語彙交流史』笠間書院）

外来語における「文字」の問題は、ヨーロッパ諸言語と異なって、表意的要素を表記体系にもつ日中両言語間の語彙交流を考える際に重要な意味を有するということで、このように指摘しているが、(4) のｂである「夜叉、切支丹、倶楽部」などが、(7) の「音と意味と文字とを借用したものに含める」と言う説には同意し難い。なぜなら、「切支丹、倶楽部」などの語は、(7) の音読の漢字や「O.K」などとは違って、その語の音形と意味は西欧語からのものである。その西欧語の音形にあたる漢字の音形を用いて当てたものであるので (7) とはその性質が異なる。したがって、この論を参考にして、日本語における借用語を再分類すれば次のようになる。

（１）音と意味を借用したもの
　　　ａ．外国の商標；マクドナルド
　　　ｂ．仮名表記の外来語；サラダ
（２）文字と意味を借用したもの
　　　ａ．訓読の漢語；白波「シラナミ」
　　　ｂ．アラビア数字；1, 2, 3
　　　ｃ．漢数字；一、二、三
（３）音と文字を別々に借用したもの
　　　ａ．字音仮名；信濃（シナノ）・相模（サガミ）
　　　ｂ．和製音訳語；倶楽部（クラブ）[29]
（４）意味と文字を別々に借用したもの[30]
　　　ａ．漢字訳語；社会・哲学
（５）文字のみを借用したもの
　　　ａ．人名漢字；阿部（アベ）・夏目（ナツメ）

---

[29] 音形は英語から、文字は中国から借用したものである。
[30] 概念は英語から、文字は中国語から別々に借りて日本で造語したものである。

        b. 地名漢字；成田（ナリタ）・生田（イクタ）
（6）音と意味と文字を借用したもの
        a. 呉音・漢音読みの字音語；殺生（セツショウ）
        b. ローマ字語；O.K

　前述したように、表意性を有する漢字を自国語の文字体系の一つとして使用している日本語は、表音文字体系の西欧語系における言語とは借用語においてもその形式や性質が異なる。つまり、表音文字体系の西欧語圏においては、他言語からの借用には、借用の対象語の音形と意味だけを受け取るのが一般的であるが、日本語は、古代から中国語における漢字を漢語とともに借りる際に、その音形や意味だけでなく漢字の字形まで受け取って用いた。また、初めは漢字を原音どおりに発音したのが、次第に日本語の独自の音形を持つようになったのである。したがって、日本語における借用語の実態を考察するには、漢字という文字との関わりなどによって、上記のように、音形や文字または意味などによる分類を踏まえてその概念を明らかにしなければならない。

3　韓国語における借用語

　韓国語は、日本語と同様に漢字文化圏に属する。したがって、古代における中国からの借用語の実態は、日本と大概似ている部分が多い。しかし、近代になるとその状況が変わる。つまり、韓国語における借用語の語源を調べるとは日本語からの借用が多く、その実態が日本語における借用語より複雑である。

3-1　借用語の定義

　韓国語では「借用語」や「外来語」という日本語の訳語がそのまま定着して用いられている。そのため、その概念や定義も日本語における定義と大体同様である。

> 外国から入った語が国語に定着して使われている語即ち国語化された外国語。[31]
>
> 外国語から流入した語が国語として用いられる語、伝来語、借用語。[32]

　すなわち、韓国語においても、借用語や外来語という概念は日本語における定義と同じく外国語から借り入れて用いられるすべての語を意味している。

　韓国語において、漢字で表記される漢字語[33]はその借用期間が長く、韓国語の中にその占め率が高い。したがって、従来韓国語における借用語の定義と範囲において、他の言語の借用語とはその性質が異なる。よって、漢字語は広い範囲で借用語、狭い範囲としては帰化語として扱うのが一般的である。

　前に述べたように借用における状況は日本語と同様とみられるが、韓国語における漢字語の実態は日本語における漢字語よりその状況がもっと複雑である。

31　李煕昇編著（1990）『国語大辞典』（民衆書林）。拙訳
32　韓国語大辞典編纂会（1976）『韓国語大辞典』（玄文社）。拙訳
33　漢字で表記することができ、韓国語の漢字音で読まれる語を称する。

3-2　韓国語における借用語の問題

　韓国語における借用語の語源や原語をすべて明らかにするのは難しいが、大きく分けてみると次のようになる。
　第一は、漢字語系で、その漢字語もさらに中国語系や日本語系に分かれる。

中国語系：사리[舎利（Sari, Sarira）]，중생[衆生（Jagat）]
日本語系：과학[科学]，사회[社会]

　第二に、漢字語以外の借用語としては、日本語系借用語、すなわち和語・日本語経由の西欧語系外来語と、日本で造語された和製英語や混種語などが存在する。

例：사라다(/sarata/ サラダ)・빵꾸(/ppaŋkku/ パンク)

　第三には、日本語経由の西欧系語とは異なる、西洋から直接借用された西欧系の借用語がある。

例：샐러드(/sɛlrʌtɨ/)，컴퓨터(/kmpʰtʰʌ/)

　とくに、韓国語における中国語からの漢字語や日本語系の借用語は、長い歴史とともに韓国語の中のあらゆる部分に浸透しているので、韓国語における借用語の定義と範囲をいっそう複雑にする原因である。そこで問題になるのは、まず、漢字語をどのように扱うべきか、すなわち、語種として中国という外国から伝わったもので外来語として扱うのか、歴史が古く、韓国語の体系に定着しているものもあるのでこれらを固有語として扱うのかということがある。もう一つは、日本語から流入した日本語系借用語を、どのように扱うかの問題である。

言語体系が異なる外国語がほかの言語に定着する際には、文化の交流や接触に伴って自然に行われる場合と、征服または支配によって強制的に既存言語の上に異質な言語が流入する場合とがある。
　韓国語における日本語系借用語は、他の国の借用語とは異なって、その借用において自然的に行われたものもあるが、植民地時代に行われた言語政策により教育機関では文字言語と音声言語において日本語のみが公用語として決まった。いわゆる外国語である日本語が強制的に国語になったので、それを借用語として扱うべきではないという主張もある。たとえば、姜信沆氏は次のように指摘している。

　　20世紀にはいって韓国語に急激に増えた日本語系外来語は外来語という範疇のなかに入れるのが難しい外来語である。この日本語系の外来語は厳しく言えば外国語の一種で外来語とはいえない。その理由は、いま使われている日本語的な要素は、日本が韓国を強制支配する間、支配政策で韓国語の抹殺政策を取り、支配者の言語である日本語の使だけを強要したところからできたものである。すなわち、日本語だけを公用語として認め、二重言語生活（bilingualism）を禁止した結果である。今日、我々の言語生活において広く使われている日本語的な要素が含まれている語をどこまで外国語にし、どこまでを外来語とみるか困難な問題である。[34]

　たしかに、韓国語における日本語系外来語をどのように定義するかには、その流入過程や方法などに強制的な要素があるため、他の言語系の外来語に比べて複雑な問題がひそんでいる。しかし、借用語（外来語）というものが、外国語の言語体系の中からその音韻、形態、文法などに基づいて作られた語が借用した言語体系に吸収され、音形や

34　姜信沆「外来語の実態とその受容対策」（李基文外共著（1983）『韓国語文の諸問題』＜韓国一志社＞）117頁、拙訳

語形などを変えられて使われる言葉であるなら、韓国語における日本語系外来語も、その流入過程はさて置いて、本来の言語である日本語の言語体系から韓国語に借用、あるいは流入する間に、韓国語の言語体系の影響を受け、その形を変えて韓国語の中で用いられているので、他言語系における外来語と事情は同様である。したがって、その借用の過程や状況は異なるがその性質には違いはないので、外来語として認めることに格別の問題はない。

　なお、日本語系の借用語は、開化期すなわち19世紀後半から20世紀初半（1910年以前まで）までは強制的ではなく、能動的に導入したものである。つまり19世紀以前は中国語から借用していたものを、その借用元を変え、日本語から新しい概念の言葉を借用したということである。したがって、この時期に行われた借用は強制的なものとは言えない。

　一方、1910年（日・韓併合）以降から1945年（戦後）までの間、すなわち植民地時代に流入した日本語は、その過程が支配国の言語が公用語とされた。つまり、流入の方法が前の時代の状況と異なるのは事実であり、たしかに特別な状況である。しかし、1945年以降に導入された日本語系借用語の場合は、西欧語系外来語と同じような手順によって借用されたことになる。日本語の流入過程を問題にするならば、時期を限定しなければならない。

　このように、韓国語における日本語系の借用語は、その受容過程や手順が異なっても韓国語の言語体系に合わせて変えられ、韓国語の音韻や文法体系に基づいて使われている。したがって、日本語系借用語を過去の一時期におけるその受容方法が他の言語と異なるという理由によって外国語として扱おうという主張は、感情論といわれる恐れがある。

　今日、韓国においては韓国語のみが共通語として用いられている。韓国語における日本語系の借用語が、西欧語系外来語と比べてその流

入過程や手順は異なるとはいえ、それらが日本語の言語体系（文法・音韻）に従って日常生活語として用いられることはないし、それでは通じない。もし、日本語の音韻や文法体系による日本語が韓国人によって使われるなら、それは、いわゆる外国語としての日本語であり、外来語とはその性質が完全に異なる。

3-3　韓国語における借用語の分類と定義

　韓国語における借用語については、前述したように、漢字語系借用語と日本語からの借用語をどのように扱うかが問題にある。漢字語系借用語は、同じ漢字文化圏に属する両国語においては、漢字が有する特徴によって、ほかの借用語とは一緒に扱い難い部分がある。
　そのために、韓国語の中には、「漢字借用語」と「西欧系借用語」や「西欧系外来語」という用語は存在するが、「外来漢字語」という用語は存在しない。これは、漢字語系借用語の特殊性や韓国語における漢字語の位置づけを窺わせる一つの現象ともいえる。
　もう一つ、日本語からの借用語は、韓国において一時的にせよ、公用語として日本語が使われていたことがあったので、他の借用語と性格が異なるのは事実である。
　上記のことがらを踏まえて、韓国語における借用語の概念や定義を新たにするとともに、その範囲を明確にすると次のようになる。

* 借用語：他言語から流入したすべての語。
　１）字形と音形による借用
　　　（１）古代の中国系の漢字語
　２）字形のみの借用語（韓国語の字音が与えられた語）
　　　（１）中世（10 世紀）以降の中国系漢字語
　　　（２）近代（19 世紀）以降の日本語系漢字語
　　　　　①　和製漢語

② 漢字訳語
　　　③ 外国地名
　３）音のみの借用（外来語）
　　（１）和語
　　（２）日本経由の西洋系外来語
　　（３）和製英語や混種語
　　（４）西欧語系の借用語（直接借用語）
　４）固有語と認識される定着語[35]

　このように、韓国語における借用語は借用形態や方法が様々である。この分類を踏まえて韓国語における借用語を分析するにあたって、これまでの借用語の定義を改めるならば、借用語というのは、外国語から韓国語に入って用いられたすべての語を指すことになる。
　このように中国の漢字や漢語は韓国語の成立の基礎になったということは否定できないのである。韓国語はその成立において、音形や語彙体系などに中国の漢字や漢語から大きい影響を受けた。その漢字や漢語を造語成分として使い、少なからぬ語彙を作り出したのである。なお、漢字を韓国語の表記手段として用いている限り、漢字語を外国語から借用したという理由で他の外来語と同様に扱うことにも無理がある。しかし、漢字語が「自然な文化の交流と必要によって、韓国語に借用されたので、借用語ではない」[36]という論には同意できない。したがって、本書においては外国語から入ったすべての語を借用語として認めることにする。しかし、外国語から借用したということで、漢字語系借用語とそれ以外の借用語を一緒に扱うべきではないので、次のように分類、定義しなければならない。

35　その音形や語形などが外来語の要素を失い、原語の意識がなくなり、固有語のように認識される語
36　具本国（1992）「韓国語に使用される日本語に関する考察」（啓明大修士論文）

＊借用語：外国語から借用されたすべての語。（固有語に対立する概念）
　１）字形と音形による借用語
　　　（１）古代の漢字語
　２）字形のみの借用語
　　　（１）中国語系漢字語
　　　（２）日本語系漢字語
　　　　　　① 和語系字音語
　　　　　　② 漢字訳語
　３）音形のみの借用語（外来語）
　　　（１）和語
　　　（２）日本経由の西欧語（間接借用語）
　　　（３）和製英語と混種語
　　　（４）直接借用された西欧語（直接借用語）

　すなわち、借用語とその下位分類として字形と音形による借用語、字形のみの借用語、音形のみの借用語など、借用の形態によって区別する。
　なお、これまで一般に借用語と同じ意味で使われた外来語という用語は、借用語と区別するために、漢字表記されない語に限定して使う。

日本と韓国における借用語の実態

　まず日本語における借用語の実態をまとめ、その後、韓国語における借用語の実態をまとめておく。
　日本語における借用語は、その時期を大別すれば二つに分けられる。古代から16世紀以前までにはその中心となる中国語の漢語をはじめ、朝鮮語や梵語からの影響があり、16世紀以降は西欧語からの借用語、

すなわち、ポルトガル語、スペイン語、オランダ語、英語、フランス語、ドイツ語などからの借用語が多く見られるようになる。さらに、そのなかには、ギリシャ語、ラテン語、フランス語、ロシア語、イタリア語などが英語を通して入った二次的な借用語も多く存在する。

4-1　借用の時期

　かつて、日本は文字を持っていなかったので、古代韓国と同様に中国の漢字を借り用いたことは周知のことである。
　日本にいつ、漢字が伝来したかは明確ではないが、日本の『国語学研究辞典』には次のように説明されている。

> 記紀における応神朝の［和迩吉師（王仁）］の所伝が象徴するように、伝来は、主として百済を経てであった。推古天皇の15年（607年）聖徳太子の遣隋使によって公式に交通が開けたとはいうものの、それまでの直接の師は百済であり、その後も多くの帰化人ないしその子孫を通じて漢字文化を受容したということは看過できない重要な視点であろう。朝鮮民族もまた単音節の表語文字である漢字とは直接重ならない言語の持ち主なのだから、「おそらく日本における漢字の使用は朝鮮における実験に基づき、これを発展させたもの」（河野六郎）との指摘はこの際、最も注目に値する。[37]

　すなわち、日本における漢字あるいは漢語の流入の歴史は、百済から王仁が渡来し『論語』十巻『千字文』一巻をもたらした4世紀末として認められているので、かなり早いものと考えられる。
　中国語の漢語の借用が、「奈良・平安時代には漢文の学問が隆盛を極め、仏教も漢訳仏典を通して学ばれたので、大量の漢語が日本語に

37　佐藤喜代治編（1977）『国語学研究辞典』明治書院 257頁

入り、仮名文のなかにも豊富な用例が指摘され、日本語に深く同化して行った趨勢がうかがえる」[38] といわれるように、日本における中国の漢語の影響は近世（16世紀以前）までの韓国の状況とさほどの差はないのである。

しかし、16世紀からポルトガルをはじめとする、オランダ、スペイン、さらに明治期におけるイギリス、アメリカなどとの直接交流により西洋文物を受け入れるようになった結果として、多様な外国語と接し、それらを外来語として日本語の中にとり入れるようになった。

一方、近代（明治維新）までは新文明に関する漢字訳語を中国から受け入れた。森岡氏[39] などによれば、新文明語の訳語は中国から受けたが、その後には、日本独自の訳語を作るようになったと指摘している。

このように日本における西洋文明に関する訳語は、初めは中国から受け入れたが、漸次、西洋文物を積極的にとり入れるようになり、必要に応じて、独自の訳語を作るようになったのである。その後は、それまでとは逆に、中国が日本語の新訳語、たとえば「列車、映像、出張所、化学、電報、学会、会議」[40] などを借用するようになった。

4-2　日本語における借用語の系統

前に述べたように、日本語における借用語の系統は、16世紀以前は中国語系、それ以降は西欧語系と大きく分かれる。

1　中国語系漢語
（1）固有語とみえる中国からの漢語：
　　　馬（うま）・梅（うめ）・絵（え）・鬼（おに）など

38　上掲書 96 頁
39　森岡健二（1969）『近代語の成立―明治期語彙編―』明治書院
40　日本語から中国に借用された語については、（鳥井克之訳（1988）『現代中国語における外来語研究』）に用例とともに詳しく説明されている。

（2）梵語（仏教に伴って流入した語）
　　　仏・塔・刹那・瑠璃・夜叉など

　楳垣氏は「子供に対する呼び方に、坊主、小僧、餓鬼などと仏教関係用語が多いことは、仏教文化がわれらの生活に根をおろすことのいかに深いかを示している」[41]という。

（3）呉音・漢音・唐音による漢語
　　① 呉音：殺生（セッショウ）・救済（グセイ）・人間（にんげん）など
　　② 漢音：歳暮（セイボ）・体裁（テイサイ）など
　　③ 唐音：行脚（あんぎゃ）・杏子（アンズ）・布団（フトン）
　　　　　・椅子（いす）など

（4）呉音・漢音・唐音以外のもの
　　　双六（すごろく）・銭（ぜに）など

（5）音訳語（中国で音訳された西欧語）
　　　葡萄・琵琶・阿片・台風など

　このように日本語における借用語の経路は中国語と西欧語に代別でき、その語形も様々である。

2　西欧語からの借用語

　天文12（1543）年に種子島に漂着したポルトガル人が鉄砲を伝えたことで日本の戦国時代の状況を変えたということは歴史において有名なエピソードである。その後、天文18（1549）年にはザビエル（Francisco Xavier）がキリシタンの布教のため日本に来航して、西

41　楳垣 実『増補日本外来語の研究』青年通信社 65頁

洋国との接触や交流が始まった。ポルトガルに次いでスペインやオランダ、イギリス、フランス、ドイツ、アメリカなどが次々と日本に来航し、交流を始めるようになった。それによってそれまではもっぱら中国を通じて入った西洋の文化や文物が直接流入するようになり、それに伴って西洋語も入るようになったのである。西洋語から直接日本に伝わった言葉としては次のようなものがある。

（１）ポルトガル語

「ポルトガル人が最初に我が国に漂着したのは、外国文献によれば天文十一（1542）年といふことになっているが、我が国では天文十二年に種子島に漂着して鉄砲を伝へたのが最初の記録となっている」と楳垣氏が述べるように、日本にポルトガルが知られたのは天文 12（1543）年のことであった。それ以降、日本とポルトガルの間に貿易が行われるようになったのである。また、天文 18（1549）年にザビエル（Francisco Xavier）が日本に来航して、キリシタンの布教が始まった。ポルトガルとの通商とキリシタンの布教との結果、西洋およびその植民地などの産物をはじめ、西洋の文化がおびただしく輸入され、なおかつ、伝来されたキリスト教が日本人の精神文化に影響を与えたともいわれる。ポルトガルが日本との通商や交渉をした期間は、約 100 年間（正確には 96 年（1543 年から 1639 年に至る）間）で、江戸時代における他の国との交渉に比べてもっとも長い。

それによって、ポルトガル語からは南蛮学として天文学・医学・方術・宗教などに関する語彙が多く流入した。ポルトガル語からの外来語は今日にもなお用いられているものが相当ある[42]。

42　ここで例として取り挙げる語は（荒川惣兵衛著『外来語概説』＜名著普及会＞）から引用したものである。

・イデア・テンシュ（天主）・パン[43]・カピタン（加比丹）・ラシャメン（raxa＋綿）・カステラ・カボチャ・ジャガイモ（jacatra＋いも）・タバコ・テンプラ・カッパ・ボタン・マント・オルガン・コップなど

（2）スペイン語

スペイン人が日本に初めて現れたのは天正8（1580）年であった。スペイン語から入った外来語はスペインより50年前に日本に流入したポルトガル語に比べて遥かに少ない。しかもスペイン語はポルトガル語と極似しているので、ポルトガル語を語源とみるか、スペイン語を語源とみるかの問題もある。

ここにおいては、先学の研究によってスペイン語として認められたものだけを取り上げる。

・アヘン（阿片）・アーメン・カルタ・ゲリラ・メリヤス[44]・ドンキホーテ・ドンファンなど

（3）オランダ語

オランダが日本に知られたのは、慶長5（1600）年で、英国人ウィリアム・アダムス（William Adams、日本名「三浦按針」）とオランダ人のヤン・ヨーステン（Jan Joosten）の功績によるものである。かつてオランダ人は紅毛人と呼ばれ、それ以前に日本に来ていたポルトガル人やスペイン人などは江戸幕府の鎖国政策によって日本から退去

---

[43] 「これは最初キリシタンの重大な儀式である「バウチイズモ」（洗礼）に用いられたものであるが、同時に彼等の食料ともなったので、食料品の名として残ったのである」（楳垣実（1972）『増補日本外来語の研究』青年通信社出版部）

[44] 「原義は「靴下」、転じて「メリヤス編」という編方の名となった」（楳垣実（1972）『増補日本外来語の研究』76頁）

させられるが、オランダ人だけは通商の特権を持つようになった。したがって、西洋文化の流入はオランダ人を通じてのみなされ、その場所も長崎に限られたのである。

享保5（1720）年、将軍吉宗がそれまで禁じていた洋書の輸入を緩め、天主教に関係のない洋書が輸入され、蘭学を奨励した。その蘭学をきっかけとし、基礎学である生理学、物理学、化学、博物学、とくに本草学の発展した植物学、および天文学、暦学、数学、地理学、兵学などの実学がオランダから日本に伝わり、それらに関する語彙が数多く入るようになった。そのようなオランダ語は現在も用いられ、日本語のなかで重要な位置を占めている。

・アンゴラ・ゴリラ・コーヒー（koffee）・ゴム・ガラス・ギプス・コンクリート・セメント・ペンキ（pek）・エキス・ガス・シロップ・ビール・テント・ラケット・ランプ・レンズ・メス・トン

（4）英語

日本の鎖国は寛永16（1639）年から嘉永6（1853）年まで約200年以上にわたって行われていたが、明治維新によって鎖国政策はその幕を下ろし、再び開国されるに至った。明治新政府は西洋諸国の制度などを日本に取り入れようとしたので、政治や法律、外交、軍事などすべての分野にわたって西洋の影響を受けるようになった。それに伴って西洋諸国から多くの語彙が入った。主なものは英（米）語をはじめ、フランス語、ドイツ語、ロシア語、イタリア語である。

日本に初めてイギリス人が入ったのは1600年にオランダ軍艦隊と共に着いて、幕府の諮問役を務めていたウィリアム・アダムスであった。その後、1613年イギリスのジョン・セーリス（John Saris）がイギリス王の親書を伝え、日本とイギリスとの通商が始まったが、その期間はわずか23年間に過ぎず、明治以前には英語からの影響はほ

とんどないといえる。しかし、嘉永6（1853）年、アメリカのペリー（Perry）提督が黒船で浦賀に来た後、アメリカと日本との交流は活発に行われる。前田太郎氏が「明治の外来語は殆ど全部英語と云っても差支えないくらいの勢いを示している」[45]と述べている。また、荒川氏が『外来語辞典』において外来語のうち、「一万語中、1）英語（アメリカ語および日本製英語を含む）のみを原語とする外来語が約4,800語、2）英語（もしくは米語）とそれ以外の国語と原語を多元とする外来語が約2,400語、豪渓7,200語である」[46]と指摘するように、その数は非常に多い。

・マネー[47]（momey）・ハンカチ（handkerchief）・トラック（truck/track）・ブラシ（blush）・クラブ（club）・バーザー（barzar）
・ダンス（dance）・ミシン（sewing machine）・サッカー（socher）
・エスカレーター（escalator）

これらとは別に、和製英語がある。すなわち、漢字のなかにある和製漢語と同様に日本で造語されたものである。

・オールドミス（old + miss）・オールバック（all + back）
・サラリーマン（salary + man）・オートバイ（auto + bicycle）
・カレーライス（curried + rice）

（5）フランス語
日本とフランスとの交流は開国以後であるので、仏語の流入は明治

45　前田太郎（1886）『外来語の研究』岩波書店 109頁
46　荒川惣兵衛『外来語概説』名著普及会 89頁
47　英語と米語は発音や綴りによって区別されるのもあるが、ほとんどは英米語が共通する部分が多いので、ここでは一緒に扱うことにする。

以降に見られる。仏語からの外来語はかなりあるが、大部分は他の言語を原語としているので、仏語のみを原語とするものは少ない方である。その中には、料理・ファッション・文学・芸術などに関する語彙が多い。

・キロメートル（kilometre）・グラタン（gratin）・コロッケ（croquette）・ソース（sauce）・マヨネーズ（mayonnaise）・エティケット（etiquette）・ヅボン（jupon）・ブーケー（bouquet）・マスク（masque）・アンコール（encore）・エッセイ（essai）・コンテ（conte）・ピエロー（pierrot）・モデル（modele）・デビュー（début）など

（6）ドイツ語

ドイツ語からの外来語は、フランス語と同様に開国以降のものである。ドイツ語からの外来語は医学・理化学・薬学・哲学・文学芸術などに関する語彙が多い。

・ガーゼ（gaze）・カルテ（karte）・レントゲン（röntgenstrahlen）・ワクチン（vakzin）・エネルギー（energie）・ヨーグルト（yoghurt）・ドーベルマン（dobermann）・ゼミナール（seminar）・テーゼ（these）・イデオロギー（ideologie）・カイゼル（kaiser）・アルバイト（arbeit）

（7）ロシア語

1768年にロシア船が日本の北方の島に現れ、1858年には日露通商条約が結ばれた。しかし、ロシア語からの外来語の受容は開国以降のことであるとみなされる。ロシア独特の風物や名称などの他、とくに共産主義の政権成立（1917）以降からは共産主義に関する語が多数流

入した。ただし、日本語におけるロシアの原語も英語などを原語とする多元的な傾向がみえる。

・ペーチカ（pechika）・インテリ（ゲンチャー intelligentsia）
・ボルシェビキ（bolshebiki）・メンシェビキ（mensheviki）

（8）イタリア語

イタリアと日本との交流も明治維新後に始まる。イタリア語からの外来語にはとくに音楽用語が多い。ただし、音楽用語はドイツ語、フランス語、英語などの他の西欧語にも用いられているので、日本語におけるイタリア語出自の外来語は多元性を持つ。

・アレグロ（allegro）・アンダンテ（andante）・ビオラ（viola）・オペラ（opera）・チェロ（cello）・デュエット（duetto）・トリオ（trio）・フィナーレ（finale）・ソネット（sonetto）・マドンナ（madonna）・インフルエンザ（influenza）・カジノ（casino）・キカ（geometria＞C 幾何[48]）・スパゲッティ（spaghetti）・マカロニ（macaroni）

これらの諸国語からの外来語以外にも「エロス」や「アキレス＋腱」などのようにギリシャやラテン語などを語源とするものがある。しかし、それらは二次的かつ間接的な借用である。

上記の用例をみると外国との接触によって行われる言葉の借用は、日本語の語彙数を豊富にするに貢献したことは間違いない。

---

48 これはイタリア語の geometria（キカ）が中国語に訳されたものである。

4-3　韓国語における借用語の実態

　韓国においては、日本と同様に古くは固有文字がなかったので、隣国である中国の漢字を借り表記を行い、漢籍を通し漢語の借用を始めた。近代以降には日本語や西洋の諸語など他言語からの借用が行われた結果、多くの借用語が存在する。

　まず、韓国語における語彙の分布を、韓国語辞書（『우리말큰사전（韓国語大辞典）』）に基づいて固有語と借用語に分けて見れば、固有語 74,612、漢字語 85,527、外来語 3,986[49] が存在すると報告されている。報告者である南豊鉉氏は「この統計は暫定的なもので、実際、その比率は借用語の方がもっと多くなる」と指摘している。なお、2023 年を基準にして、韓国国語院が運営しているホームページ「韓国語語泉（우리말 샘）[50]」の標題語数は、1,143,153 個で、その内訳は、固有語が 261,164（約 23％）個、漢字語が 539,151 個（約 47％）、外来語が 93,412（約 8％）個で混種語が、249,426（約 21％）個である。

　それによれば、漢字語と外来語はともに外国から借用したもので、広義で言うと外国語からの借用語に属する。すると、韓国語の語種の中で外国から流入した漢字語と外来語の比率が 55％になり、混種語にも「財テク」のような借用語が含まれているので借用語の性質を持っている語種は、70％に達すると推測される。

　次に借用語の実態を詳細に考察するために、時期と系統について述べておきたい。

49　南豊鉉（1985）「국어속의 차용어（韓国語の中の借用語）」『国語生活』第 2 号, 6 所収）1999 年に刊行されている標準国語大辞典の標題語数は 51 万語（正確には、509,076 個）が収録されていることとして報告されている。

50　박미영（국립국어원 학예연구사）(2023) ['한글' 에 대한 새로운 이해와 상상] 한국어를 더욱 풍부하게 해주는 어휘의 다양한 모습
https://nzine.kpipa.or.kr/sub/coverstory.php?ptype=view&idx=766&page=$page&code=coverstory（最終確認：2024 年 9 月 16 日）

> [図表1]
>
> 우리말샘 전체 올림말의 수 (2022년 5월 기준)
> **1,143,153개**
>
> 우리말샘 어종별 현황
>
> | 고유어 | 한자어 | 외래어 | 혼종어 |
> |---|---|---|---|
> | 261,164개 | 539,151개 | 93,412개 | 249,426개 |
> | 22.8% | 47.2% | 8.2% | 21.8% |
>
> 〈2022 숫자로 살펴보는 우리말〉, 국립국어원(2022. 5. 31.)

1 借用の時期

　他言語体系から韓国語に言語の外来要素が流入した時期は大きく二つに分けられる。19世紀半ば以前までは、中国からの漢語による影響がほとんどで、19世紀以降には西欧語系や日本語系の借用語が中心を占めるようになる。

　かつて韓国には固有の文字が存在しなかった。そのために中国の漢字や漢語を借用して漢文による表記が行われていた。すなわち、口語においては韓国語の言語体系による言語生活が行われていたが、表記を伴う文字言語においては中国語の漢文や漢字をそのまま受け取り、使用したのである。このような状況によって数多くの中国語系の漢字語が漢文書籍と共に韓国語に流入したのである。漢文に用いられた漢字や漢語を中国語に沿って使用したので、古代における中国系の漢字語は、厳密にいえばまだ借用語ではなく、外国語の段階にあったというべきである。

　漢字や漢文が韓国語にいつごろ流入したのかはいまだ完全に明らかではないが、李漢燮氏はその起源について次のように述べている。

紀元前後、韓半島の北の方に漢の四群（B.C. 108年）が置かれていたことなどから考えると、少なくとも紀元前後には漢字が伝来されていた可能性が高い。今日の朝鮮民主主義人民共和国の首都平壌のあたりには、当時、漢の四郡の一つである「楽浪」があり、この「楽浪」の遺跡から出た瓦に「楽浪礼官」「楽浪富貴」という漢字が陽刻されたものが発見されている。この時代は、中国の古文である漢文を理解し、また、それを学んで文章を造る時期であったと思われる。三国時代（BC57-AD935年）に入ると漢字は唯一の表記手段として確固たる位置を占めることになる。[51]

　しかし、韓国語に借用された中国語系の漢字や語彙は、初めは中国語の漢文にある漢字を原文のまま音読して用いられていたが、その後、韓国語でその意味を解釈する方法を採択したと思われる。その際の音読は原音に近い音で読まれていたと思われるが、暫時韓国語の音韻体系に同化された音に読まれ、中国語における漢字音と異なる独自の漢字音が生じたものであろう。河野六郎氏は韓国語における漢字・漢文の定着についてや漢字音や成立について次のように指摘している。

　　（漢字・漢文の定着は）高句麗・百済・新羅の三国の時代に入ってからに違いない。この三国はいずれも中国の制度にならって大学を設けているし、また仏教も伝来しているので、これらのことから高句麗では四世紀半、百済では五世紀、新羅では六世紀ごろには上層部に漢字が使用されたと思われる。[52]

51　李漢燮（1996）「現代韓国語における漢字使用について」『国語文字史の研究3』和泉書院　181-182頁
52　河野六郎（1979）『河野六郎著作集3』平凡社　411頁

すなわち高句麗小獣林王2年（372年）には太学[53]を立て教育をしたということで、おそらくこの時代にすでに韓国語の漢字音が成立したとみられるというのが一般的な見解である。さらに、現代で用いられている漢字音は主に中国中古音である「唐代長安音」[54]に基づいたものと推定される。

　このような韓国語における借用語の成立について李基文氏は次のようにその時期を区分[55]している。

① 古代国語（三国時代から9世紀まで）
② 前期中世国語（10世紀から14世紀まで）
③ 後期中世国語（14世紀から16世紀まで）
④ 近代国語（17世紀から19世紀）

　古代では、古代韓国語が完全に成立していない時期で、借用語というより外国語の段階にあったと思われる。

　前期中世国語は、高麗時代（9世紀から14世紀）に当たる時期である。この時期には中国語においては宋代の語彙が多く入った。もう一つはモンゴル語いわゆる元代語彙が多く借用されていた。

　後期中世国語は、15世紀から19世紀の朝鮮王朝時代に当たる。この時期の借用語は、中国語の漢字や漢語がほとんどである。この時代には多くの借用語が文献に見られる。

　近代国語は19世紀以降、それまでは主に中国語からがほとんどであったが、それが日本語や西洋語からのものに変わって、多様な借用が行われる。

　各時代における借用語の方法や状況について詳細に示せば次のようになる。

53　高句麗の教育機関の名称
54　河野六郎（1979）『河野六郎著作集1』平凡社 587頁
55　李基文（1972）『国語史概説』韓国塔出版社所収

（1）古代

　古代の韓国に伝わった中国からの経書や中国の古典を読む際には、古代韓国語の常用語に当てはまるものは固有語を用いて訓読したが、漢文の熟語や固有語で解釈しにくい漢字と漢語はそのまま音読みしたものと思われる。たとえば、新羅の初期史読文である「壬申誓記石文」には、「忠道、執持、過失」[56] などの漢語が見られる。また韓国語における古代の借用語には仏教の伝来に伴う梵語が目立つが、そのほとんどは、中国を経由して漢訳されたものをそのまま韓国語に借用したものが多い。

　　・乾達婆（Ghandharva）・彌勒（maitreya）・須彌（sumeru）・菩堤（bodhi）・舍利（Sari, Sarira）・衆生（Jagat）

（2）統一新羅時代（7世紀から9世紀初まで）

　この時期には唐との接触を通して多くの文物の交流がされ、漢語や漢文の普及が本格的になった。高麗時代（9世紀から14世紀末まで）に漢文の試験による官吏登用制度が施行されてからは、漢語の音読と釈読が混じって用いられるようになった。三国時代と統一新羅時代における借用漢語には歳時を表す名称が多く見られる。

　　・甲申・丙戌・壬辰・辛亥・乙巳

　このような語は量は少ないがこの時代の借用語の特徴を表している。

（3）15世紀以降

　朝鮮王朝時代にハングルが創製された結果、前の時代とは異なって公用文には漢文が、一般にはハングルが使用されるというような二重

56　南豊鉉（1985）「国語속의 借用語」『国語生活』第2号，6 所収 149頁

文字生活が始まった。この時代には次のような借用漢字語が見られる。

・公事・萬一・分別・生計・公反

（4）17世紀以降

17世紀以降には西洋文物の影響によって多くの使臣により、西洋知識に関する文献が韓国にもたらされた。したがって、中国（清）を経由して訳語の形で借用された西洋語が多かった。

・聖経・天主・主日・福音・聖誕・聖母・耶蘇

（5）19世紀以降

19世紀までは借用元のほとんどが中国語からで、その期間は長い間にわたる。この時期までは、中国語系の漢字借用語が重要な位置を占めている。

19世紀からは韓国語における借用語はその借用元がそれまでの中国語ではなく、日本語や西欧語に変わる。すなわち、19世紀までは西欧語系の借用語も中国語を通して訳語の形態で借用されていたのが、日本語から流入するようになった。

西欧語や日本語は、19世紀以前にも韓国の文献に少しずつ見られてはいるが、その量は極めて少ないので、借用語として本格的に流入したのはやはり19世紀からと見るべきである。

徐在克[57]（1971）によれば、開化期文献である『西遊見聞（1895）』『独立新聞（1896）』『血ノ屢（1906）』などや新小説の『少年（1908）』『韓英辞典（1911）』などには相当な外来語が現れるという。

57　徐在克（1970）「開化期外来語と新用語」『東西文化』第四輯

・科学・芸術・現代・裁判・社会（『西遊見聞』）

　その後、日・韓併合による日本の植民地支配の時期には、日本語が公用語として強制的に使われ、韓国語に数多くの日本語系の借用語が導入されるようになったのである。
　一方、西欧語系の借用語は、19世紀から多く流入し始めるが、西洋から直接入ったのは少なく、そのほとんどは日本語を通して入ったものである。

（6）1945年以降
　太平洋戦争の終戦によって植民地支配が終わり、韓国語における日本語系の借用語はしばらく排斥されたが、日・韓修好条約（1965）によって、日本と韓国との交流が再開し、様々な分野において日本語系外来語が再び借用されるようになった。
　この時期に借用されたものには、混種語や漢字複合語などが多く見られる。

　・アパート団地・冷戦・付加価値・斜陽族など

　戦後（1945年）からは、アメリカ軍政によって、西欧語系、とくに英語が直接流入するようになり、韓国語においては同じ語彙が、日本語を経由した二次的な借用語「사라다/sarata/（サラダ）」と、英語から直接流入した一次的な借用語「샐러드/sɛlrʌti/」の両語形が共存するようになり、その借用経路によって語源を一つにする語に異形が生ずる現象が見られる。
　そうすると、同じものを指す「사라다/sarata/（サラダ）」と、「샐러드/sɛlrʌti/」は、何が違うのかと疑問に思い、それをチャットGPT（ChatGPT）で調べてみると次のような説明をした。

"사라다"는 일본식으로 표현한 샐러드(salad)를 뜻하는 말입니다. 일본에서 샐러드를 "사라다"라고 부르며, 일본식 샐러드 요리에는 다양한 재료와 드레싱이 사용됩니다. 일반적으로 감자, 당근, 오이, 마요네즈 등을 섞은 감자 샐러드(ポテトサラダ, 포테이토 사라다)가 잘 알려져 있습니다.

일반적인 샐러드와는 다르게 일본의 사라다는 종종 마요네즈나 소스가 많이 들어가는 등, 그들만의 독특한 스타일을 가지고 있어요.

"샐러드"와 "사라다"는 기본적으로 같은 음식을 가리키지만, 문화적 차이에서 비롯된 용어 차이가 있습니다.

"샐러드"는 국제적인 표준 용어이고, "사라다"는 일본식 발음과 문화적 변형을 반영한 표현입니다.

(日本語訳：「サラダ」は日本式で表現された英語「salad」を意味する言葉です。日本では、英語「salad」を「サラダ」と言い、和風サラダ料理にはさまざまな具材やドレッシングが使われます。一般的に、じゃがいも、にんじん、きゅうり、マヨネーズなどを混ぜた「ポテトサラダ」がよく知られています。中略…、韓国語における「샐러드/sɛlrʌti/」と「사라다/sarata/（サラダ）」は基本的に同じ食べ物を指しますが、文化的な違いから生じた用語の違いが背景にあります。中略…「샐러드/sɛlrʌti/」は国際的な標準用語で、「サラダ」は日本式発音と文化的変形を反映した表現です。）

このように、語源を同じくする言葉が、借用経路によってそれぞれ異なる語形や音形を持って用いられる。そして、語形による語感やニュアンスの変化が生じ、挙句はそれぞれ別の意味を持つ言葉になる傾向がある。

2　借用語の系統

前項で述べたように、韓国語における借用語は古代から近代に至る

まで漢字や漢語からの影響を受けている。また、近代以降には、日本語系や西欧語系の借用語がそれまでの中国語系に変わって入るようになる。

　古代韓国語における中国からの借用語は、音声言語によるものと文献による文字言語との二つの経路があった。音声言語による借用語は、流入当時の中国語の原音に近い音形で発音されたものとみられる。文献による借用語は元の音形ではなく、韓国語の音韻に同化した漢字音が用いられる。しかし口語による借用語の漢字語の音形は、時間の経過とともに韓国語の漢字音に変わっていった傾向がある。あるいは韓国語の漢字音化によって、漢字語化されない語は韓国語の固有語として理解され、ハングル創製以降はハングルだけで表記された傾向がある。

　一方、中国語系の漢字や漢語の形で受け取った借用語のなかには、その原語は中国語ではなく、他の言語から中国に流入し、中国で漢字によって訳された後に、韓国語に借用された二次的借用語も多くある。近代以降には日本語を通して多くの近代の文明に関する語が韓国語に借用されるが、その中には、西洋語が日本で漢訳された日本語経由の漢訳西洋語が数多く入るようになった。

　したがって、韓国語における借用語には、その語源を辿っていけば、一次的な借用語である中国語や日本語以外にも、中国語や日本語を経由した二次的借用語が多く存在することがわかる。この二次的借用語の原語には、19世紀以前は、梵語、西域語、モンゴル語、満州語、女真語などが、それ以降には西欧語からのものがその主要な位置を占めている。

　（１）中国語系統
　一次的借用語である中国語の漢語は、借用語のなかに数多く存在する。三国時代と統一新羅時代における漢字借用語として次のようなものが見られる。

- 長さの単位：寸・尺・丈・歩・里
- 量の単位：石・碩
- 重さの単位：両・斤・廷
- 回数：反

また、中国医学分野の本草学を通して借用したものが多く見られる。

- 者里宮（章柳根）・串木子（無患子）
- 洗心（細辛）

（2）梵語（サンスクリット語）

仏教の伝来に伴って、古代韓国語には梵語を語源とする語が流入したが、そのほとんどが中国を経由したもので、漢訳の形で韓国語に借用された。これらの語は一般に韓国語の字音読みで読まれる。

- 乾達婆（Ghandharva）・彌勒（maitreya）・須彌（sumeru）
- 菩堤（bodhi）・舎利（Sarira）・衆生（Jagat）・菩薩（bodhisattva）
- 帰依（sarana）・供養（pu-jana）

（3）モンゴル語

高麗時代（9世紀から13世紀末まで）には元との関係によって、モンゴル語からの借用語が多く見られる。

- 보라매「秋鷹」（訓蒙字会）・송골「海青」（訓蒙字会）
- 철릭「天翼」（翻訳朴通事）[58]

58　李基文「中世国語の蒙古語借用語」（『国語語彙史研究』（1991）韓国東亜出版社）

モンゴル語からの借用語は13世紀から14世紀初頭にかけての元との接触の結果によるもので、官職名、馬、鷹、軍事などに関する語彙がほとんどで、ある面においては限られた範囲の語彙である。しかし例に挙げた語は韓国語に定着して、今日では固有語のように認識されているものである。

（４）女真語
女真語からの借用もあったのが、地名にその影響が見られる。

・豆満（tümerr）川［두만강］（豆満「tümerr」川は女真語の「萬」にあたる）・鍾城（tungken［종성］）[59] など

（５）満州語
17世紀以降、清との交流に伴い満州語が流入した例が見られる。

・高粱（수수）・雉（장끼）・冠巾（감투）

（６）日本語
19世紀以前までの借用語は中国からのものが主であったが、「朝日修好通常条約（1876）」によって日本との交流が頻繁になり、日本で作られた新造語や訳語等が朝鮮通信使が記録した文献に現れる。その後、植民地時代（1910-1945）には多くの和語や日本を経由した西欧語系外来語が流入した。次に日本語からの借用語について時代別に分けて取り挙げてみる。

59　南豊鉉（1985）「国語속의 借用語」『国語生活』　第二号、6）12頁

① 近代

　明治期の文明開化によって、日本語には新しい概念を表す多くの西欧語系借用語が入るようになる。西欧語系借用語は原音のままの音形や意味で借用され、仮名で表記される場合もあるが、意味だけを取って、意訳された語も多い。さらに、西欧語系借用語の原語の音形を日本語の漢字音を用いて音訳された語も多く見られる。

　　・「大統領」（president の意訳）
　　・「伯理璽天徳」（president の音訳）
　　・「独逸」（Deutschland の音訳）

　韓国語の表記には古代から漢字が用いられていた。したがって、西欧語系の借用語が漢字で意訳あるいは音訳された場合には、漢字を用いていた韓国語にはなんの抵抗もなく受容されたのである。このようにこの時代には例で挙げたような語彙が新文明語彙として多量に流入した。

② 植民地時代（1910年 – 1945年）

　植民地時代には、日本語が公用語として使用された。したがって、この時期にはあらゆる分野に日本語が流入したが、とくに和語系や日本語を経由した西欧語系外来語が多かった。

　　・구루마（「クルマ」車）・다다미（「タタミ」畳）
　　・사라다（「サラダ」）・곱뿌（「コップ」）

　このような和語系借用語は現代においてもなお口語として用いられている。

③ 現代（1945年‐現代）

　植民地時代（1945年）以降は、日本語排斥の動きによって和語系の借用は前に比べ少なくなったが、「日韓国交正常化（1965）」によって日本との交流が復活するにつれ、新しい和製漢語、和製英語、漢字訳語、日本語の混種語、略語などが借用されるようになった。

- 漢字語：高速道路・冷戦
- 外来語：고로께（[korok'e] コロッケ）・리모콘（[rimok^{h}on] リモコン）
- 混種語：財테크（[cɛt^{h}ek^{t}hi] 財テク）・가라오케（[karaok^{h}e] カラオケ）

　西洋から韓国語に直接借用された語で、ことに1945年以降アメリカの軍政やアメリカとの関係が緊密になって、多くのアメリカ系英語が借用された。これらは、西欧語系でいわば一次的借用語である

- 샐러드（サラダ）・필로퐁（ヒロポン）・햄버거（ハンバーガー）

　これらの西欧語系借用語は「サラダ」「ヒロポン」などのような日本語経由の借用語と共存している語が多い。

3　日本語系借用語の分類

　韓国語における日本語からの借用語は中国語より期間は短いが、その数はおびただしい。さらに日本語からの借用語は韓国文字であるハングルで表記され、形態・音形などに変化が見られる。韓国語における日本語からの借用語を分類してみると次のようになる。

（1）定着語（語源意識が希薄化した語）
- 고구마/Kokuma/（「薩摩芋」の対馬方言の「孝行藷［コウコウイモ］」の転、1763年趙厳が種を持って来た）
- 담배/tambɛ/（「タバコ」の転、1608年から1623年の間に流入）

これらの語は日本語から流入し、語源意識が希薄になったものである。音形から韓国語の固有語のように意識されている。

（2）字音語（漢字の字音で呼ばれる語）
  a）和製字音語：출장（/cʰulcaŋ/ 出張）・일당（/iltaŋ/ 日当）など
  b）訳語：
      b-1：音訳語；낭만（/naŋman/ 浪漫）
              구락부（/kurakpu/ 倶楽部）
      b-2：意訳語；대통령（/tɛtʰoŋrjʌŋ/ 大統領）
              사회（/sahø/）
              철학（/cʰʌlhak/ 哲学）

これらの語は、中国からの借用語と思われている語である。

（3）外来語（日本語における外来語）
- 사라다（/sarata/ サラダ）・빵꾸（/p'aŋk'u/ パンク）など

（4）和製英語
- 와이샤츠（/waisjacʰɨ/ ワイシャツ）・올드미스（/oltɨmisɨ/ オールドミス）など

（5）英語略語
- 리모콘（/rimokʰon/ リモコン）・아파트（/apʰatʰɨ/ アパート）

（6）混種語
・재테크（/cɛtʰekʰi/ 財＋テク）・가라오케（/karaokʰe/ カラオケ）など

（7）和語（日本固有語）
・구루마（/kuruma/ クルマ）・다다미（/tatami/ タタミ）など

　これまで述べて来たように、韓国と日本は本来独自の文字を持っていなかったので、中国の漢字を借りて表記手段として用いていた。それに伴って多くの中国の漢語が韓国と日本に借用され使われていた。今日においても漢字を表記手段の一つとして用いる日・韓両国においては、中国から借用した漢語も借用語の一つとしては認めているが、他の西洋語、すなわち外来語とは語種において区別しているのが一般的である。
　このように、古代にはもっぱら中国から西洋の文化や文明を受け取った日本と韓国であったが、日本は16世紀を境として、西洋との交流による西欧語系の借用語が主要な位置を占めるようになり、明治期以降には独自の訳語を造るようになった。これに対して韓国は、19世紀までは中国からの影響を受け、19世紀になってから、日本や西洋からの借用が行われ、その借用に多元性が見られる。
　韓国語における借用語のうちには、中国や日本から漢字語の形態をもって流入したものが多く存在しているが、これまでは、漢字語はすべて中国のものであるとの意識が強かった。したがって、「韓国語における借用語の実態」を考察することによって、漢字語においてもその語源は中国のものと日本のものに分けられる。
　すなわち、韓国語における借用語には、字形のみの借用である中国語系の漢字語や日本語系の漢字語と、音形のみの借用である日本語系和語や外来語、あるいは一次的な借用である西欧語などが共存していることがわかる。

第3章

韓国語における日本語系借用語

前章で述べたように、韓国語においては、19世紀までは中国語以外の言語も中国を経由して漢字語の形で借用が行われていた。しかし、19世紀以降からは以前の中国語からの借用のほとんどが日本語系に変えられた。中国から漢字や漢語を長い間受け取って用いた韓国語においては、漢字で表記された日本の字音語は何の抵抗もなくそのまま受け入れられた傾向であったのは事実である。なお、1910年以降からは多くの和語が流入するようになり、日本語を経由した西欧語系外来語、すなわち日本語に一次借用された西欧語が、日本語の外来語として定着した後、再度韓国語に借用される二次的借用の西欧語が多く見られるようになる。

　一般的に外来語としては、一般用語よりも専門用語が先に流入し、多く存在するのが常である。その理由は、一般用語の場合は借用する言語側のコンセンサスを得てから普遍性や社会性を持ち、言葉として認められるが、専門用語の場合には、その言語のコンセンサスが要求されずにその分野で取り入れられるようになるからである。もちろん、その専門用語である外来語があとから一般用語としての資格を得て用いられるケースも多い。

　したがって、他の言語からの借用語と同じように、韓国語における日本語系借用語は一般語彙の中にも多くみられるが、職業用語などの専門用語にはその数がおびただしい。韓国語における日本語系の借用語がとくに際立つ分野としては、建築業・服飾業・美容業・飲食業などが取り挙げられる。

・建築関係：오야가다（/ojakata/ 親方）・데모도（/temoto/ 手元）
・美容関係：고데（/kote/ こて）・시아게（/siake/ しあげ）
・服飾関係：가봉（/kaboŋ/ 仮縫）・에리（/eri/ えり）

　上記の用例に現れる言葉は、専門分野の従事者でなければ理解でき

ない言葉も多い。

　この章では、韓国語における日本語系借用語として、固有日本語である和語系と、二次的借用である日本経由の外来語、および漢字で表記された和製字音語などがいかなる形で流入し、用いられているかなどについてその実態や現象を通時的かつ共時的に取り挙げる。

1　日本語系借用語の分類

　韓国語における日本語系借用語がよく現れるようになったのは「日・韓修好条約（1876）」以降、通信使たちの記録によるものであるが、本格的に流入し始めたのは、「甲午更張（1984）」以降である。ことに、その時期の借用語は、たとえば『大統領・日曜日・演説・哲学・美術』などの日本で作られた訳語がほとんどであった。

　漢字表記や漢字表現だけで文字言語生活を行っていた当時の知識人である通信使たちが、日本語と接した際に日本語のなかに漢字で表記されながら訓読される語があることや、日本製漢語・新造語の読み方や意味などに対して戸惑いがあったのは間違いないであろうが、中国から漢語を借用したように、漢字で表記された日本語を理解し、借用するには何の抵抗感もなかったことであろう。

　「日・韓修好条約」以降、朝鮮通信使たちによって借用された新文明に関する日本語は、既存の中国語から借用された語と漸次置き換えられるようになったのであるが、その例[60]が次のように見られる。

中国語	日本語	現在の韓国語
火輪船	汽船	汽船
火輪車	汽車	汽車

60　宋敏（1989）「開化期新文明語彙の成立過程」『語文学論叢』第八輯

さらに、このような日本語からの借用語の勢いは、中国語からの借用語に変わるに止まらず、既存の韓国語の漢字語の意味改新を呼び起こすまでに至る。
　たとえば、J.S Gale の『韓英辞典（A Korean-English Dictionary）（1897年)』には韓国語本来の意味としての漢字語が次のようにみられる。

- 図書：A private seal or stamp － as that bearing one's name（原意：蔵書印＞書籍）[61]
- 産業：possessions；calling；trade；real estate；landed property（原意：財産＞産業）
- 社会：Sacrificial festivals（原意：儀式＞社会）
- 食品：Appetite；taste.（原意：味＞食品）
- 新人：A bride or bridegroom.（原意：新郎＞新人）
- 室内：Your wife（原意：家内＞建物の中）
- 自然：Of itself；naturally so；self － existent；of course（勿論＞自然）
- 中心：Mind；heart.（心＞中心）

　上の例に取り上げた語は、韓国語固有の意味を持っていた漢字語であった。しかし、後から借用された日本語系漢字語によって、その意味が変えられて、今日では本来の意味はなくなり、多くは日本語から借用した意味で使われるようになったものである。
　さらに、日本語からの借用語は和製字音語や訳語以外にも二次的な日本語経由の西欧語や固有日本語である和語などの語彙が数多く流入して、韓国語の中に存在するようになったのである。以下、その日本語からの借用語について例を中心に分類しておきたい。

---

[61]　原意が財産から＞書籍に意味が変わったことを表す。括弧の中の説明は拙者が加える。

1　字音語

　日本語からの借用語のなかには「出張、日当、当番」のような和製漢語と「大統領、独逸、椿姫」などのような訳語（正確には漢字意訳語と漢字音訳語）が含まれている。さらに、「内訳、言渡し、家出」などのような固有日本語に漢字が当てられて成立した語の字形だけを取り入れ、それを「내역/nɛjʌk/、언도/ʌnto/、가출/kacʰul/」のように韓国語の漢字字音で読み、日本語と同じ意味で用いるものもある。

（1）和製漢語系

　そもそもは和語であり、かつては訓読みや句として使われたのが、後に、音読みされるようになったものから借用されたもの。

- 出張［ではり］→［シュッチョウ］：出張 /cʰulcaŋ/
- 日当［日の手当］→［ニットウ］：日当 /iltaŋ/
- 当番［番に当たる］→［トウバン］：当番 /taŋpʌn/

　すなわち、これらの語はそもそも漢語ではなく、和語に漢字が当てられて、かつては訓読みされたものが、後に音読みされるようになったものである。これらの語は韓国語の字音読みが与えられ、用いられている。

（2）訳語系

　西洋文化が日本に伝わる際、行われた訳語には二種類ある。一つは中国で訳された語をそのまま日本語に取り入れたもので、もう一つは西洋語の漢字による訳にあたって、中国の古典に典拠を有するものを借りたり日本で自ら漢字を用いたりして造語したものである。

日本語の読み	韓国語の読み
a. 哲学 [テツガク]	哲学 [철학/cʰʌlhak/]
b. 大統領 [ダイトウリョウ]	大統領 [대통령/tɛtʰoŋrjʌŋ/]
c. 独逸 [ドイツ]	独逸 [독일/tokil/]
d. 椿姫 [ツバキヒメ]	椿姫 [춘희/cʰunhy/]

　例に挙げた単語は、西洋語の意味を漢字を用いて訳した語彙で、その中でもaは中国の古典にあるものに新しい意味を与えたものである。bは意訳語として日本で訳されたものである。cは漢字の意味を捨てて、日本語における漢字の音形だけを用いて造語した音訳語である。dは、和語の訓読みによる訳語である。

　韓国語においては、これらの訳語も、すべて韓国語の漢字音で読んでしまう。それによって、cのような音訳語の場合は日本語の漢字の字音としては「ドイツ」になり、原語の「Deutchland」に近いものになるが、韓国語においては原語の音形とは全く異なる「tokil」という音に変わり、原語とはほど遠いものという印象が生じる。

　このような現象が起こるのは、長い間中国から漢字を借りてそれを韓国語字音読みをして使ってきていたことによるものである。漢字で表記されていた語なら中国語にしろ日本語にしろ、原語の音とは構わずにそのすべてを韓国の字音で読むという習慣や伝統があるためであろう。

　（3）漢字表記和語系
　次の例は、和語に漢字が当てられたものが韓国で字音読みされる漢字語の例である。

日本語の読み	韓国語の読み
a. 内訳 [ウチワケ]	内訳 [내역/nɛjʌk/]
b. 言渡し [イイワタシ]	言渡 [언도/ʌnto/]
c. 家出 [イエデ]	家出 [가출/kacʰul/]

　これらは、日本固有語である和語に漢字を当てたものであるので、漢字で書かれていても必ず訓読みされ、音読みされることはない。しかし、韓国語においては、この類の単語をすべて韓国語の漢字字音で読む。また、ｂの「言渡し」のように日本語の表記としては送り仮名を伴なうものでも、それを省いて漢字の部分「言渡」だけを取り、それを韓国語の字音で読むことになる。

　李漢燮氏は「これらの語の種類は耳を通して受け入れた語ではなく、漢字という文字を介して受け入れた」[62]と指摘する。ある面においては韓国語における独特の用法ともいえるので、日本語から入った漢字語というよりは日本語を語源とする韓国製漢字語ともいえる例である。

2　和語系

　韓国語に借用された日本語の和語には、「さしみ、おでん、たたみ」などの語が多く存在する。しかし、この類の語は、書き言葉によったものよりも、話し言葉によって伝わったものが多いと思われる。その結果日本語の音形がそのまま受け入れられて用いられている。

　言い換えれば、日本語の音形と意味をそのまま借用した音形のみの純粋な外来語ともいえる。

　a. さしみ　（사시미/sasimi/）
　b. たたみ　（다다미/tatami/）
　c. おでん　（오뎅/oteŋ/）

62　李漢燮（1993）「現代韓国語における日本製漢語」『日本語学』12 巻

例に挙げた和語系外来語は、前にも述べたとおり、話し言葉として伝わったものが多い。たとえば、「さしみ（刺身）」のような単語は当てられた漢字表記があるが、それを韓国語の漢字字音読みで、「자신[casin]」と読まれる例はない。とくに、このような日本語の和語系の借用語は、専門職業語や俗語などに数多く存在する。

3 日本語経由の西欧語系外来語

日本語経由の西欧語としては、남포（/nampʰo/ ランプ）や담배（/tampɛ/ タバコ）などのように、音形が変えられて韓国語に定着し、それが固有語のように用いられているものがある。それ以外に、わりと新しい用語として、日本語の音韻や形態が適用された形でそのまま使われる日本語経由の外来語や和製外来語もある。

英語	日本語	韓国語
a. lamp	ランプ	남포/nampʰo/
b. tabaco	タバコ	담배/tampɛ/
c. sewing machine	ミシン	미싱/misiŋ/
d. cunning	カンニング	커닝/kʰʌniŋ/
e. ice ＋ candy	アイスキャンデー	아이스캔디/aisikʰɛnti/
f. soft ＋ cream	ソフトクリーム	소프트크림/sopʰitʰikʰirim/
g. curry ＋ rice	カレーライス	카레라이스/kʰareraisi/

aとbはかなり古い借用語として、長い間、使われながら、音形が次第に変えられ、借用語という意識がなくなって固有語のように定着したものである。cの「ミシン」は原語である英語の綴りを省略した語形で、カンニングは原語である英語の「cunning：狡猾な、狡さ」の意味とは異なる。おそらく、「カンニング」（韓国語においては「커

닝」）を「試験などにおいての不正行為の意」として用いられるのは日本語と韓国語だけであろう。さらに、e, f, gのような和製外来語は形態素は英語に基づくが、語そのものは原語（主に英語がほとんどであるが）には存在しないものである。

2 日本語系借用語の特徴

日本語系借用語が流入するようになったのは近代以降のことであるが、その期間に比べて、地理的近さや、植民地支配などの歴史的背景に伴って数多くの語彙が流入し、あらゆる分野で使われている。他国の借用語と異なる日本語系借用語が与えた影響についてまとめると次のようになる。

1）文語ではなく、口語と俗語に数多くの日本語系借用語が用いられる。
2）専門用語（学術用語）、特殊分野の用語には日本語系借用語がおびただしい。
3）和語系漢字語には伝統的な漢字造語法と異なる漢字語が見られる。
4）混種語のなかには日本語要素が多く含まれている。
5）近代において新しく借用された訳語が多く見られる。

2-1 日本語系借用語の音形や語形の変容

韓国語における日本語系の借用語には、上記のような特徴が見られるため、その特徴とそれによる日本語からの借用語を次のようにの区別できる。

1 日本語の固有語が韓国語の字音で読まれる語
・言渡・貸出・家出・椿姫

これらは、韓国においては中国からの漢字語と同じもののように思われ、用いられているが、実際は日本語の和語に基づく漢字語である。

2 漢字音訳語が韓国語の字音で読まれる語
　　・独逸・倶楽部

　「ドイツ」という音形に従い日本語の漢字の字音を当てたものをそのまま借用して、韓国語の漢字字音で독일「tokil」、구락부「kurakbu」と読んでしまい、原語である「Deutchland」や「club」の音形とは全く異なるものとなっている。

3 西欧語に日本語の音韻規則が加えられた語
　　・사라다（サラダ）・사비스（サービス）

　韓国語の音韻によれば、例の語は /sɛlrʌti/・/sapisɨ/ のような音形を持つべきであるが、西欧語が日本語を経由して二次的に韓国語に借用された場合は、日本語の音韻法則の影響を受けるので、直接借用語（一次借用語）とは異なる音形が現れる。

4 原語とは異なる語形を持つ省略語
　　・아파트（/apʰatʰɨ/ アパート）
　　・만탕크（/mantʰaŋkʰɨ/ 満タンク）

　この類はいわゆる和製英語というもので、原語には見られない単語の組み合わせを持っている。「アパート」は「apartment」の省略による語であり、原語においては省略されることはない。「満タンク」は「漢字（満）＋英語（タンク）」によって合成された語である。この類のものは日本語と韓国語のみにしか存在しない。

5 原語との意味が異なる語
- 커닝（/kʰʌniŋ/ カンニング）
- 아르바이트（/aripaitʰi/ アルバイト）

原語が持つ意味とは異なる意味を持って用いられる語であるが、日本語と韓国語の意味は一致している。

6 音節数が長くなる語
- 비스켓（/pisikʰet/ ビスケット）
- 란닝구（/ranniŋki/ ランニング）

直接借用される場合は、「비스켓/pisikʰet/」のように三音節になる単語が、日本語経由の借用語の場合は「비스켓토/pisikʰettʰo/」と四音節になり、音節が長くなる傾向がある。

2-2　日本語系借用語の判別

韓国語における借用語は、その多様性のためにその借用経路を明らかにすることは難しい。中国語から入った語と日本語から入った語が両方とも漢字の語形を持っているので、その借用経路を断定することが困難なためである。しかし、和語系や日本語経由の外来語の場合には、その語が持っている語形や音形あるいは意味によって、比較的容易に判別することができる。日本語からの借用語は次のように区別される。

1 音形による区別
  a. サラダ：사라다/sarata/（日本語系）
  b. salad：샐러드/sɛlrʌti/（英語系）

a. は日本語からの借用語の語形で、日本語の外来語である「サラダ」を二次的に受け取った形で、b. は英語「salad」を直接受け取った形である。したがって西洋語に対する外来語の表記規則が適用されていない語形なので、日本語から流入したものであることが推測できる。

2 意味による区別
  a. カンニング：(커닝/k^{h}ʌniŋ/)
  b. サイダー：(사이다/saita/)

これらの語は、その語義が原語の持つ意味とは異なって、日本語と同じ意味でしか使用されないので、日本語からの借用語であることがわかる。

3 語形による区別
  a. オートバイ：(오토바이/ot^{h}opai/)
  b. 生クリーム：(생크림/sɛŋk^{h}ɨrim/)

日本語と韓国語にしか見られない合成語や省略語であるため、日本で合成された後に韓国語に借用されたものとみられる。

4 語源による区別
  a. 取扱［とりあつかい］：(취급/c^{h}jikip/)
  b. 編物［あみもの］：(편물/p^{h}jʌnmul/)

日本語の和語に漢字が当てられたものが、韓国語の漢字の字音として読まれる。漢字で表記されているが、中国語の漢語には存在しない語である。日本で訓読みされる語であるので、日本語からの借用語であることがわかる。

以上、いくつかの例について韓国語における日本語系の借用語を分類し、その特徴を調べた。その結果、韓国語における日本語系借用語は、和製字音語の場合は中国の漢語と同様に漢字で表記されているので、中国語と同様に音形が韓国字音に変えられて借用されるものもある。また、和語や日本語経由西欧語のように、日本語の音韻や独特な意味あるいは形態を持っているものなども存在する。したがって、日本語系の借用語は他の言語と比べ、その異なる特徴を有することが明らかである。

第4章

韓国語における日本語系
借用語の諸様相

言語は各々独自的な形態・文法・音韻体系を有するので、他言語からの借用語を受け入れる借用過程においては必ず語形や音形などの言語体系の衝突が起こる。この章においては韓国語と日本語の音韻体系の違いによって生ずる音形の変化をおもに取り挙げたい。

1　借用語における日・韓両国語の音韻と表記

　借用語は、文化の交流に伴って、ある一つの言語が他の言語に流入することで生じる。すなわち、外来語というのは外国語から借用され、流入－受容－同化の過程を経てようやく一般に使われる語である。しかし、流入－受容－同化の過程において、対象語を受け止める側と受け止められる側の言語体系（文法体系ではなく、主に音韻体系）が異なる場合は、語形や音形あるいは意味の面において変化が起きる。とくに、借用というのは、ほとんどが文法単位ではなく、単語単位として行われることが多いので、借用には主に音韻体系の相違による音形や語形、あるいは文化の違いによって原語との意味の変容が生ずることがある。

　各言語は各々独自的な形態・文法・音韻体系を有するので、他言語からの借用過程においては必ず語形や音形などの言語体系の衝突が起こる。たとえば、英語の「cup/cʌp/」が日本語に借用される場合は、「cup」の母音音素である「/ʌ/」が日本語の音韻には存在しないため、英語の母音音素「/ʌ/」の代わりに、日本語の母音音素「/o/」が用いられ、「コップ /koQpu/」に変えられる。さらに、日本語の外来語である「コップ」には、英語の [cup] には存在しない促音が加えられているが、これは日本語の促音規則、すなわち母音後の無声子音である [-p, -t, -k, -s, -c] などの前には促音がくるという規則が適用されたことによって生じた変容である。また、英語の原語には、見られ

ない音節末の母音「u」は、閉音節で終わるのが可能である英語と開音節構造である日本語との間のずれによって生じる現象である。すなわち、英語の「cup/cʌp/」は、音節末が子音で終わる閉音節構造であるが、日本語は開音節構造なので、子音が音節末に来て終わるのが不可能である。ゆえに、原語の「cup/cʌp/」には存在しない母音「u」が加えられて、「コップ /koQpu/」の形に開音節化する傾向がある。

このように、音韻体系が異なる言語間において、借用が行われる場合には、対象語が受け止める側の音韻体系に基づいて変えられるのが一般に行われる。したがって、韓国語における日本語系借用語を考察するためには、日・韓両国語における音韻や表記体系を比較しながら、外来語の受容の際、各々どのような規則によっていかなる変容が生ずるかを考察する必要がある。

2 両国語の音韻体系

2-1 母音

1 日本語の母音

現代の日本語における単母音音素は次のように5つが存在する。
日本語の母音を基本母音図でみると、図表1のようになる
あ：/a/，い：/i/，う：/u/，え：/e/，お：/o/

図表1

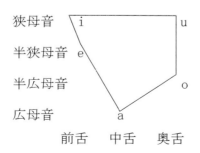

2　韓国語の母音

韓国語の単母音音素は 10 個[63]が認められている。

ㅏ/a/, ㅓ/ʌ/, ㅗ/o/, ㅜ/u/, ㅡ/ɨ/, ㅣ/i/, ㅔ/e/, ㅐ/ɛ/, ㅟ/y/, ㅚ/ø/

韓国語の母音音素は、母音図で見ると図表 2 のようになる。

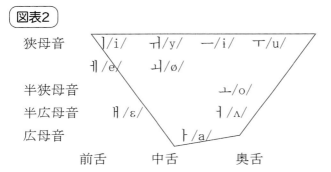

図表2

	前舌	中舌	奥舌
狭母音	ㅣ/i/ ㅔ/e/	ㅟ/y/ ㅚ/ø/ ㅡ/ɨ/	ㅜ/u/
半狭母音			ㅗ/o/
半広母音	ㅐ/ɛ/		ㅓ/ʌ/
広母音		ㅏ/a/	

3　両国語の母音音素の比較

現代の日本語の単母音音素は、前に述べたとおり /a, i, u, e, o/ の 5 つの音素が認められる。しかし、韓国語の母音音素は /a, ʌ, o, u, i, ɨ, e, ɛ, y, ø/ の 10 個が存在する。つまり、韓国語には、日本語の母音 /a, i, u, e, o/ と共通する母音[64]以外にも次のような /ʌ, ɨ, ɛ, y, ø/ の 5 つの母音が存在する。

両国語の母音音素の関係を明確にするために D. Jones の基本母音図の上に対比させてみると図表 3 のようになる[65]。

63　許雄（1973）『国語音韻学』191 頁
64　日本語と韓国語の母音は音声記号としては共通するが、実際の音は少し違う。
65　金敬鎬（1995）「日・韓両国における外来語の比較」『文献論集』25 号 153 頁

図表3

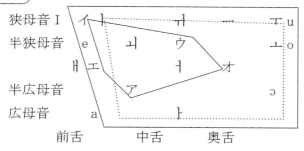

- 外側———： D. Jones の基本母音
- 内側………： 韓国語の母音
- 内側———： 日本語の母音

　図表3のように日・韓両国語の母音は共に、D. Jonesの基本母音四角図の中に内在しているが、日本語の母音はさらに韓国語の母音図の中に内在しているので、日本語の母音の音域は韓国語の母音の音域よりその範囲が全体的に狭いのがわかる。

4　両国語における外来語の母音の対応

　他言語からの借用が行われる際には、借用先の言語の音韻体系に基づいて対象語の音形や語形が変えられることは前述のとおりである。それゆえに、両国語の外来語を比較してみれば、外国語からの対象語が、各々いかなる音形に認識され、いかなる国語の母音に変えられるかを把握することが可能である。また両国語における外来語の音韻変化の規則やそれによる外来語の音形や語形の相違を明らかにすることができる。

　原語である英語と日・韓両国語における外来語を取り挙げながら、比較[66]をすると図表4のようになる。

66　例に取り挙げた単語は、次のような辞典に基づく。

図表4

原語（英語）	日本語	韓国語
cup[kʌp]	コップ /koQpu/	컵/kʰʌp/
air[ɛə]	エアー /ea/	에어/eʌ/
bus[bʌs]	バス /basu/	버스/pʌsi/
paper[peipə]	ペーパー /peRpaR/	페이퍼/pʰeipʰʌ/
design[dizanin]	デザイン /dezaiN/	디자인/ticain/
band[bænd]	バンド /baNdo/	밴드/pɛnti/
dollar[dalə]	ドル /doru/	달러/talrʌ/
report[ripɔːt]	リポート /repoRto/	리포트/ripʰotʰi/
radio[reidiou]	ラジオ /razio/	라디오/ratio/
program[prougræm]	プログラム /puroguramu/	프로그램/pʰirokirɛm/
scout[skaut]	スカウト /sukauto/	스카우트/sikʰautʰi/
announcer[əˈnaʊnsə(r)]	アナウンサー /anauNsaR/	아나운서/anaunsʌ/

　ここでの英語の原語は、英語の単母音 /a, i, e, u, o, ɔ, ə, æ, ʌ/ と二重母音 /ɛə, ei, ou/ が含まれている語である。例における原語の英語の母音が、日本語や韓国語における外来語とどのような母音で対応をするかをまとめると図表5のようになる。

　また図表5の例に基づいて、反対に日本語と韓国語における各々の外来語の母音音素が自国語の音韻にはない英語の母音を如何なる母音で認識して受け止めるかを見ると図表6のようになる。

- 英語：小稲義男外（1989）『新英和中辞典』研究社
- 日本語：1. 荒川惣兵衛（1967）『角川外来語辞典』角川書店
  　　　　2. 松村明監修（1995）『大辞典』小学館
- 韓国語：李基文監修（1993）『東亜새국어사전』東亜出版社

図表5

原音	日・韓の外来語音		
ʌ →	o・a	(日)	コップ /koQpu/, バス /basu/
	ʌ	(韓)	컵/kʰʌb/, 버스/pʌsi/
ə →	a	(日)	ペーパー /peRpaR/
	ʌ	(韓)	페이퍼/pʰeipʰʌ/
a →	o	(日)	ドル /doru/
	a	(韓)	달러/talrʌ/
i →	e	(日)	デザイン /dezain/
	i	(韓)	디자인/ticain/
æ →	a	(日)	バンド /bando/
	æ	(韓)	밴드/pɛnti/
ɔ →	o	(日)	レポート /repoRto/
	o	(韓)	리포트/ripʰotʰi/
ɛə →	ea	(日)	エアー /ea/
	eʌ	(韓)	에어/eʌ/
ei →	a	(日)	ラジオ /razio/
	a	(韓)	라디오/ratio/
ou →	o	(日)	プログラム /puroguramu/
	o	(韓)	프로그램/pʰirokirɛm/
au →	au	(日)	アナウンサー /anauNsaR/
	au	(韓)	아나운서/anaunsʌ/

図表6		日本語と韓国語、英語音素の対応
		英語の音素
日	/a/	/a, ə, æ, ei, ʌ/
韓	/a/	/a/
日	/i/	/i/
韓	/i/	/i/
日	/o/	/o, ou, a, ɔ, ʌ/
韓	/o/	/o, ou, ɔ/
日	/u/	音節末
韓	/u/	/u, ə, æ/
日	/e/	/e, i/
韓	/e/	/e, ɛ/
韓	/ʌ/	/ʌ, ə/
韓	/ɛ/	/æ/
韓	/i/	音節末
韓	/y/	
韓	/ø/	

　図表6のように、日本語は母音の数が英語より少ないので、日本語の母音「a」は英語の母音「a, ə, æ, ei, ʌ」などの音域を担うが、韓国語は母音の数が英語に比べさほど少なくないので、韓国語の母音「a」は、英語の単母音「a」と二重母音である「ei」のみに対応する。

　これらによって、日本語の一つの単母音がカバーする音域が韓国語より広いことがわかる。たとえば、英語のtrack（[træk]トラック：陸上競技場）やtruck（[trʌk]トラック：貨物自動車）とは、日本語の外来語では、ともに「トラック /toraQku/」と発音され、音声表記ともに区別されない。

しかし、韓国語で英語の「track」は「트랙/tʰiræk/」に、また「truck」は「트럭/tʰirʌk/」に発音されるので、音韻においても表記においても弁別が可能である。ただし、韓国における日本語経由の外来語の場合は、日本語の外来語の影響でいずれも「토락쿠/tʰorakku/」になってしまう傾向がある。すなわち、前にも述べたように、韓国語における外来語は借用経路によって異なる語形を有することになる。たとえば、英語の「truck」と「track」の場合は、直接借用された外来語は原語の音形が異なるので、韓国語においても同様の母音音素が対応し、区別がおこなわれる。しかし、この「truck」と「track」が日本語を経由して韓国語に入った場合は、それらに日本語の音韻規則が適用されるので、両方とも「トラック」に変えられて韓国語に二次的に借用される。したがって、日本語と同様に両方とも「토락쿠/tʰorakku/」になる。
　このように、外来語の借用の際には、その音形は原語の有する音形から外され、借用先の言語の音韻体系に応じた変容が生じるので、同じ語であっても各々の言語体系によって異なる音形に認識される。すなわち、語源は一つであるが、借用経路によって語形の相違が生じる。原語からの直接借用語と二次的な借用語との相違を問題にすべき理由はこの点にある。

2-2　半母音

1　日本語の半母音

　日本語には半母音音素として、/j, w/ の二つが存在し、これらの半母音が単母音である /a, u, o/ と結合して /ja, ju, jo, wa/ などの音を形成し、あるいは子音と母音の間に添加されて /kja, mja, hju/ などのヤ行拗音節を形成する。

2　韓国語の半母音

　韓国語にも日本語と同様に /j，w/ の二つの半母音音素が存在している。音韻論的には韓国語の半母音音素は日本語と同じ音素として認められる。
　ただし、韓国語における半母音は単母音 /a，e，o，u，ʌ/ と結合して /ja，je，jo，ju，wa，we，wʌ/ などの重母音[67]を成す。

（1）両国語の半母音音素の比較

　日本語の拗音は、韓国語の重母音と比べると、わずかに相違が存在するが、音韻論的には同様とみても差し支えない。ただし、現代日本語には /kja/ のような開拗音は存在するが、/kwa/ のような合拗音は存在しない。しかし、韓国語には開拗音 /kja/ と合拗音 /kwa/ の両方が用いられる。したがって、これらの相違はまた両国語の外来語に反映される。

（2）両国語における外来語の重母音

　日本語の共通語における半母音は単母音 /a，u，o/ と結合して音節（モーラ）を成し、重母音の数が /ja，ju，jo，wa/ の4つしかない。しかし、韓国語の重母音は /ja，je，jʌ，jo，ju，jɛ，wa，wɛ，wʌ，we，uj/ の11個が存在するので、日本語より半母音による音節の数が多い。このような両国の半母音音素と結合した重母音が外来語の音素に如何に適用されるかを見ると図表7のようになる。
　図表7に例として取り挙げた単語は、原語である英語の音形が両国語において如何なる音形に認識され、受容過程において各々どのような音形に変えられるかを示すものである。

67　英語の二重母音 /ai，oi，ui/ などは日本語においては二つの母音の間に音響上の境目が認められるので、二つの母音になる。日本語と韓国語では「半母音と単母音」の結合を重母音または二重母音とする。

図表7

原語（英語）	日本語	韓国語
quiz[kwiz]	クイズ /kwizu/	퀴즈/kʰwicɨ/
yankee[j・ンki]	ヤンキー /yaNki-/	양키/jaŋkʰi/
yellow[jelou]	イエロー /ieroR/	옐로/jelro/
unisex[juːnエseks]	ユニセックス /yuniseQkusu/	유니섹스/juniseksɨ/
wire[waiア]	ワイヤー /wija/	와이어/waiʌ/
waiter[waitア]	ウェイター /weRtaR/	웨이터/weitʰʌ/

　原語である英語の外来語が両国語ではどのような音素に代置されるかを比較すると、図表8のようになる。

図表8

原音	日・韓の外来語音		
kwi →	kui	（日）	クイズ /kwizu/
	kwi	（韓）	퀴즈/kʰwicɨ/
j →	ja	（日）	ヤンキー /jaNki/
	ja	（韓）	양키/jaŋkʰi/
je →	ie	（日）	イエロー /iero/
	je	（韓）	옐로/jelro/
ju →	ju	（日）	ユニセックス /juniseQkusu/
	ju	（韓）	유니섹스/juniseksɨ/
wei →	ue	（日）	ウェイター /weRtaR/
	wei	（韓）	웨이터/weitʰʌ/
wai →	waija	（日）	ワイヤー /waijaR/
	wai	（韓）	와이어/waiʌ/

図表8の例をみれば、原語である英語の半母音が日・韓両国語において、それぞれどのような半母音音素に変わるのかがわかる。

　すなわち、日本語においては半母音音素による重母音の音節が /ja, ju, jo, wa/ の4つしか認められないので、日本語の半母音に存在しない英語の半母音を含む音節 /wi, jæ, je, wʌ, wei/ は、たとえば、ワード /waRdo/ のように日本語における4つの半母音に吸収されるか、クイズ /kuizu/、イエロー /ieroR/ のように、単母音による連母音に変えられる場合が多い。

　しかし、韓国語においては、半母音による音節が /ja, je, jʌ, jo, ju, jɛ, wa, wʌ, wɛ, we, uj/ と11個ある。したがって、韓国語に存在しない幾つかの英語の音素を除けば、ほとんどそのまま受け取り、表すことが可能である。

2-3　子音

1　日本語の子音

　現代共通日本語には子音音素として、/p, b, m, n, t, d, s, z, c, r, k, g, h/ の13個が認められる[68]。

　これらの日本語の子音には、破裂音 /p, b, t, d, k, g/ と摩擦音の /s, z/ が有声音と無声音で対立を成している。

・有声音：/p, t, c, s, k/
・無声音：/b, d, z, g /

　このような日本語の子音音素を調音形式と調音方法によって子音体系表を作ってみると次のようになる。

68　服部氏はゼロ子音 /′/ を認めているが、この論では省略する。（服部四郎（1979）『音韻論と正書法』大修館書店）

図表9　日本語の子音音素体系

調音方法＼調音位置	両唇音	歯音	歯茎音	硬口蓋音	軟口蓋音	喉頭音
破裂音	p,b	t,d			k,g	
摩擦音		s,z				h
破擦音		c				
はじき音				r		
鼻音	m	n				

　図表9をみると、日本語の子音体系は有声と無声によって、音素の対立が行われ、弁別要素を有していることがわかる。すなわち日本語の子音体系は有声音と無声音による二系列の対立で構成されている。ただし、タ行は /ta, ci, cu, te, to/ で同じ行の子音が後にくる母音によって、たとえば /a, e, o/ の母音の前には、歯茎音 /t/ が、/i, u/ の母音の前には歯音の /c/ として発音される。

　つまり、日本語の /ti, tu/ の音は「ティッシュ /tiQsju/」や「ティータイム /tiRtaimu/」などのような外来語を除けば、実際固有日本語には存在しない。なおタ行の子音音素 /c/ は母音 /i/ の前には、異音として現れ、音声記号として [tɕ] であり、母音 /u/ の前には /ts/ の条件変異音が表れる相補的分布を成す。

2　韓国語の子音

　韓国語の子音音素には /p, p^h, p'[69], t, t^h, t', k, k^h, k', c, c^h, c', s'

---

[69] 韓国語の子音は、軟音（平音）・気音（激音）・硬音（濃音）に区別される。ここでは気音（激音）と硬音（濃音）を表すために、例のように / p^h / と /p'/ によって表記する。

[s,], l(r), m, n, ŋ, h/ など19個がある[70]。ただし、韓国語の子音体系は日本語や英語とは違って、有声音と無声音による二系列の対立体系ではなく、たとえば、/p, pʰ, p'/ の有気音と無気音による三系列の対立体系を成す。

　それらの子音音素を調音位置や調音方法によって表を作ると次のようになる。

図表10　韓国語の子音音素体系

調音法＼調音点	両唇音	歯音	歯茎音	硬口蓋音	軟口蓋音	喉頭音
破裂音	p, pʰ, p'	t, tʰ, t'			k, kʰ, k'	
摩擦音			s, s'			h
破擦音			c, cʰ, c'			
はじき音				l (r)		
鼻音	m	n			ŋ	

　韓国語では、日本語のように有声と無声の相違が弁別要素にはならない。しかし、有気と無気とによる弁別が行われる。

　しかも、図表10に見られるように、それぞれ三系列による対立を成すことが特徴として見られる。

　韓国語における気音 /pʰ, tʰ, kʰ, cʰ/ の4つの音素は、平音である /p, t, k, c/ 音に気音 (h) が含まれたものであるが、これらは日本語には見られない強い有気性を備えたものである。なお、濃音と言われる /p'/, /t'/, /k'/, /c'/ の音も日本語の音素には窺われない強い詰まり音であり、他の言語には見られない特別な子音体系を成していることがわかる。

70　許雄『国語音韻学』韓国正音社　205-206頁

3 両国語の子音の比較

　前述したように、両国語の子音においてもっとも大きな相違点は、日本語の声の有無と韓国語の気の有無との対立にある。すなわち、日本語の子音の場合は、/p：b/ などの有声音と無声音の対立による二系列体系であるが、韓国語の子音においては、声の有無ではなく、/p：ph：p'/ のように、気の有無による平音・濃音・気音の三系列体系が対立を成している。

　また、日本語の子音には弾き音素としてラ行の /r/ 音が存在しているが、韓国語にははじき音、および流音としての「ㄹ/1/」が存在する。しかし、韓国語の流音「ㄹ/1/」は、日本語のタ行音が母音 /a, e, o/ の前は /t/ に、/i, u/ の音の前では /c/ の音の相補的分布を成すように、音節頭（初声）には /r/ の音になるが、音節末（終声）には /1/ の音になる相補的分布を成すところに日本語の /r/ の音と異なる特徴がある。

　なお、日本語の鼻音には、鼻音音素としてマ行の /m/ とナ行の /n/ の音素の他にモーラ音素として /N/ 音が存在する。勿論、このモーラ音素の /N/ はその音韻論的環境によって、音声的には、実際［/m, n, ŋ, N/］などの多様な音声として現れるが、これも相補的分布を成すことで、音韻的には同一の音素 /N/ と見なされる。しかし、韓国語の鼻音には /n, m, ŋ/ の三つの音素が存在する。ただし、/ŋ/ の音素は音節頭に立つことなく、必ず、音節末（終声）にくるという特徴が見られるので、両国語の子音音素はかなりの相違点が窺われる。

4 両国語における外来語の子音

　日・韓両国語における子音音素は、前述のとおり、日本語では、有声と無声による二系列対立で、韓国語においては、有気か無気かによる三系列の対立を成している点が異なる。なお、破裂音や弾き音そし

て鼻音などにも相違点が窺える。それら各々の子音音素が両国語における外来語にはどのように適用されるのかをみる。

　（１）破裂音（閉鎖音）
　日本語に入っている外来語のうち、原語である英語の破裂音素は、日本語の破裂音素と同様、有声と無声による対立を成しているので、日本語における英語を原語としている外来語の破裂音は、原語である英語の音素とさほど相違は見られない。しかし、韓国語の破裂子音には、有気性か否かによる対立性が存在し、有声音が存在しないので、原語である英語の破裂子音の有声音は、韓国語に借用される際、無声音に変えられる。したがって、日・韓両国語における外来語の音形は、両言語における子音の体系が異なるように、各々の特徴を表す。

図表11

原語（英語）	日本語	韓国語
bus[bəs]	バス /basu/	버스/pʌsi/
pass[pæs]	パス /pasu/	패스/pʰɛsi/
gas[gæs]	ガス /gasu/	가스/kasi/
calori[kæləri]	カロリー /karoriR/	칼로리/kʰalrori/
dance[dæns]	ダンス /daNsu/	댄스/tɛnsi/
tunnel[tʌnl]	トンネル /toNneru/	터널/tʰʌnʌl/

　このような例において、原語である英語が日・韓両国語の外来語においては各々いかなる音素として受け止められるかをまとめると図表12のようになる。
　図表12の例にみるように、原語である英語の破裂有声子音 /b, d, g/ は、日本語の子音にも有声音があるので、日本語の外来語の音形

も同様な音形として対応する。しかし、韓国語には、原語の英語の /b, d, g/ のような有声音が存在しないので、韓国語における外来語の音形は有気性が少ない無声の平音 /p, t, k/ に代替されることになる。無論、韓国語の無声の平音である「ㅂ/p/, ㄷ/t/, ㄱ/k/」などは、英語や日本語の子音音素 /p, t, k/ よりは有気性が少なく、異なる音である。

図表12

原語の音	日・韓の外来語の音
b →	b（日）バス /basu/ p（韓）버스 /pʌsi/
p →	p（日）パス /pasu/ ph（韓）패스 /pʰɛsi/
g →	g（日）ガス /gasu/ k（韓）가스 /kasi/
k →	k（日）カロリー /karoriR/ kh（韓）칼로리 /kʰalrori/
d →	d（日）ダンス /daNsu/ t（韓）댄스 /tɛnsi/
t →	t（日）トンネル /toNneru/ th（韓）터널 /tʰʌnʌl/

　原語である英語の /p, k, t/ の無声音も、有声音と同じく日本語にも同様の音素があるので、外来語にも /p, k, t/ の無声音が対応する。一方、韓国語の無声音 /p, k, t/ には有気性が少ないので、英語や日本語の無声音 /p, k, t/ に近似する音形として /ph, kh, th/ のよう

な有気性の強い激音によって代置される。

したがって、日・韓両国語における外来語の破裂音素は、日本語の有声と無声による対立と韓国語の有気と無気の対立によって、かなりの相違点が見られるのがわかる。

（２）摩擦音

日本語で摩擦を起こす摩擦音には、無声音 /s/、/h/ と有声音 /z/ が存在する。一方、韓国語の摩擦音には、無声で平音である「ㅅ/s/」と濃音の「ㅆ/s'/」の対立しており、喉頭音の /h/ がある。したがって、英語が借用語として用いられる際に、音素の適用が異なるケースがある。

図表13

原語（英語）	日本語	韓国語
salary[sæləriː]	サラリー /sarariR/	샐러리/sɛlrʌri/
zero[ziːrou]	ゼロ /zero/	제로/cero/
helmet[hilmit]	ヘルメット /herumeQto/	헬멧/helmet/

両国語における外来語に表れる摩擦音の対応をまとめると次のようになる。

図表14

原語の音	日・韓の外来語の音
s →	s（日）サラリー /sarariR/ s（韓）샐러리/sɛlrʌri/
z →	z（日）ゼロ /zero/ c（韓）제로/cero/

h →	h（日）ヘルメット /herumeQto/
	h（韓）헬멧/helmet/

　日本語と韓国語における摩擦音のうち、喉頭子音 /h/ は同じ音素として扱っても差し支えなかろう。しかし、日本語のサ行の無声音と韓国語の無声音 /s/ の音素は同じでありながら、有声音は少し異なることに注意すべきである。すなわち、日本語には有声子音 /z/ が存在するが、韓国語には /s/ に対立する音は、濃音の「ㅆ/s'/」であり、有声音自体が存在しないので、英語の有声子音 /z/ は、韓国語の外来語においては摩擦音ではなく、無声ながら、有気性が弱い破擦音の /c/ に置き換えられるのが特徴である。

　（3）破擦音
　日本語の破擦音の無声音素 /c/ と有声音素 /z/ は、母音 /i, u/ の前に来る音素として、それぞれ変異音である［tʃ］（母音 i の前）や［ts］（母音 u の前）と［ʥ］（母音 i の前）や［dz］（母音 u の前）を有する。しかし、［tʃ, ts, ʥ, dz］などは音声学的な区別なので、この論においては、夫々の音素 /c/ と /z/ の異音として扱う。一方、韓国語の破擦音には気の有無による平音 /c/、激音 /ch/、濃音 /c'/ が破裂音素系を成す。

図表15

原語（英語）	日本語	韓国語
cheese[tʃiːz]	チーズ /ciRzu/	치즈/c^{h}ici/
jinx[ʥiks]	ジンクス /ZiNkusu/	징크스/ciŋk^{h}isi/

　例に見える両国語における外来語の破擦音がどのように表れるかをまとめると次のようになる。

図表16

原語の音	日・韓の外来語の音
ʧ →	c [ʧ]（日）チーズ /ciRzu/ cʰ　　（韓）치즈 /cʰici/
ʤ →	z [ʣ]（日）ジンクス /ziNkusu/ c 　　（韓）징크스 /ciŋkʰisi/

　英語の［ʧ］音は日本語における［ʧ］（i母音前のタ行音として /c/ の変異音）と同じ音とみて差し支えないだろう。したがって、原語の /ʧ/ 音は日本語の外来語にも同じ音の「/c/[tク]」として表れるが、韓国語の外来語には激音 /ch/ に代替される。なお、英語の有声音の /ʤ/ 音は日本語の外来語には有声音である /z/（母音 i の前のダ行音）に変えられるが、韓国語にはやはり有声音がないので、無声音でありながら有気性が少ない平音 /c/ に変えられる。

（4）弾き音（流音）音

　日本語と韓国語には、両方ともに弾き音の音素として /r/ が存在している。しかし、日本語の弾き音の場合は、語頭にあろうが、語中にあろうが、弾き音の /r/ 音には変化は見られない。反面、韓国語の弾き音素 /r/ は語頭（音節頭）にくるか、語中や語末（音節末）にくるかによって異音現象が生ずる。すなわち韓国語の弾き音は語頭に立つ場合は［r］音になるが、語中や語末（音節末）に来る際は、［l］になる。つまり、主音素としては /r/ として認められるので、［l］は /r/ の異音として扱われる。

　また、両国語における外来語には原語の弾き音がどのように各々代替されるかをみると図表18のようになる。

図表17

原語（英語）	日本語	韓国語
lamp[læmp]	ランプ /raNpu/	램프/rɛmpʰi/
club[klʌp]	クラブ /kurabu/	클럽/kʰilrʌp/

図表18

原語の音	日・韓の外来語の音
l →	r（日）ランプ /raNpu/ r（韓）램프/rɛmpʰi/（音節頭）
l →	r（日）クラブ /kurabu/ r（韓）[l] 클럽/kʰilrʌp/（音節末）

　原語の英語においては対立を成す /r/ と /l/ が日本語の外来語にはすべて /r/ として表れる。しかし、韓国語の弾き音は音素としては一つと認められるべきである /r/ が語頭（音節頭）では [r] として、語末（音節末）では [l] として表れる点が日本語と異なる。

（5）鼻音
　日本語の鼻音には音素として /m/ と /n/、そしてモーラ音素の /N/ が存在する。一方、韓国語には鼻音音素として /m/(ㅁ), /n/(ㄴ), /ŋ/(ㅇ) の3つがある。
　現代共通日本語（東京方言）は音節構造が開音節構造であるため、子音で音節（モーラ）が終わることはない。たとえば、日本語の「新幹線 /siNkaNseN/」の構造は CVC＋CVC＋CVC（Cは子音、Vは母音の略字）の構造ではなく、CV+N+CV+N＋CV+N（Nはモーラ音素）の構造で、すなわち、子音＋母音が一つのモーラを成し、母音の後の /N/ は独立したモーラ音素になる。したがって、日本語の子音の鼻音音素 /n,

/m/ は語頭にはくるが、音節末に表れることはない。すなわち、「シンカンセン /siNkaNseN/」のように各音節末に来る /N/ は、前の母音に付く子音ではなく、独立したモール音素として認められる。一方、韓国語は閉音節構造であるので、子音の /n, m, ŋ/ のうち、/n, m/ は、たとえば、「말/mal/（馬）」と「감/kam/（柿）」に見られるように語頭と語末両方にくることが可能である。しかし、/ŋ/ の場合は、語頭にくることがなく、ひたすら音節末のみに現れるのが特徴である。

図表19

原語（英語）	日本語	韓国語
money[mʌniː]	マネー /maneR/	머니 /mʌni/
film[film]	フイルム /huirumu/	필름/pʰilrim/
knife[naif]	ナイフ /naihu/	나이프/naipʰi/
ton[tʌn]	トン /toN/	톤/tʰon/
puncture[pʌŋʧə]	パンク /paNku/	빵꾸/p'aŋk'u/

　これらの原語である英語が両国語における外来語ではどのような音形に代替されるかを見ると次のようになる。

図表20

原語の音	日・韓の外来語の音
m →	m（日）マネー /maneR/ 日本語・フイルム /huirumu/ m（韓）머니 /mʌni/・필름/pʰilrim/
n →	n（日）ナイフ /naihu/・トン /ton/ n（韓）나이프/naipʰi/・톤/tʰon/
ŋ →	N（日）パンク /paNku/ ŋ（韓）빵꾸/p'aŋk'u/

これによって、日本語の /m, n/ は語頭には現れるが、語末には現れない。しかし、韓国語の /m, n/ は語頭や語末のいずれも現れる。なお、原語の /ŋ/ が日本語では、モーラ音素である /N/ を以って代替されるが、韓国語ではそのまま /ŋ/ として現れる。
　このように両国語における子音音素は、それぞれの子音体系に基づいて英語の借用語の音形を代替することがわかる。

3　日本語のモーラ音素と韓国語の終声の比較

　日本語の共通語[71]の音節構造は前にも述べたように、母音で終わる開音節構造である。たとえば、日本語の「つくえ（机）」をゆっくり区切るように発音してみれば /cu+ku+e/ の3つの単位に分けられて、各部分は同じ長さを持つ。すなわち現代日本語の共通語である東京方言は、母音を中心とした音節構造ではなく、音の長さに基づいた時間単位であるモーラ（拍）音節である。さらに、日本語には、母音でもないのに、単独で一つの音節と同じ長さを有する音素として撥音 /N/、促音 /Q/、長音 /R/ という3つの特殊モーラ音素の存在が認められる。
　その他、日本語は「CV（子音＋母音）」の形を主としてモーラを形成するのが特徴である。反面、韓国語の構造はモーラ音素ではなく母音を中心とした音節構造で、しかも閉音節構造の「CVC（子音＋母音＋子音）」の構造である。その相違による両国語の外来語の音形の変化をみてみよう。

3-1　日本語の撥音と韓国語の終声

　現代日本語の共通語において、モーラ音素は主に「子音＋母音」(CV)

71　東京方言を指す。

形を取り、開音節の構造を取る。したがって日本語の「本 /hoN/」のような単語は、一見「CVC」の形の閉音節を成しているようにみられるが、撥音 /N/ は音節の要素である子音ではなく、一つの独立したモーラ音素であるので、「本」の構造は「CV+N」という2モーラを形成することになる。しかし、韓国語はモーラ音素ではなく、母音を主にする音節構造であり、閉音節の構造である。たとえば、「감/kam/；柿」の音節末の /-m/ が日本語のモーラ音素 /N/ ように、独立した音素になることはない。「감/kam/」は一つの音節で成されている語で、音節末にある /-m/ は終声子音として母音に付随した子音と認められている。すなわち、日本語の「本 /hoN/」と韓国語の「혼/hon/（魂）」は、音形の上では同じ構造のようにみえる。しかし、日本語の「本」の「N」は音節末の子音音素ではなく、独立したモーラ音素として扱われる。一方で、韓国語の「혼 /hon/；魂」は「子音＋母音＋子音」の形で「音節頭子音＋母音（音節核）＋音節末子音」として、一つの音節を成している。つまり「n」は音節末に付属する子音であって、独立した音節ではない。

このような、日本語のモーラ音素 /N/ と韓国語の終声 /n, m, g/ の相違が両国語の外来語には如何に現れるかを比較してみれば、日本語の撥音と韓国語の終声の特徴がわかる。

図表21

原語（英語）	日本語	韓国語
ink[ɪŋk]	インク /iNku/	잉크/iŋkʰi/
engine[endʒin]	エンジン /eNʒiN/	엔진/encin/
jump[dʒʌmp]	ジャンプ /jaNpu/	점프/cʌmpʰi/

両国語における外来語の音節末に現れる音形は、次のようにまとめることができる。

図表22

原語の音	日・韓の外来語の音
ŋ →	N（日）インク /iNku/ ŋ（韓）잉크 /iŋkʰi/
n →	N（日）エンジン /eNʒiN/ n（韓）엔진 /encin/
m →	N（日）ジャンプ /jaNpu/ m（韓）점프 /cʌmpʰi/

　原語の音節末の /n，m/ は日本語が開音節構造であるので、その外来語においてはすべてがモーラ音素である /N/ 音に変えられる。しかし、韓国語は閉音節構造であり、韓国語の /ŋ，n，m/ は音節末において音節の一部を成すので、原語の /ŋ，n，m/ は、韓国語の外来語においては日本語のように独立した音節に代替されることなく、原語である英語と同様の音素で現れる。

3-2　日本語の促音と韓国語の終声

　日本語の促音 /Q/ も撥音 /N/ と同様に母音の後に現れ、/CVQ/（子音＋母音＋促音）の構造を成すので、形態は閉音節の構造のように見える。しかし、日本語の促音 /Q/ も独立して一つのモーラを成す音素であるので、「子音＋母音＋子音 /CVC/」の構成をもって閉音節を成す韓国語とは相違がある。

　これらの両国語における外来語の音形の代替は次のようになる。

図表23

原語（英語）	日本語	韓国語
stick[stik]	ステッキ /suteQki/	스틱/sitʰik/
catch[kætʃ]	キャッチ /kjaQci/	캐치/kʰɛcʰi/
flash[flæʃ]	フラッシュ /huraQsju/	플래시/pʰilrɛsi/

図表24

原語の音	日・韓の外来語の音
stik →	/suteQki/ （日）ステッキ /suteQki/ /sitʰik/ （韓）스틱/ sitʰik/
kætʃ →	/kjaQci/ （日）キャッチ /kjaQci/ /kʰɛcʰi/ （韓）캐치/kʰɛcʰi/
flæʃ →	/huraQsju/ （日）フラッシュ /huraQsju/ /pʰilrɛsi/ （韓）플래시/pʰilrɛsi/

　日本語の外来語の大きな特徴は原語の英語には存在しない促音が現れることである。日本語の共通語には、たとえば「切符 /kiQpu/」のように、元々無声子音の /k, s, c, t, p/ などの前に促音が現れる傾向がある。これらが日本語における外来語にまで適用され、原語には見られない促音が挿入される。

　しかもこの促音は単独で1モーラを形成するため、外来語の音節を長くする。たとえば、原語の stick[stik] は一音節であるのに、日本語の外来語の「ステッキ /suteQki/」は四音節にあたる4モーラを有するので長い。しかし、韓国語で「스틱/sitʰik/」の場合、母音 /i/ が挿入され音節を成すが、語中や語末の子音で終わる閉音節構造であり、子音が終声を成すので、日本語の外来語のように音節が長くならない。

3-3　日本語の長音と韓国語の長音

　日本語には長音 /R/ も特殊モーラ音素として認められる。すなわち、日本語の「おじさん」や「おばさん」などにおける短音「ば」や「じ」に対して、「おじーさん」や「おばーさん」などにおける「ばー」や「じー」のように短音を長くしたものが長音音素である。つまり、意味を弁別する要素である韻素の役割を担当する。韓国語には「말（/mal/；馬）」と「말（/ma:l/；言葉）」のように、音としての長音が存在して語の意味の弁別に関与するが、文字言語には示さない。すなわち日本語の「英気 /eiki/」の /ei/ は連母音であるが、音声としては [e:] の形の長音として発音されるので、文字と実際の発音との間にずれが生ずる。したがって日本語では外来語の連母音の一部は長音 /R/ の形に置き換わるが、韓国語には長音を表す「文字」あるいは符号で示さない。この点に日本語と韓国語における外来語の音の対応の相違点が存在する。

図表25

原語（英語）	日本語	韓国語
game[geim]	ゲーム /geRmu/	게임/keim/
coat[cout]	コート /koRto/	코트/kʰotʰi/
pool[pu:l]	プール /puRru/	풀/pʰul/

　例に基づいて原語の二重母音や長音が日・韓両国語の外来語ではどのように現れるかを比較すると次のようになる。

図表26

原語の音	日・韓の外来語の音
geim →	/geRmu/（日）ゲーム /geRmu/ /keim/（韓）게임/keim/

cout →	/khoth/	（日）コート /kʰoRtʰo/
	/khoth/	（韓）코트/kʰotʰɨ/
pu:l →	/puRru/	（日）プール /puRru/
	/pʰul/	（韓）풀/pʰul/

　原語の「game[geim]」における二重母音は、韓国語では「게임/keim/」のように、そのまま連母音の形で現れるが、日本語では「ゲーム/geRmu/」のように長音として現れるのが特徴である。その他、原語の「coat」の二重母音や「pool」の長母音は日本語においては「コート」や「プール」と発音するように、長音 /R/ として認識される。一方、韓国語には音を長く伸ばす形で長音を発音するが、文字や符号としては現れないという特徴があるので、両国語における外来語の音形はそれぞれ異なることがわかる。

　外来語の借用において、対象語の有する音形が借用する側の音韻体系に代替される現象を探るために、日・韓両国語における外来語を例として取り上げながら、原語の音形が両国語においていかに変えられて現れるかを、母音・半母音・子音に分けて比較してきた。その結果、両国語における外来語には、両者の音韻体系によって相当の相違が生ずることがわかった。

　すなわち、現代日本語の共通語には、母音が5つ、半母音が2つ、子音が13個存在する。一方、韓国語には母音が10個、半母音が日本語と同様に /j, w/ の2つ、子音が19個存在する。

　したがって、日本語の母音は個々の母音の音域が韓国語より全般的に広いので、日本語における外来語の語形は韓国語よりも同音語になる場合の多いことが明らかになった。また子音の場合、日本語の子音体系が原語の英語と同様に有声音と無声音による二系列の対立を成している。しかし、韓国語の子音体系は有声や無声による対立ではなく、

気の有無により、しかも三系列の対立を成しているので外来語の音形にも相当な相違点が窺われる。その点以外にも半母音や日本語の音節である開音節と特殊音素であるモーラ音素、韓国語の閉音節構造や終声などによる相違が両国語における外来語に夫々特徴として反映されるので、同じ原語であれ両国語における外来語には相違点が生ずることがわかる。

4　外来語の表記規則および表記実態

　外国語が借用され外来語として定着する場合に、対象となる語が受け取る側の言語体系によって、その語形や音形などの変容を受けることは、今まで述べてきたとおりである。
　しかし、外来語として受容され、定着する過程において、表される方法は音声による方法と文字によって表記される場合が多い。
　日本語において漢字以外の欧米語は、初めは音声言語として伝えられ、音形の変化過程を経た後に文字言語として定着する。一般的に、音声言語が文字言語に移される過程で、借用される対象語と借用する側の言語との体系の相違により、表記の面においても、いくつかの変異形が生ずるのは当然のことであろう。たとえば、「キリスト」の表記をみても、次のようなゆれが見られる。

　・キリスト、キリシト、キリス、キリステス、ヤソなど[72]

　普通、外来語の借用においては、先に音声言語が文字言語に影響を与える。しかし、いったん文字化された外来語は、その表記によっ

72　宛字外来語辞典編集委員会偏（1991）『宛字外来語辞典』柏書房

て、逆に音声化されるため、今度は文字言語が音声言語に影響を与えるようになる。それによって、先に流入される際の音形が、後になって文字言語によりその元の音形が変わることも生じる。また、言語を接するには、必ずしも、音声言語を通してだけではなく、文字言語を通して接することもある。それらにより、外来語の語形にゆれやバラエティーが存在する場合は、同じ語であっても音や表記においてずれが生じる。とくに、外来語の表記規則は、言語において重要な意味をもつ。

4-1 日本語における外来語表記規則

日本に西欧語が初めて伝わったのは、室町時代のことである。西洋人が貿易を通して持ち込んだ事物の名前などやキリスト教の宣教師がもたらしたキリシタン用語などが、日本における西欧系外来語の始まりであった。とくに、キリシタン用語などは、天草版のキリシタンの文献などに多く現れる。

これらの文献の中で、外来語がどのように表記されたかを見ると次のような用例が見られる。

「タバコ病者老人ハ不苦下々寄合猥呑候儀用捨アルベシ」(上杉年譜)

これについて石綿氏は次のように述べる。

> ローマ字本と日本国字本があり、キリシタン用語はポルトガル語の綴りをローマ字で表記し、日本語の国字本は、漢字平仮名や漢字と片仮名交じりで表記し、漢字ひらがな文ではひらがなで表記し、漢字カタカナ交じり文ではカタカナで表記されていることである。[73]

---

73 石綿敏雄(1989)「外来語カタカナ表記の歴史」『日本語学』明治書院

なお、国語審議会答申『外来語の表記』前文の〔「外来語の表記」についての考え方〕の二の「外来語をカタカナで書く習慣につおて」には次のような説明がある。
　欧米系の外来語が流入し始めた室町末期から江戸初期の国語の文献では、外国語や外来語の表記は、漢字であったり、平仮名であったり、時には、片仮名であったりして、一定していなかった。漢字平仮名交じりの中に外国語・外来語を片仮名で書くことを組織的に行った例は新井白石の著述（「西洋記聞」、18世紀初め）に見られる。蘭学の文献ではこれを受け継ぎ、明治期の外来語急増に伴って、外来語をカタカナで書く習慣が確立した。その後、大正から昭和にかけて、新しい外来語が増加し、戦後の外来語急増期に外来語の片仮名表記が決定的となった。
　このように、はじめは日本語における外来語の表記法には、定まった方法がなかったので、かなりのゆれがあったと思われる。では、日本語における外来語の表記規則はいつから成立されたのであろうか。国語審議会が昭和21年9月に答申し、同年11月に内閣告示された「現代仮名遣い」には、外来語のことは意外にも触れられていない。その後、外来語の表記について「現代仮名遣い」の欠を補う形態で検討され、公表されたのが、昭和29年の国語審議会部会報告としての「外来語の表記について」である。そこで決められたのが、外来語の原音における「ファ」「フィ」「フェ」「フォ」の音は、なるべく「ハ」「ヒ」「ヘ」「ホ」と書く（原則10）ことや「シェ」「ジェ」の音は、なるべく「セ」「ゼ」と書く（原則12）などである。しかし、安永氏は「これらの方針は当初から疑義が出されていたものであり、今日の外来語表記の実情とは合わない面がある」[74]と指摘している。
　次に、現在使われている外来語の表記の原則となっている日本語に

74　安永 実（1991）「内閣告示『外来語の表記』のできるまで」『日本語学』7、Vol.10

おける外来語の表記について、その問題点を取り挙げてみる。

　平成3年に内閣告示された日本語における「外来語の表記」は、前書きと本文と構成され、本文のなかに［「外来語の表記」に用いる仮名と符号の表］と「留意事項その一とその二」そして、付録として「用例集」を付けてある。この「外来語の表記」は、それまでの外来語の表記について指摘されてきた点をなくすために制定されたが、統一性がなく、かえって外来語の表記において、ゆれを認めている形になっている。「外来語の表記」の第一表と第二表が整えてあるが、その表記の仕方は、日本語の五十音図と拗音の表記と撥音・促音・長音符号に加えて、次のような表記を認めている。

　第一表：シェ ジェ チェ ツァ ツェ ツォ ティ ディ
　　　　　ファ フィ フェ フォ デュ

　第二表：イェ ウィ ウェ ウォ クァ クィ クェ クォ
　　　　　グァ ツィ トゥ ドゥ ヴァ ヴィ ヴェ
　　　　　ヴォ テュ フュ ヴュ

　「外来語の表記」の本文には、「第一表に示す仮名は、外来語や外国の地名・人名を書き表すのに一般的に用いる仮名とする」ことと、「第二表に示す仮名は、外来語や外国地名・人名を原音や原つづりになるべく近く書き表そうとする場合に用いる仮名とする」と説明されて、外来語を仮名で書き表す際の規則が規定されている。しかし、留意事項その一（原則的な事項）とその二（細則的な事項）においては、「第一表に示す「シェ、ジェ」は、外来音シェ、ジェに対応する仮名である」として、「ダイジェスト、シェークスピア」などの例を挙げながら、一方では、注として、「「セ、ゼ」と書く慣用のある場合は、それによる。」として「ミルクセーキ」や「ゼラチン」という表記も

認めている。このような二重表記の例だけでも多く挙げられている。参考として、付録の用例集において二つの形で表記された外来語の表記を調べると次のような例が得られる。

イエーツ： イェーツ[75]
インタビュー： インタヴュー
ウイスキー： ウィスキー
ギリシャ： ギリシア
ウエディングケーキ： ウェディングケーキ
エルサレム： イェルサレム
エレベーター： エレベータ
グアテマラ： グァテマラ
クオータリー： クォータリー
コンピューター： コンピュータ
チューバ： テューバ
ストップウオッチ： ストプウォッチ
チュニジア： テュニジア など

外来語の表記に、このように多様性が見られるのは、勿論外国語の音と日本語の音との相違によって生じる現象であろう。つまり、外来音を日本語の仮名で表記するには、正確に当てはまらないので、ゆれが生じる。しかし、言語生活において、そのようなゆれをなくすために告示された「外来語の表記」においてそのゆれを認めるのは納得し難いことである。

それらの音形を表すのが表記であるため、いかなる表記の形でも、日本語の有する音形以外のものを文字として表すことは難しい。した

---

[75] グーグルで検索すると、「インタビュー」が 295,000,000（0.21 秒）、「インタヴュー」が 679,000（0.36 秒）として現れる。＜検索日 2024 年 10 月 24 日＞

がって、上記の例のように表記が異なるにしても、音形は同じであるため、上記の表記の例に従えば、音と意味は同じであるが、字形だけが異なる「同音同意異形語」になることだけである。

もし、外来音をより正確に表したければ、今の日本語の音韻体系においては難しいので、音素を増やさなければならない。昔、中国の漢語の字音が流入されたことで日本語の音韻体系に変化が生じ、撥音素や促音素などの新しい音素が加わったように、外来音を表す特別な音素が造られるべきである。

外来語の表記はなるべく一つの表記で統一して混同を防ぐべきであろう。そのためには、外来語が持つ /ba/ は「バ」、/ci/ は「チ」で表記し、/va/ や /ti/ などは「ヴァ」や「ティ」のように分けて表記した方が、将来において外来音を日本語でより適切に表記できることになる。

4-2　韓国語における外来語の表記規則と実態

韓国語においては、日本語と同様にかつては独自の文字が存在しなかったために、表記手段として最初に用いられたのは古代東アジアにおいて唯一の文字である漢字であった。古代の朝鮮半島にいつ頃から漢字や漢文が流入し、定着したかは未だに明らかにはなってないが、李基文氏は次のように述べる。

> 高句麗では、留記 100 巻を刊行し、西暦 600 年には、新集で改修したことや百済では、西暦 375 年に書記を編纂し、新羅では西暦 545 年に国史などを編纂したのが、文献にみられる[76]。

したがって、三国時代（西暦 4 世紀中葉から 7 世紀初まで）には朝

76　李基文（1972）『国語史概説』韓国塔出版社

鮮半島に漢字や漢文が表記手段として定着していたと思われる。

すなわち、かつて韓国語においては、口語として古代韓国語、文語として漢語や漢文が用いられたのであり、言語生活において、会話は韓国語で、文章は漢字での言文が一致しない状況が、19世紀まで続いた。

漢字や漢文を借りて韓国の固有語を表す漢字借用表記法には、様々な方法や形態が用意された。たとえば、漢字の「古」で韓国語の「ku」を表記する漢字の表音的機能を利用した方法や漢字の「水」で韓国語の「물/mil/」（現在は「물/mul/」）の意味を表す表意的機能を用いた方法などが造られた。前者は音読字、後者は釈読字と呼ばれるが、このように、漢字を用いて韓国の固有語を表記する方法には次のようなものがあった。

　ａ．誓記体表記：壬申誓記石の文に出る表記として漢字を新羅語の語順にしたがって配列したもの。漢字による文章表記の書記的な方法とみられる。

　ｂ．吏読：（吏吐、吏道、吏書）誓記体表記に文法形態を補う。

　ｃ．口訣：読みやすくするため漢文の句に韓国語要素を漢字で補う表記形態。15世紀『世宗実録』の初期諺解本に現れる。漢文を読む場合に文法的な関係を表記するために挿入される。

　ｄ．郷札：新羅時代において漢字を用いて固有語を表記しようとした努力の集大成。固有名詞表記法と吏読の拡大ともいえる。現存する郷札は郷歌に限って見られる。

　ｅ．訓民正音：1443年に世宗大王によって制定され、今日のハングルの元であるもの。それまでの漢字とは本質的に異なる文字体系である。それにより口語である固有語をそのまま表記することが可能になった。しかし、19世紀までの記録では漢字を用いた漢文の文章が

多く使われていた。韓国語の独自の表記体系であるハングルが一般化して、言文一致が実現されたのは19世紀から20世紀にかけてのことであった。

　このように、朝鮮半島においては、15世紀に、固有文字であるハングルが創られたにもかかわらず、19世紀までは漢文で書かれた文章が公式のものとして使用された。ゆえに、韓国においては、19世紀までの主な文献は漢文形式になっている。したがって、外国の言葉や地名などが、たとえば「菩薩」、「英結利国（イギリス）[77]」のように中国から伝わったものを漢字で表記し、後からそれを韓国語の漢字音読みした。

　このような状況で、外来語をハングルで表記し始めるのは、19世紀以降のことであり、それは次のような資料にも見られる。また、17世紀に書かれたものの中にも、朝鮮時代の訳官たちが日本語を学ぶために用いた『捷解新語』には、日本語の脇に音注が記されている。しかし、その音注は、日本語の外来語の表記ではなく、外国語である日本語の発音をハングルを用いて独特に表したものなので、性質が異なるとみるべきである。その用例を資料を通し、詳細に見る。

　a．『国民小学読本（1895）』
　韓国の近代運動の始発点である「甲牛更張（1894年）」の翌年に刊行された国語教科書である。

　　・구리스도（/kurisito/；キリスト）
　　・링칸（/riŋkʰan/；リンカーン大統領）
　　・倫敦（/ronton/；ロンドン）

---

[77]　李睟光『芝峰類説』朝鮮研究会（1916）「芝峰類説」活字本上巻

外国語が漢字やハングルで表記されている。しかし、同一地名が同じ課においても表記が異なるなど、一貫性がない。

b.『独立新聞（1896-1899）』
韓国において最初にハングルのみで書かれた新聞である。

- 아메리카・아미리카（/amerik^{h}a/・/amirik^{h}a/；アメリカ）
- 불란셔（/pulransjʌ/；フランス）
- 파리스（/p^{h}arisi/；パリ）
- 이등박문（/itiŋpakmun/；伊藤博文）

「アメリカ」では表記が異なるなどの例が見られる。さらに、「伊藤博文」については韓国の漢字音読みにして、「이등박문/itiŋpakmun/」と表記している。

c.『少年（1908-1911）』
『少年』は韓国における最初の近代的な雑誌と言われている。

- 로오마（/rooma/；ローマ）
- ㅅ걸리버（/skʌripʌ/；ガリバー）

以前の文献に比して表記の一貫性はあるが、ㅅ걸리버（/skʌripʌ/；ガリバー）のように現在の表記と異なる例が見られる。

d.『中等教育朝鮮語読本（1933）』
中学校の教科書で、当時の韓国語教育に影響を与えたものである。

- 아-취（/a-chy/；アーチ）
- 푸로샤（/phurosja/；プロシア）

- 메돌 （/metol/ ; メートル）
- 가솔린 （/kasolrin/ ; ガソリン）

　長音表示を棒線の「－」で表記したのが他の文献と異なる。おそらくこの時期は日本語からの影響が多かったので、日本語の片仮名表記に使われる長音符号「－」ではなかろうかと推定される。さらに、「메돌（/metol/ ; メートル）」は日本語の外来語の「メートル」をそのまま韓国語で表記したものと思われる。

e.『モダン朝鮮外来語辞典（1937）』

　この辞典は、用例採取の時期は明らかにされていないが、約3年に渡る韓国における新聞や雑誌、文学作品などに使われた用例14,000余個を集め収録した韓国における最初の外来語辞典である。

- 뻐스・빠스 （/p'ʌsi/・/p'asi/ ; バス）
- 뜨라이아이쓰 （/t'iraiais'i/ ドライアイス）

　「뻐스・빠스（/p'ʌsi/・/p'asi/ ; バス）」のように、同じ単語が二つの形で見出し語に挙げられる例もある。ただし、この辞典が新聞や雑誌などで使われていた用例を収録したということからみれば、当時の外来語の表記そのものに、かなりのゆれがあったとも推測される。

　このように、韓国語における外来語は19世紀以降から表音文字であるハングルで表記され始めたが、その規則が定まっていなかったので、かなりのゆれが見られる。そのような表記のゆれを防ぐために外来語の表記統一案が作られた。その主な内容は次のようになる。

1）1993年：朝鮮語学会「ハングル綴り統一案」の一つの項目として外来語表記方法規定。

2）1940 年：朝鮮語学会「外来語表記統一案」制定。
3）1948 年：学術用語制定委員会「外来語表記法」制定。
4）1958 年：文教部、国語審議会が制定した「ローマ字のハングル化表記法」公布施行。
5）1963 年：編修資料第四集発刊（人名、地名表記細則補充、中国語および日本語表記一覧表提示）。
6）1986 年：文教部公示の現行「外来語表記法」[78]。
7）1992 年：ポーランド語、チェコ語などを追加。
8）1995 年：スウェーデン語、デンマーク語などを追加。
9）2004 年：マレーシア語、タイ語、ベトナム語などを追加。
10）2005 年：ポルトガル語、オランダ語、ロシア語等を追加。

　以上のように韓国語における外来語表記規則は 1940 年「外来語表記統一案」以降、1958 年「ローマ字ハングル表記法」と 1986 年に制定された現行の「外来語表記法」と 3 回にかけた改正がなされ、その後、一部の言語の表記が追加された。
　このような外来語表記規則は、外来語の表記の基準となり、表記ばかりではなく、音形の成立や変化にもかなり影響を与えることになる。
　たとえば、英語の「home-run」が韓国語においては、次の例のように現れるが、その理由は「home-run」という外国語の借用経路や外来語規則によって多様性が見られるためである。
　実際、外来語の表記においてはもっと多様性が見られるが、上記の例からみれば、日本語による影響が現れる。すなわち、日本語のウ /u/ は、韓国語では「우/u/」として、認識される傾向がある。これによって a は日本語を経由した英語の借用語「ホームラン」であることがわかる。一方、b は 1940 年の表記規則によって表記されたもので、c は 1958 年の規則によるものである。また、d は現行のものである。

---

[78] 『外来語表記用例集』(1986) 韓国国立国語研究所

図表27

英語	韓国語外来語
homerun[houmrʌn]	a. 호무랑/homuraŋ/ b. 호므란/homiran/ c. 호옴넌/houmnnʌn/ d. 홈런/homrʌn/

　すなわち、外来語の表記規則によって、異なる語形が形成され、またその表記は、音形として現れ、音声言語にも影響を与えるのである。

　ここで、1986年に公示された現行の「外来語表記法」の内容をみながら、その特徴を考察し、とくに日本語についての表記規則がどのように決められているかについて、その内容や問題点を指摘する。

　まず、韓国語における「外来語の表記法」においては、その原則のところに、「国際音声記号とハングル対照表」を挙げている。

　国際音声記号の子音はハングルで図表28のように表記されている。つまり、子音の場合、p［ㅍ/ㅂ, ㅍ］[79]、b［ㅂ/ 브］、t［ㅌ/ㅅ, 트］、d［ㄷ/ 드］、k［ㅋ/ ㄱ, 크］、g［ㄱ/ 그］、f［ㅍ/ 프］、v［ㅂ/ 브］、θ［ㅅ/ 스］、ð［ㄷ/ 드］、s［ㅅ/ 스］、z［ㅈ/ 즈］、ʃ［시/ 스］、ʒ［즈/ 지］、ts［ㅊ/ 츠］、dz［ㅈ/ 즈］、ʧ［ㅊ/ 치］、ʤ［ㅈ/ 즈］、m［ㅁ/ ㅁ］、n［ㄴ/ ㄴ］、ɲ［니/ 뉴］、ŋ［ㅇ］、l［ㄹ, ㄹ/ ㄹ］、r［ㄹ/ 르］、h［ㅎ/ 흐］、ç［ㅎ/ 히］、x［ㅎ/ 흐］と対応し、子音が現れる場所によって区別されている。

　そして、母音は i［이］、y［위］、e［에］、ø［외］、ɛ［에］、ɛ̃［엥］、œ［외］、œ̃［욍］、æ［애］、a［아］、ɑ［아］、ã［앙］、ʌ［어］、ɔ［오］、ɔ̃［옹］、o［오］、u［우］、ə［어］、ɚ［어］と対応している。

　1986年に改正された韓国語における外来語表記規則の特徴は、それまでの外来語の表記規則と比べると、次のような点に相違がある。

---

[79] 斜線「/」の左側は、母音の前に来る場合の表記で、斜線の右側は子音の前または語末に来る場合の表記である。

図表28 国際音声記号とハングルの対照表

子音			半母音		母音	
国際音声記号	ハングル		国際音声記号	ハングル	国際音声記号	ハングル
	母音前	子音前・語末				
p	ㅍ	ㅂ, 프	j	이*	i	이
b	ㅂ	브	ɥ	위	y	위
t	ㅌ	ㅅ, 트	w	오, 우*	e	에
d	ㄷ	드			ø	외
k	ㅋ	ㄱ, 크			ɛ	에
g	ㄱ	그			ɛ̃	앵
f	ㅍ	프			œ	외
v	ㅂ	브			œ̃	욍
θ	ㅅ	스			æ	애
ð	ㄷ	드			a	아
s	ㅅ	스			ɑ	아
z	ㅈ	즈			ɑ̃	앙
ʃ	시	슈, 시			ʌ	어
ʒ	ㅈ	지			ɔ	오
ts	ㅊ	츠			ɔ̃	옹
dz	ㅈ	즈			o	오
tʃ	ㅊ	치			u	우
dʒ	ㅈ	지			ə**	어
m	ㅁ	ㅁ			ɚ	어
n	ㄴ	ㄴ				
ɲ	니*	뉴				
ŋ	ㅇ	ㅇ				
l	ㄹ, ㄹㄹ	ㄹ				
r	ㄹ	르				
h	ㅎ	흐				
ç	ㅎ	히				
x	ㅎ	흐				

ａ．1940年と1958年に制定された「外来語表記規則」において［θ］に「ㄷ［t］」の表記を、「ㅅ［s］」に変えた。1940年の規則では「쉬［swi］」、1958年の規則では「시［si］」で表記するように定められたものを「슈［sju］」で表記するように改めた。

ｂ．1940年の規則では、「ㅎ［h］」で表すようにされた「f」を「프［pʰ］」で表記するようにした。

ｃ．破裂音の表記において1958年の「ローマ字のハングル表記法」には、たとえば「cat → 캐트/kʰɛtʰi/」、「plat →플랫/pʰilrɛt/」のように同じ「t」に母音を追加したり、あるいは音節末の終声で使ったりしたのを「cat → 캣/kʰɛt/」、「plat →플랫/pʰilrɛt/」のように音節末の終声として統一させ、1986年の表記規則では簡明にした。 1988年には、外来語表記用例集を刊行し、「外来語表記法」で「単母音の後の語末破裂音［p, t, k］は終声で表記する」とした原則を適用せずに、原語が一音節の場合、［t］音だけは終声で表記せずに、たとえば、「캐트/kʰɛti/」のように二音節に表記するように改めている。なお、［k］に対しては、一音節の単語は「外来語表記法」にしたがって表記しているものもあるが「lock, rack, shock」などは、「로크［rokʰi］、래크［rɛkʰi］、쇼크［sjokʰi］」など二音節に表記されている。

ｄ．1940年と1958年の規則では、取り入れられていた長音表記が廃された。

そして、「外来語表記規則（1986）」には外国語のハングルによる表記法が示されている。その中から「日本語の仮名とハングル対照表（図表29）」を詳細にみる。

図表29 日本語の仮名とハングル対照表

仮名	ハングル表記	
	語頭	語中、語末
ア イ ウ エ オ	아 이 우 에 오	아 이 우 에 오
カ キ ク ケ コ	가 기 구 게 고	카 키 쿠 케 코
サ シ ス セ ソ	사 시 스 세 소	사 시 스 세 소
タ チ ツ テ ト	다 지 쓰 데 도	타 치 쓰 테 토
ナ ニ ヌ ネ ノ	나 니 누 네 노	나 니 누 네 노
ハ ヒ フ ヘ ホ	하 히 후 헤 호	하 히 후 헤 호
マ ミ ム メ モ	마 미 무 메 모	마 미 무 메 모
ヤ イ ユ エ ヨ	야 이 유 에 요	야 이 유 에 요
ラ リ ル レ ロ	라 리 루 레 로	라 리 루 레 로
ワ (ヰ) ウ (ヱ) ヲ	와 (이) 우 (에) 오	와 (이) 우 (에) 오
ン		ㄴ
ガ ギ グ ゲ ゴ	가 기 구 게 고	가 기 구 게 고
ザ ジ ズ ゼ ゾ	자 지 즈 제 조	자 지 즈 제 조
ダ ヂ ヅ デ ド	다 지 즈 데 도	다 지 즈 데 도
バ ビ ブ ベ ボ	바 비 부 베 보	바 비 부 베 보
パ ピ プ ペ ポ	파 피 푸 페 포	파 피 푸 페 포
キャ キュ キョ	갸 규 교	캬 큐 쿄
ギャ ギュ ギョ	갸 규 교	갸 규 교
シャ シュ ショ	샤 슈 쇼	샤 슈 쇼
ジャ ジュ ジョ	자 주 조	자 주 조
チャ チュ チョ	자 주 조	차 추 초
ヒャ ヒュ ヒョ	햐 휴 효	햐 휴 효
ビャ ビュ ビョ	뱌 뷰 뵤	뱌 뷰 뵤
ピャ ピュ ピョ	퍄 퓨 표	퍄 퓨 표
ミャ ミュ ミョ	먀 뮤 묘	먀 뮤 묘
リャ リュ リョ	랴 류 료	랴 류 료

また、この図表29に発音記号を入れてみると図表30のようになる。

図表30

仮名	語頭	語中・語末
アイウエオ	아[a] 이[i] 우[u] 에[e] 오[o]	同左
カキクケコ	가[ka] 기[ki] 구[ku] 게[ke] 고[ko] 카[kʰa] 키[kʰi] 쿠[kʰu] 케[kʰe] 코[kʰo]	
サシスセソ	사[sa] 시[ʃi] 스[si] 세[se] 소[so]	同左
タチツテト	다[ta] 지[ci] 쓰[s'i] 데[te] 도[to] 타[tʰa] 치[cʰi] 쓰[s'i] 테[tʰe] 토[tʰo]	
ナニヌネノ	나[na] 니[ni] 누[nu] 네[ne] 노[no]	同左
ハヒフヘホ	하[ha] 히[hi] 후[hu] 헤[he] 호[ho]	同左
マミムメモ	마[ma] 미[mi] 무[mu] 메[me] 모[mo]	同左
ヤイユエヨ	야[ja] 이[i] 유[ju] 에[je] 요[jo]	同左
ラリルレロ	라[ra] 리[ri] 루[ru] 레[re] 로[ro]	同左
ワ（ヰ）ウ（ヱ）ヲ	와[wa]（이[i]）우[u]（에[e]）오[o]	同左
ン	ㄴ[n]	
ガギグゲゴ	가[ka] 기[ki] 구[ku] 게[ke] 고[ko]	同左
ザジズゼゾ	자[ca] 지[ci] 즈[ci] 제[ce] 조[co]	同左
ダヂヅデド	다[ta] 지[ci] 즈[ci] 데[te] 도[to]	同左
バビブベボ	바[pa] 비[pi] 부[pu] 베[pe] 보[po]	同左
パピプペポ	파[pʰa] 피[pʰi] 푸[pʰu] 페[pʰe] 포[pʰo]	同左
キャキュキョ	갸[kja] 규[kju] 교[kjo] 캬[kʰja] 큐[kʰju] 쿄[kʰjo]	

ギャギュギョ	갸[kja]	규[kju]	교[[kjo]	同左
シャシュショ	샤[sja]	슈[sju]	쇼[sjo]	同左
ジャジュジョ	자[ca] 주[cu] 조[co] 차[cʰa] 추[cʰu] 초[cʰo]			
チャチュチョ	자[ca]	주[cu]	조[co]	同左
ヒャヒュヒョ	햐[hja]	휴[hju]	효[hjo]	同左
ビャビュビョ	뱌[pja]	뷰[pju]	뵤[pjo]	同左
ピャピュピョ	퍄[pʰja]	퓨[pʰju]	표[pʰjo]	同左
ミャミュミョ	먀[mja]	뮤[mju]	묘[mjo]	同左
リャリュリョ	랴[rja]	류[rju]	료[rjo]	同左

そして、この表と共に、第三章の「表記細則」には「日本語の表記」に関して、次のような説明がなされている。

表4に従い、次の事項については留意して表記する。
第一項　促音「っ」は「ㅅ[s]」で統一して表記する。
　　　・サッポロ → 삿포로/satpʰoro/
　　　・トットリ → 돗토리/tottʰori/
　　　・ヨッカイチ → 욧카이치/jotkʰicʰi/

第二項　長母音　長母音は表記しない。
　　　・キュウシュウ（九州）→ 규슈/kjusju/
　　　・ニイガタ（新潟）→ 니가타/nigatʰa/
　　　・トウキョウ（東京）→ 도쿄/tokʰjo/
　　　・オオサカ（大阪）→ 오사카/osakʰa/

「外来語表記法」における日本語に関する規則は、かなり議論すべき部分がある。つまりこの規則にしたがって、日本語を表記した際、原音主義に基づいて原音と近い表記をするために制定された韓国の「外来語の表記規則」が原音とのずれを生じさせる規則になりかねない。

なお、「日本語の仮名とハングル対照表」は日本語の五十音を韓国語の文字であるハングルで表したものである。その内容を分析すれば日本語の「カキクケコ」のカ行と「タチツテト」のタ行音がハングルで表記される際、語頭においては、「가/ka/ 기/ki/ 구/ku/ 게/ke/ 고/ko/・다/ta/ 지/ci/ 쓰/s'i/ 데/te/ 도/to/」の平音で、語中と語末においては、「카/kʰa/ 키/kʰi/ 큐/kʰu/ 케/kʰe/ 코/kʰo/・타/tʰa/ 치/cʰi/ 쓰/s'i/ 테/tʰa/ 토/tʰo/」の激音で音注されている。というのは、韓国語の場合、たとえば「가지（/kaci/ 茄子）」「아기（/aki/ 赤ちゃん）」「도미（/tomi/ 鯛）」「사다（/sata/ 買う）」などの語の子音の「ㄱ/k/, ㄷ/t/」などが語頭以外に現れる場合に実際の発音が有声音化する。つまり、/k/・/t/等の子音は、語頭においては無声音として発音されるが、語中や語末においては有声音化されて/g/, /d/の音として発音される。したがって、これらを語頭と語中・語末を同じ表記にすると、語中や語末のカ行・タ行の濁音のように発音されるおそれがあるので、このような表記規則を作ったものと思われる。

一方、日本語のカ行とタ行の清音と対立する音であるガ行やダ行の濁音を、清音と同様にハングルの「가/ka/ 기/ki/ 구/ku/ 게/ke/ 고/ko/・다/ta/ 지/ci/ 쓰/s'i/ 데/te/ 도/to/」で表記するようにした。さらに、日本語のカ・タ行音については語中・語末においては、「카/kʰa/ 키/kʰi/ 쿠/kʰu/ 케/kʰe/ 코/kʰo/・타/tʰa/ 치/cʰi/ 쓰/ssi/ 타/tʰa/ 토/tʰo/」のように区別しているのに対し、ガ・ダ行の濁音は語頭と語中・語末の区別がなされていない。そうすれば、ガ行とダ行の韓国語の表記「가/ka/ 기/ki/ 구/ku/ 게/ke/ 고/ko/・다/ta/ 지/ci/ 쓰/s'i/ 데/te/ 도/to/」は韓国語の発音の習慣によって、語中・語末に

おいて有声音化されるので日本語の濁音に聞こえる。しかし、語頭におけるガ・ダ行のハングル表記「가[ka] 기[ki] 구[ku] 게[ke] 고[ko]・다[ta] 지[ci] 쓰[s'i] 데[te] 도[to]」は、清音との区別がつかなくなるので、日本語における清濁による音の弁別が行われなくなる結果になる。このような点は拗音であるキャ行とギャ行にも同様に現れる。したがって、このような矛盾や混同をなくすためには、日本語のカ・タ行のハングル表記は、語頭と語中末を問わず、すべて激音である「카[kʰa] 키[kʰi] 쿠[kʰu] 케[kʰe] 코[kʰo]」と「타[tʰa] 치[cʰi] 쓰[s'i] 테[tʰe] 토[tʰo]」と表記した方が日本語に近い音になる。すなわち、韓国語が「平音の달（/tal/；月）、激音の탈（/tʰal/；仮面）、濃音の딸（/t'al/；娘）」によって音の区別と意味の弁別を行うように、日本語は、「柿/kaki/」、「餓鬼/gaki/」のように清濁の対立によって弁別を行っているので、カ・タ行の清音とガ・ダ行の濁音を語中末には区別を置きながら、語頭においては同じ平音で表記することは、かえって問題をさらに複雑にすることになる。

　もう一つ、韓国語の「外来語表記法」の第二章にある「表記一覧表」の表一「国際音声記号とハングル対照表」には「国際音声記号」とそれに当たるハングルを表している。それについても指摘しなければならない。それによれば、国際音声記号である [t]、[k] のハングル表記は母音の前では「ㅊ/tʰ/」と「ㅋ/kʰ/」の激音をもって表記することになっており、子音の前、または語末に来る際は、/t/ は（ㅅ・ㅊ）で、/k/ は（ㄱ・ㅋ）で表記することになっている。この規則があるにもかかわらず、日本語のカ・タ行の無声音を語頭においては韓国語の平音である「가/ka/」で、語中末においては「카/kʰa/」で表記するという規則には矛盾が出てくる。

　つまり、韓国語においても、表記は「메기（/meki/；鯰）」、「무당（/mutaŋ/；巫女）」、「보통（/potʰoŋ/；普通）」、「불쾌（/pulkʰwɛ/；不快）」であっても、実際の発音では母音間の平音「k, t」は有声化されるし、

語中末の激音「ㅌ/tʰ/，ㅋ/kʰ/」は有気性が弱まって発音されるので、表記と実際の音の間にはずれが存在する。これを踏まえて日本語の仮名のハングル表記を考えれば、日本語のカ・タ行の清音は、ハングル表記では、語頭や語中と語末の区別をせずに激音である「ㅋ/kʰ/・ㅌ/tʰ/」で表記すべきで、濁音であるガ行とダ行の仮名は清音との区別を考慮して、平音である「ㄱ/k/・ㄷ/t/」で表記すべきである。

　ハングル表記されてから語頭や語中において有気性が弱まるのは、韓国語における外来語の音の特性であり、その方がむしろ韓国語における外来語のように聞こえるであろう。また、そのことで日本語を原語としている外来語についての語源意識を明らかにする助けともなる。

　そのほか、拗音のハングル表記は、ジャ行とチャ行以外は、日本語と同様に半母音が加えられた形で、シャ行であれば「シャ、シュ、ショ」は「샤/sja/」、「슈/sju/」、「쇼/sjo/」で表記されるのに対して、ジャ行とチャ行だけは、直音である日本語のザ行と同じく「자/ca/」「주/cu/」[80]、「조/co/」で表記するとされる。たしかに、日本語のジャ行・チャ行音を韓国語の近似音として表記するのは難しいであろうが、いくら困難であったとしても、日本語の直音と拗音を一つにまとめて同様に表記することは、避けるべきである。ほかの行の拗音は半母音を入れて表記しているのに、ジャ行・チャ行の表記だけに半母音を省いた点も「統一原則」に合わない。韓国語の子音「ㅈ/c/」と「ㅊ/cʰ/」に半母音が加わった「쟈/cja/」や「챠/cʰja/」が日本語の拗音であるジャ行とチャ行の音とは全く同音でないのは事実であるが、直音と同じ形に表記し、同様に扱うことにはもっと問題がある。したがって、日本語の拗音のハングル表記はすべて半母音を入れて表記することが、統一性だけではなく実際の音としても近似することになるであろう。

80　母音はザ行と異なって「u」になっている。

チャ行のハングル表記は、ジャ行の表記と同様に「자/ca/ 주/cu/ 조/co/」に対応している。日本語の拗音の特徴である半母音を省略したことに止まらず、さらにチャ /ʧja/・チュ /ʧju/・チョ /ʧjo/ の子音である /ʧ/ をザ・ジャ行と同様に「자/ca/・주/cu/・조/co/」で表記しながら、語中・語末においては激音である「쨔/cʰja/・쮸/cʰju/・쬬/cʰjo/」をもって表記したのである。しかし、「国際音声記号とハングル対照表」では国際音声記号である [ʧ] をハングル表記においては語頭で「ㅊ/cʰ/」、子音の前または語末には「치/cʰi/」と表記するようになっている。それにもかかわらず、国際音声記号としては「ʧ」で表記されている日本語のチャ行をいかなる理由で、上記のように表記するように決めたか、納得しにくいものがある。
　次に促音については、「表記細則」の第6節にある「日本語の表記」の第一項には、日本語の促音について次のような規則が示されている。

・促音「っ」は「ㅅ/s/」で統一して表記する。
・サッポロ→ 삿포로 /satpʰoro/
・トットリ→ 돗토리 /tottʰori/

　この規則に示されたハングル表記の例をみれば、日本語の後ろに来る子音により音が変わる。そのため、日本語の促音を韓国語の「ㅅ/s/」で表記することで、「ㅅ/s/」は後ろにくる子音の種類によって、「/p/・/t/・/k/」になるので、個別的に書き分けなくてもよいという考えであろう。しかし、問題になる表記の部分は、促音の後にくる清音の表記である。つまり、韓国語でも、二つの形態素やあるいは単語が合成名詞になる際は、「ㅅ/s/」が添加される場合がある。ただし、合成名詞を成す名詞と名詞の間に、「ㅅ/s/」が添加される合成名詞の「ㅅ/s/」の後の子音の部分は、たとえば「촛불 [cʰo + p'ul]」や「뱃사공 [pɛsʼakoŋ]」のように、濃音化する現象がある。それでは例と

して取り挙げた日本語の「サッポロ」や「トットリ」の音は、韓国語の激音よりも濃音に聞こえるので、その表記も激音ではなく、むしろ濃音で表記して「サッポロ→삿뽀로/satpʼoro/、トットリ→돗또리/tottʼori/」のようにするほうが、発音もしやすく、自然に聞こえる。促音の「ㅅ/s/」の後の子音を表記のとおり激音で発音するのは自然ではないし、韓国語を母語としている話者にとっては難しい。

このように、日本語と韓国語の外来語の表記には両方ともいくつかの問題を抱えている。これは、外国語の音韻体系との相違によって起こる問題でもある。それによる言語生活における混同や問題を防ぐために「外来語の表記規則」などが制定されている。しかし、日本語においては、外来語の仮名表記に「インタビュー：インタヴュー」のように二重表記が認められているので統一性や規則性を求める規則が混同を与えることになっている。

韓国語においては、外来語の有声や無声による音形の表記に一貫性がないので原音とのずれが生じるおそれがある。したがって、両国語ともに、「外来語表記」についてさらなる検討が望まれる。

5　日本語系借用語の音形と表記

ここにおいては、日本語が韓国語に借用され、取り入れられる際に、原語である日本語の語形がいかに変えられ、韓国語にいかなる表記の形で現れるかを用例をとおしてみる。

5-1　日本語系借用語の漢字による表記

日本語からの借用語が韓国の文献に登場するのは、朝鮮通信使たちによる記録が最初である。過去の記録には、次のような語についての表記が見られる。

図表31

表記	韓国語の漢字音	日本語の意
a．勝技冶岐	승기야기/siŋkijaki/	杉焼き
b．淡麻古	담바고/tampako/	タバコ
c．古貴麻	고귀마/kokwima/	考子麻（薩摩芋の対馬方言）[81]

　上記の「勝技冶岐」「淡麻古」「古貴麻」などの漢字は、「杉焼き」「タバコ」「考子麻（薩摩芋の対馬の方言）」などの日本語を韓国語の漢字の字音をもって表記した一種の当て字の用法である。すなわち、「なつかし」を漢字をもって「名津蚊為」と書いた日本語の万葉仮名のように表記した例である。

　たとえば、aの「勝技冶岐」の韓国語の漢字の字音は/siŋkijaki/で、日本語の「杉焼き/sugijaki/」を韓国語の漢字音を用いて、漢字で表記したのものである。とくに、日本語の「杉焼き」の「杉/sugi/」に「勝技/siŋki/」の表記が用いられているのは、韓国語の音韻には、日本語の濁音に当たる音が存在しないので、これらの日本語の濁音を表すために、日本語の濁音の「ぎ」に当たる漢字の「技」の前に、音節末に鼻音を有する「勝/siŋ/」をおいたのである。日本語の濁音についてのこのような韓国語の表記方法は、17世紀に刊行された日本語の学習書である『捷解新語（原刊本）』にも同様な表記方法が見られるので、韓国語の表記で日本語の濁音を表す一つの方法として用いられていたものとみられる。

　bの「淡麻古（담마고/tammako/）」は「杉焼き」と同様に、漢字の表意性が除かれ、表音機能だけが使われた例である。この「淡麻古」の表記は、韓国語の漢字音としては「담마고/tammako/」に読ま

81　宋敏（1989）「韓国語内の日本的外来語問題」『日本学報』第23集

れるべきである。しかし、韓国語の漢字音には、固有語には存在する「바/pa/」の音が存在しない。したがって、日本語の「バ/ba/」にあたる韓国語の「바/pa/」の音形を持つ漢字がないので、代わりに「마/ma/」の音形を持つ漢字「麻/ma/」を用いて、実際は「담바고/tambako/」と読むようにしたものと思われる。

　なお、この「タバコ」はポルトガル語からの借用語で、日本語でも次のような多様な表記が見られる。したがって、韓国語の漢字表記「淡麻古/tammako/」は、日本語の「タバコ」に韓国語の漢字を当てたものか、日本語の漢字宛字をそのまま借用したか、一概には断定しきれないところもあるが、日本語の用例には見あたらない。

　　・タバコ・タンバコ・タボコ・多巴古・佗波子・姑烟・淡婆姑
　　・煙草・烟草・莨 [82]

したがって、韓国の文献に現れるこの「淡麻古/tammako/」の漢字表記は、日本語の「タバコ」の「バ」音の鼻音性を表すために、一音節に「淡（담/tam/）」を付けた後、二音節の「バ」にあたる「바/pa/」を表せる韓国語の漢字がないので、漢字「麻/ma/」を以って「바/pa/」を表したのではないかと思われる。

　cの「古貴麻」は、日本語の対馬方言である「コーコイモ（kookooimo, kookoimo, kookomo, koikoimo）」[83]に、同じ音形を持つ「古貴麻（고귀마/kokwima/）」を当てたものである。なおb・cは、現代においては、「담배/tampɛ/」や「고구마/kokuma/」に語形が変わり、固有語のように思われている借用語である。

82　『宛字外来語辞典』（1991）柏書房
83　德川宗賢、W.A. グロータース編、（1976）『方言地理学図集』秋山書店

128・言語の交流 —日本語と韓国語における借用語—

5-2　日本語系漢字借用語の音形

　日本語系借用語が韓国語に本格的に流入したのは、19世紀後半からである。その借用の過程において、まず、日本語の中からいかなる語が先に入ったかというと、言うまでもなく、それは漢字で書かれた語である。韓国語においては、古代から長い間、中国から漢語を借用してきたので、漢字で書かれた語には抵抗感がなかったためである。したがって、明治期に日本で作られた訳語や当て字などが、そのまま韓国語に流入し、定着したのである。李漢燮氏は、「兪吉濬の『西洋見聞』には、福沢諭吉の『西洋事情』における二九〇語の日本語が受け入れている」[84]として、漢字で表記された多くの日本語が19世紀初めに、借用されたことを立証している。

　しかし、日本で作られた訳語や当て字漢語は、韓国語においては、日本語の字音読みではなく、韓国語の字音読みによって読まれるので、日本語の音形とは異なる独自の音形を持つようになる。したがって、韓国語における日本語系借用語のなかで、漢字を用いて作られた語は、原語である日本語とその音形が異なるので、字形のみの借用語というべきものである。

a. 身分、見習、美濃紙、手続
b. 抽象、大統領、断交、断定、電報、伝票、電車、動向、独裁
c. 倶楽部、瓦斯、虎列刺、淋巴腺、天幕、独逸

　上記の用例は、日本において漢字が当てられて成立した語である。ａに属する語は、本来の日本語である和語を、漢字をもって表記した訓読語である。ｂに属する語は、外国語が有する概念に基づいて、漢字の有する意味を用いて作られた語で、訳語といわれるものである。

84　李漢燮（1993）「『西洋見聞』における日本製漢語」『日本語学』V12

cに属する語は、外国語の受容において、bとは違って、外国語の音形を表すのに漢字の表音的な機能を利用した漢字音訳語である。
　前述したように、中国の漢字や漢語を古代から受け取って用いている韓国語においては、このような漢字表記の日本語は、何の抵抗もなく吸収されたため、19世紀以降における日本語系借用語の中に、とくに漢字で表記された語は数多く存在している。
　しかし、このような漢字表記の日本語系借用語は、字形のみが借用されるのが特徴である。すなわち、原語の日本語が持っている音形は借用されずに、字形とその語形が持っている意味だけが借用され、音形は、日本語の漢字音読みから韓国語の漢字の音読みに変えられて用いられているのである。
　そのほか、例に挙げられた用例は、日本語においてその読み方が多様である。たとえば、aに属する「身分　見習　美濃紙　手続」などの語は、音読ではなく「ミブン（身分）」、「ミナライ（見習）」のように湯桶読みされるか、訓読みされる。しかし、bの種類の訳語は、明治以降、新しく作られた語の種類なので、「抽象　大統領　断交」のような語は、「チュウショウ（抽象）」、「ダイトウリョウ（大統領）」のように音読されるのが一般的である。さらに、cに属する「倶楽部　瓦斯　虎列刺」などの語は、日本語の漢字の音読みに基づいて創られたものなので、漢字が持っている意味とは何の関わりがない。すなわち、これらの語は、原語が持っている音形と近似する音形を有する日本語の漢字を当てることによって成立した語である。そのような事情で、漢字で表記されても、字面の意ではなく、その字が持っている音形によって、原語である西欧語の有する意味を理解することが可能な語である。したがって、これらの語は、当てられた音形が原語である西欧語の音形と近似しなければ、意味を理解するには、難解であり、言葉の本来の機能である意味伝達手段としての役割を果たすことができない性格のものである。

しかしながらも、このような日本語が韓国語に借用される際には、日本語において音読される語であろうが、訓読される語であろうが、本来、持っていた音形とは無関係に、そのすべてが韓国語の漢字の音読みに変えられ、新しい音形を付与されるようになる。

　ここからは、日本語として持っていた音形が韓国語の借用語として受容される際に、いかに変えられ、いかに表記されるかを見てみる。

a．日本語の音形：韓国語の音形

　a-1．身分 /mibuN/　　　：신분/sinpun/[85]
　a-2．見習 /minarai/　　　：견습/kjʌsip/
　a-3．美濃紙 /minogami/　：미농지/minoŋci/
　a-4．手続 /tetutuki/　　　：수속/susok/

　上記の用例は日本語においては、訓読みされる語で、音読みされれば、その意味が通じない単語であるのにもかかわらず、すべてが韓国語の漢字の音読みに変えられたのである。とくに、「美濃紙」は、日本の地名である「美濃（ミノ）」に「紙（カミ）」が付いて「美濃紙（ミノガミ）」という語を形成して、その地方の特産物であることを表している語であるが、韓国語においては、すべてが音読され「美濃紙（미농지/minoŋci/）」という名詞として使われる。

b．日本語の音形：韓国語の音形

　b-1．抽象 /ʧusjou/　　　：추상/cʰusaŋ/
　b-2．大統領 /taitourjou/　：대통령/tɛtʰoŋrjoŋ/
　b-3．電報 /denpou/　　　：전보/cʌnpo/
　b-4．独裁 /dokusai/　　　：독재/tokcɛ/

85　意味は日本語と同様

上記のような訳語は、日本語においても音読みされる語である。これらは、韓国語においても、音読みされるので、字面や語形は共通であるが、音形が異なるものとして分類することができる。

c.　日本語：韓国語：英語
　　c-1.　倶楽部 /kurabu/　　：구락부/kurakpu/　　：club
　　c-2.　瓦斯 /gasu/　　　　：와사/wasa/　　　　：gas
　　c-3.　虎列刺 /korera/　　：호열자/hojʌlca/　　：cʰolera
　　c-4.　淋巴腺 /ripaseN/　 ：임파선/impʰasʌn/　 ：lympha+腺
　　c-5.　独逸 /doicu/　　　 ：독일 [tokil]　　　 ：Deutschaland

　上記の用例は、原語である西欧語の音形に近似した漢字によって音訳された一種の当て字である。音形が原語の音形と近似しなければ、語としての意味を理解するのが難しい語であろう。日本語においては、これらの漢字音訳語は、漢字で表記されていても、たとえば、「倶楽部」が別の字音として「ク＋ラク＋ブ」のように、日本語の漢字が有する他の音として読まれることはない。「倶楽部」と漢字で表記されていても「クラブ」と音読みされてから、西欧語のclubからの外来語として認識される語である。しかし、これらの日本語の漢字音訳語が韓国語に借用される際には、他の漢字で表記される語と全く同様に、そのすべてが韓国語の漢字音読みに変わる。すなわち、日本語の字音に基づいて、漢字音訳され、原語との音形が近似し、その音に基づいて意味を持つ語が韓国語に借用される際には、その核ともいえる音形が変わってしまうのである。したがって、例にもみられるように、日本語から借用された日本語の漢字音訳語は、韓国語においては、原語とは全く異なる音形を持つようになるにもかかわらず、同じ意味を表す語として用いられている。
　さらに、これらの語の中、c-3 の「虎列刺 /korera/：호열자/hojʌlca/」

は「剌」に当たる音形が「剌/ca/」になっているが、これは、日本語の「虎列剌/korera/」の漢字「剌/ral/」を読み違えたものである。日本語の字音訳字の「剌/ratsu/」は、「刺す/sasu/」を表す字である「刺/si/」の字の音形「シ」とは異なるものであるのに、借用する際、その漢字を読み間違えて、韓国語の漢字音読みとしては「剌/ral/」とすべき漢字を「刺/si/」にしてしまい成立した音形である。韓国語辞典[86]にも、上記の例のように、「虎列刺；호열자/hojʌlca/」の音形として掲載されている。

　一方、「剌/ral/」の字を「剌/ca/」に読み間違えていたとしても、漢字「剌」の読みは「자/ca/」ではなく、「라/ra/」と読むべきであった。というのは、韓国語における漢字の音読みは、ほとんどの漢字が一つしか音を持っていないが、例外として「楽」のような漢字は「악/ak/、락/rak/、요/jo/」の3つの音を持っている。日本語の漢字音訳語として用いられた漢字「虎列剌」の「剌」も、例外的に「자/ca/、척/cʰʌk/、라/ra/」の3つの音を持っている。したがって、日本語の漢字音訳語は、韓国語の音読みとしては、「虎列剌/hojʌlra/」で、「剌」の部分は、「라/ra/」にするのが、少しでも原語に近い音になる語にもかかわらず、「剌（자/ca/）」と音読みして二重の誤りが起こったのである。

　また、日本語の漢字音訳語の「淋巴腺/ripaseN/」[87]は、本来は、オランダ語を原語とする「lympha」と漢字の「腺」によって構成された混種語であり、オランダ語の「lympha」に漢字「淋巴」が当てられた漢字音訳語である。その漢字音訳による漢字表記によって、この「淋巴腺」と言う語は、字面としては字音語のように見えるが、実は、外

86　李基文監修（1993）『東亜新国語辞典』韓国東亜出版社
87　角川外来語辞典には、オランダ語「lympha」、英語の「lymph」、フランス語の「lymphe」、ロシア語の「limfa」を姉妹語として表しているが、リンパの語源としてラテン語を取っている。しかし、日本語としての原語はオランダ語として推定される。

来語の一種である漢字音訳語である。その「淋巴腺」の韓国語の漢字音の読みは、元々は「림파 /rimpʰa/」で、その音形が、偶然にも日本語の漢字の音読みと近似しているのである。しかし、韓国語においては、本来語頭には /r/ 音が現れないので、このような韓国語の音韻規則が 日本語系借用語である「淋巴腺 /rimpʰasʌn/」に適用され、語頭の /r/ が脱落して、現在は「임파선/impʰasʌn/」と言う語形で用いられる。

「club（クラブ）」の日本語の漢字音訳語である「倶楽部 /kurabu/」は、先述したように、他の漢字音訳語と同じく漢字表記されても、日本語の字音によって、「倶 /ku/ 楽 /raku/ 部 /bu/」のようには読まれない。しかし、韓国語においては、「구락부/kurakpu/」の音形で使われる。「club/klʌb/」の音形を直接借用した韓国語の外来語として、「클럽/kʰilrʌp/」という語形が存在している。つまり、原語を一つにする語の「club」が、借用経路によって、一つは「倶楽部（구락부 /kurakbu/）」として、もう一方は、「클럽/kʰilrʌp/」として、各々異なる音形を持ちながら、同意語として用いられる。

5-3　和語系借用語の音形変化

韓国語における日本語からの借用語のうち、漢字で表記された語は、その語種が、和語であろうが、訳語であろうが、あるいは音訳借用語であろうが、韓国語に借用される際には、何の抵抗もなく容易に韓国語に吸収される傾向がある。その理由と背景を探ると、語種はともかく漢字をもって表記された借用語のほとんどは、文献や記録を通して伝わるため、その漢字音がすべて韓国の漢字音に変わるからである。借用の過程において音形が変わるので原語である日本語の音形とは異なる形を持つ。反面、韓国語において漢字で表記されない和語系借用語の場合、それらのほとんどは、音声言語として伝わったものとみなされる。なぜならば、漢字で表記されて、文字言語として伝わっ

た日本語系借用語は、韓国語においては、一律的に韓国の漢字音読み化されてしまうが、音声言語として伝わった語は、原語である日本語の音形を保ちながら、両国語の音韻体系の相違による少しの違いだけが見られる。

たとえば、図表32のように日本語系借用語について音形の違いを比較すると、音声言語として借用されたことが推察できる。

図表32

日本語	韓国語
a．ドカタ（土方）	노가다 /nokata/
ドカン（土管）	노깡 /nok'aŋ/
b．マホウビン（魔法瓶）	마호병 /mahopjʌŋ/
ショウブ（勝負）	승부 /siŋpu/
シロウト（素人）	시로도 /siroto/
c．ツメキリ（爪切り）	쓰메끼리 /s'imek'iri/
ツキダシ（突出し）	스끼다시 /sik'itasi/ [88]

この用例は、日本語が韓国語に借用され、その日本語が本来持っている音形に基づいて、成立した語である。

aにおける「노가다 /nokata/」や「노깡/nok'aŋ/」などの語は、日本語である「土方（ドカタ）」「土管（ドカン）」が原語である。この類の語は韓国語の漢字の音形としては「토방/tʰopaŋ/」と「토관/tʰokwan/」のようになるはずである。しかし、漢字表記があるにもかかわらず、韓国語の漢字音による音形を持つのではなく、異なる音形を持っている。

つまり、文字言語として伝わったとすれば、日本語の「ど」は、韓

---

[88] 朴淑姫（1996）『우리말 속 일본말』한울림（ハンウリム）

国語においては普通、「도/to/」の形で代置されるので、「노/no/」になるはずがない。おそらくこの類のものは文字言語ではなく、音声言語として伝達されたので、韓国の漢字音による音形を持たない。代わりに日本語の音形と近似する音形を持って使われることは、その伝達方法において音声が関与したと思われる。

　ことに、「노가다/nokata/」や「노깡/nok'aŋ/」などの語は、日本語の濁音である「ダ」行の音、つまり有声歯茎閉鎖音とは異なる音である歯茎鼻音の「ㄴ/n/」に対応しているのが特徴である。つまり日本語の濁音であるダ行音は、韓国語で発音すると歯茎閉鎖平音（日本語表記規則参照）になり、普通、「ㄷ/t/」に代置されるのが一般である。それにもかかわらず、日本語のダ行の音が韓国語において、鼻音である「ㄴ/n/」に変えられたのは、これらの語は、韓国語における外来語の表記規則が作られる以前に借用された語であることを証明する。すなわち、日本語の有声音（濁音）は、鼻音性を帯びている。しかし、韓国語の音韻には日本語の有声音に相当するものが存在しないため、日本語の有声音は韓国語の音韻には、鼻音のように聞こえかねない。したがって、日本語の「土方（ドカタ）」や「土管（ドカン）」が、音声言語として伝わる際には、語頭の「ド」の有声音は、韓国語の中で、鼻音性を有している「ㄴ/n/」のように認識されやすい。そのため、音形の相違が現れる結果になる。

　bに属する「ショウブ（勝負）」、「シロウト（素人）」などの語は、それらの漢字表記が借用され、それにあたる韓国語の漢字の音形である「승부/siŋpu/」や「소인/soin/」という語形で辞典[89]に存在する。一方、日本語の音形「ショウブ」と「シロウト」が韓国語の音声言語として借用され、「쇼부/sjopu/」と「시로도/siroto/」の音形でも用いられる。すなわち、日本語においては一つの音形しか持たない語が、

89　辛基徹・辛容徹編著（1975）『새 우리말 큰 사전』韓国三省出版社

韓国語においては、その借用の形態が文字言語によるものか、音声言語によるものかによって二つの音形を持つようになる。とくに、音声言語として伝わった場合には、日本語の音形には存在している長音が、韓国語の表記[90]においては見えない。このような現象は、韓国語では長音は表記しないことになっていることで、起こる特徴である。

cに属する語は、日本語の固有語である。この類の語は、おそらく植民地時代(1910年から1945年まで)に伝わった語であると思われる。その理由として考えられることは、韓国語の音韻規則が適用されて、変化がないわけではないが、原語の日本語の音形がほとんどそのまま保たれているからである。とくに、例に挙げた語には、原語「ツ」が、「쓰메끼리/s'imek'iri/」や「스끼다시/si k'itasi/」のように、子音「ㅆ/ss/」や「ㅅ/s/」に変えられるのが特徴であるが、前にも述べたとおり、韓国語の音には、日本語の母音「u」の前のタ行音である「ツ/tsu/」の音が存在しないため、日本語の「ツ/tsu/」と調音点が近似している平音「ㅅ/s/」や濃音「ㅆ/ss/」で表される傾向がある。日本語の「ツ」に対応する音が「ㅅ/s/」や「ㅆ/ss/」の二つあるのは、「ツ」音が韓国語の音には存在しないので、それと似ている韓国語の音を選択する際に、聞き手によってゆれが生じるためではないかと思われる。

そのほか、韓国語の外来語の表記規則によれば、日本語の清音が語中に現れる際には、激音を以って表記するように定められているが、例の語は、濃音として表記されている。この現象は、これらの語が、外来語表記規則が制定される以前に借用され定着したか、あるいは、いまの日本語に対する韓国語の外来語表記規則が、実際の音を反映しないので、表記規則とは別の表記がなされたということを推測することができる。

---

90 韓国語には、배([pɛ] お腹)と배([pɛː] 倍)のように、発音としては長音が存在しているが、表記としては区別がない。

第5章

借用経路による借用語の
音形と字形

日本語と韓国語の中には、中国語系の漢語が多く取り入れられ使用されている。また、表記手段として各々、固有の文字である仮名やハングルを持ちながら、中国の文字である漢字を受容し、固有文字と混えて用いていた。
　とくに、韓国においては、15世紀に独自の文字であるハングルが創られたが、19世紀までは公用文の表記体系として漢字と漢文のみが認められていた。
　このように、日本語と韓国語はともに中国語から長い間、多くの影響を受けていながら、一方では、お互いの交流によって相互の言葉にも影響を与え合ってきたことも事実である。
　日本は、明治維新によって近代化され、これまでとは違って西洋文物を直接受け取るようになり、多くの外国の事物やそれに伴う外国語を受容し、外来語として定着させた。
　一方、韓国は、19世紀までは、文化や文物を中国から受け入れてきたが、19世紀以降は、日本から受け取るようになりそれに伴って日本語系外来語も韓国語の中に受容されるようになった。
　日本語からの借用語は大きく次の3つに分けられる。

　　ａ．漢字語（漢字で表記された語）
　　ｂ．和語（日本語の固有語）
　　ｃ．外来語（西欧語系借用語）

　韓国語の中で中国語からの借用方法は、3つある。一つ目は、古代に中国語の借用法として行われた字形と音形の両者を借用する方法、二つ目は、字形のみを借用する方法、そして、三つ目は音形のみを借用する方法である。一方、日本語からの借用法としては、字音語の場合は字形のみを、和語の場合は、音形あるいは漢字の字形を、外来語の場合は、音形のみ借用する例がみられる。すなわち、日本語におい

て漢字表記される語は、おおむね字形のみの借用が多く、和語や外来語のように漢字表記されない語は、音形のみ借用される場合が多い。

　日本語における字音語や漢字表記の単語が借用される際には、ほとんどの場合、本来の日本語としての字音が捨てられ、韓国語の漢字音を適用し、音形が変えられることが一般的に行われる。これらが字形のみの借用語である。したがって、韓国語の漢字音が適用された漢字語の場合、その音形だけでは、中国語から借用されたものか、それとも日本語から借用されたものか、その借用経路を理解することは困難である。

　しかし、音形のみの借用語は、日本語の固有語である和語と、外国語から日本語に流入して定着した外来語、すなわち、二次的な借用が行われた西欧語系外来語のみに限られるので、語源がわかりやすい。

1　日本経由の西欧語系外来語

　「サラダ」を例とすれば、韓国語には「사라다/sarata/」と「샐러드/sɛlrʌti/」の両語形が存在している。つまり、語形は異なるが意味は同じである両形並存が見られる。「사라다/sarata/」は、日本語からの借用による間接借用の語形で、「샐러드/ sɛlrʌti/ 」は、英語からの直接借用の語形である。韓国語における「사라다/sarata/」という語形の成立過程を探ろうなら日本語まで遡るしかない。

　日本語における「サラダ」の語形は、原語である英語の「salad/sæləd/」が、日本語に借用される際に、日本語の音韻によって一音節と二音節の音素 /æ・ə/ が日本語の /a/ に代置される。さらに、日本語は開音節語であるために子音で終わることができないので、原音の最後の子音に母音 /a/ を加えて「サラダ/sarada/」という語形が成立され、日本語のなかで用いられているのである。

「샐러드/sɛlrʌti/」は国際的な標準用語で、「サラダ」は日本式発音と文化的変形を反映した表現。[91]

このように、英語の「salad/sæləd/」の借用語である日本語の「サラダ」が再び、韓国語に二次的に借用されることによって「사라다/sarata/」という語形が成立する。一方、샐러드「/sɛlrʌti/」という語形は、1945年以降、韓国がアメリカとの直接交流によって、英語の「salad/sæləd/」が韓国語に流入し、原語にある一音節の母音 /æ/ が、韓国語の母音 /ɛ/ に変えられ、二音節の母音 /ə/ は、韓国語の母音 /ʌ/ に発音される。これに、最後の子音に韓国語の外来語の音韻法則が適用され、母音の /i/ が加えられて成立した語形である。このように、借用経路により、一つの原語に対して語形が二つ以上存在する語が、韓国語の外来語には数多く見られる。

なお、韓国語における西欧語系外来語には、「아파트/apʰatʰi/」や「오토바이/otʰopai/」などのような原語の「apartmenthouse」と「autobicycle」が省略された語形が多く見られる。この類の省略語は、仮名にすると音節の数が長くなるので、日本語の外来語の省略によって造られたものである。このような語が省略されたままの形で、借用された結果、日本語の外来語と同様の音形を持つようになる。

そのほか、「カンニング」[92] や「アルバイト」[93] のように、原語とは異なる意味で使われる日本語の外来語が、韓国語においても、原語の意ではなく日本語と同じ意味を持って用いられる例も見られる。

次に、このような日本語を経由して韓国語に入っている西欧語系外来語について詳細を分析する。

---

91 「第2章 借用語と外来語の概念」を参照
92 英語では、cunning の意は、「狡猾な、狡いや巧みな」である。しかし、日本語と韓国語では、「試験における否定行為」の意で使われる。
93 日本では「バイト」という略語として、韓国では「알바（アルバ）」という略語として用いられる。

2　日本語経由の外来語の音形 [90]

　日本語を経由して二次的に韓国語に流入した日本語系外来語は、「샐러드/sɛlrʌti/salad」に対する「사라다/sarata/ サラダ」のように、直接借用された語と異なる音形を持つのが特徴である。つまり、西欧語が日本語に流入して、日本語の音韻法則によって変えられたものが、韓国語に二次的に受容されたので、その音形は直接借用された語の語形とは異なる。したがって、韓国語における外来語の語形を調べれば、直接借用された語と日本語を経由して二次的に借用された語の区別ができる。

1　母音の交替

　日本語の母音音素には /a, i, u, e, o/ の5つが存在し、韓国語の母音には /a, ʌ, o, u, i, ɨ, e, ɛ, y, ø/ と10の音素が存在する。外国語が流入して、外来語として定着する際に、その母音体系の相違によってそれぞれの音韻規則が適用され、用いられ定着する。すなわち、日本語は、5つの母音をもって外国語の音素のすべてをカバーし、韓国語は、10個の母音で外国語の音素を受け取るので、語源を同じくする外国語が、日本語と韓国語において各々の外来語として現れる場合にはかなり異なった形を取る。

　たとえば、英語の「dollar [dɑːlə(r)]」は日本語では「ドル /doru/」、韓国語では、「달러/talrʌ/」の音形を持ち、借用における母音の変容の仕方が少し異なる。しかし、このような母音の相違によって、韓国語と日本語における外来語は音韻的な相違が現れるはずにも

94　韓国語における二次的借用である日本語系借用語は、音声言語として伝わって、使われるようになったものが多い。

かかわらず、日本語から二次的に借用された西欧語系外来語には、日本語の外来語と同様の音形を持つ語が多くみられる。

（1）/i/ が /e/ に代置された語
　西欧語の母音音素 /i/ は、韓国語の外来語でも、そのまま /i/ の形で現れるので、原語の音素との差はほとんど見られないのが普通である。日本語にも母音音素 /i/ は存在するので、原語の /i/ は日本語の外来語においても、一般には /i/ の形で現れる。

ink[iŋk] → インク /iNku/ → 잉크/iŋki/

しかし、原語の母音音素 /i/ は、韓国語と日本語の外来語において、/i/ ではなく、/e/ で現れる場合がある。

図表1

英語	日本語の外来語	韓国語の外来語
buisness[bɪznəs][95]	ビジネス	비지네스/bicines/[96]
electric[irektrik]	エレクトリック	엘레트릭/elretʰirik/
media[miːdiə]	メディア	메디아/metia/[97]

　上記の例は、原語である英語の母音音素 /i/ が、日・韓両国語における外来語には、両国語に同じ母音音素が存在するにもかかわらず、/e/ に置き換えられた例である。

95　原語である英語はその発音を参考するために、音声記号のままで記す。
96　韓国語の標準表記では「비즈니스」であるが、「비지네스」をグーグルで検索すると198,000 個の用例が確認できる。（2024 年 9 月 15 日基準）
97　韓国国語研究院は「미디어」が正しく、「메디아/metia/」を誤表記としている。

これらの類の語形は、おそらく原語の英語が持っている音形に基づいたのではなく、英語の綴りに引かれて、成立した語形ではないかと思われる。というのも、外国語の借用には音声によるものと文字によるものと二つの方法があるためだ。日本語と韓国語の場合は、文字はやがて音声を表すことになるが、英語の場合は、ひとつの綴り字が多様に発音される。
　楳垣氏は、その問題を次のように指摘している。

> 英語のａと言う文字は「cat, father, many, take, wash, water, about, image」において、それぞれ [ɑ]・[e]・[ei]・[ɔ]・[ɔː]・[ə]・[i] と発音されるのである。この場合「アバウト」、「イメージ」などと国語で発音したり、書き表したりするのは、厳密にいえば「綴り字発音」といわねばならない。[98]

　楳垣氏が指摘するとおり、英語は一つの綴り字が音として、多様に実現されるが、日本語と韓国語のように基本的に綴り字と発音が一致する言語を母国語にしている話し手にとっては、英語の綴り字に引かれて発音したり、表記したりしがちである。
　したがって、韓国語に見られる例のビジネス、エレクトリック、メディアの「비지네스/bicines/」、「엘레트릭/elretʰirik/」、「메디아/metia/」は、日本語の外来語の影響によるものか、偶然に一致したものかは、一言では言い切れないところもある。しかし、韓国語の外来語表記にも合わず、「비즈니스/picinisi/」、「미디어/mitiʌ/」などの表記が辞典[99]にみられるので、例に挙げた語は日本語の影響によるものと推定することが可能である。

98　楳垣実（1943）『増補 日本外来語の研究』青年通信社 157頁
99　李基文監修（1993）『東亜새国語辞典』韓国東亜出版社

（２）/ʌ/ が /a/ に代置された外来語

　韓国語においては、西欧語が、直接借用された場合、原語の音 /ʌ, ə/ は、/ʌ/ の形で現れる。一方、日本語の母音は /a, i, u, e, o/ の 5 つしか存在しないので、原語の音 /ʌ, ə/ は、日本語の /a/ をもって代置されるのが一般的である。しかし、日本語を経由して二次的に借用された西欧語の音形は、/ʌ/ ではなく /a/ の形で現れる特徴がある。

図表2

日本語	日本語経由借用語	英語	直接借用語
ボイラー	보이라/poira/	boiler	보일러/poilrʌ/
ボーナス	보나스/ponasi/	bonus	보너스/ponʌsi/
コーナー	코나/kʰona/	corner	코너/kʰonʌ/
ドライバー	도라이바/toraiba/	driver	드라이버/tiraipʌ/
ライター	라이타/raitʰa/	lighter	라이터/raitʰʌ/
マイナス	마이나스/mainasi/	minus	마이너스/mainʌsi/
モーター	모타/motʰa/	motor	모터/motʰʌ/
オーバー	오바/opa/	over	오버/opʌ/
ペーパー	페파/pʰepʰa/	paper	페이퍼/pʰeipʰʌ/
スライダー	슬라이다/silraita/	slider	슬라이더/silraitʌ/
カット	카트/kʰath/	cut	컷 /kʰʌt/
プラス	프라스/pʰirasi/	plus	플러스/pʰilrʌsi/
コップ	곱뿌/kopp'u/	cup	컵/kʰʌp/
ダブル	따블/t'apil/	duble	더블/tʌpil/
マフラー	마후라/mahura/	muffler	머플러/mʌpʰilrʌ/

　上記に見られるように、原語の /ʌ, ə/ は日本語の外来語においては /a/ に変えられるのが一般的である。しかし、韓国語の母音には /

ʌ/ が存在しているので、原語の音 /ʌ, ə/ は、韓国語の外来語においては、/ʌ/ をもって代置されるのが当然であろう。それにもかかわらず、一方には、原語の音 /ʌ, ə/ を韓国語の母音 /a/ で代置した語が見られる。それらの外来語の音形を持つ語は、日本語から流入した二次的な借用語の音形に基づいたので、このような音形を持つようになったと推察される。

　すなわち、日本語に流入した西欧語の母音 /a, ɑ, æ, ʌ/ は、日本語の母音 /a/ に置き換えられる。そしてそれが韓国語に流入すると、そのまま /a/ になる。

　ちなみに、裵亮端氏は日本語系外来語が韓国語に入る際には、次のような母音の変容が生ずることを指摘している。

（オ、ポ、仏、独）[100]
　　　/a, ɑ, æ, ʌ/　　⇒　　　　/a/　　　⇒　　　/a/
日本語に入る外国語音　　日本語の外来語音　　日本経由外来語音

　このように、西欧語の音 /a、ɑ、æ、ʌ、ə/ は、日本語においては音素 /a/ に置き換えられる。しかし、韓国語においては、それぞれの音によって、音素の代置が異なるので上記の例の語形は日本語から借用されたことがわかる。

　（3） /ʌ/ と /e/ が交替された語
　韓国語には、母音音素 /ə/ が存在しないので、英語における /ə/ は、/ʌ/ で代置されることが外来語の表記にも合うし、原音主義を提唱している韓国語としては、その方が原音の形に近い。
　しかし、英語音素 /ə/ が、韓国語の外来語において、外来語の表記

100　裵亮端（1970）「韓国外来語に関する序説」『韓国外来語辞典』宣明文化社

規則で規定された /ʌ/ ではなく、/e/ の形を取って現れる語形が見られる。

図表3

日本語	日本語系外来語	英語	直接借用語
エレメント	에레멘트 /erementʰi/	element	엘리먼트 /elrimʌntʰi/
ゼネラル	제네랄/ceneral/	general	제네럴/cenerʌl/
エレベーター	에레베이타 /erepeitʰa/	elevater	엘리베이터 /elripeitʰʌ/
エレジー	에레지/elreci/	eregy	알러지/alrʌci/

前の (2) で見たように、英語の /ə/ は、日本語の母音音素としては、次の例のようにほぼ /a/ で代置されるのが一般的である。

curve[kəːrv] → カーブ
skirt[skəːrt] → スカート

しかし、上の例においては、「elevater/eləbeitə/ →エレベーター」のように英語の /ə/ が例外的に /e/ に代置されている。これらの語は、綴り字による音形だとも思われるが、日本語と韓国語の両言語における外来語の音形が一致する。そのため、日本語から借用されたものと推測できる。

（4）/ʌ/ と /o/ が交替された語

英語の /ə/ は、韓国語の外来語においては /ʌ/ で置き換えられるのが一般的である。しかし、/ʌ/ の代わりに /o/ の音形を用いる語が見られる。

図表4

日本語	日本語系借用語	英語	直接借用語
チャンピオン	참피온/cʰamphion/	champion	챔피언/cʰɛphiən/
コンピュータ	콤퓨타/kʰompʰjutʰa/	computer	컴퓨터/kʰʌmpʰjutʰʌ/
コンテナー	콘테이나/kʰontʰeina/	container	컨테이너/kʰʌntʰeinʌ/
コントロール	콘트롤/kʰontʰirol/	control	컨트롤/kʰtʰirol/
コレクション	콜렉숀/kʰoreksjon/	collection	컬렉션/kʰʌlreksjʌn/
ライオン	라이온/raion/	lion	라이언/raiʌn/
ユニオン	유니온/junion/	union	유니언/juniʌn/

　図表4の例は英語の「o」が /ʌ/ の音の形で現される語である。日本語には /ə/ の音素が存在しないので、英語の /ə/ は、日本語の音韻には /a, e, o/ のような音素に対置される。これらの語は、綴り字が /o/ であるので、その綴り字に引かれて英語の /ə/ が日本語の /o/ として代置されたものであろう。したがって、韓国語における外来語に見られる英語の /ə/ を /o/ に置き換えた語の音形は、日本語系の外来語の借用によるものとみられる。

（5）/ʌ/ が /i/ に交替された語
　原語である英語の /ə/ が、韓国語の外来語において /ʌ/ で代置されるのではなく、/i/ をもって現れる語がある。

図表5

英語	日本語	韓国語
stamina/stæmənə/	スタミナ	스테미나 /sitʰɛmina/
animal/ænəməl/	アニマル	애니멀 /ɛnimʌl/
manicure/mænəkjuər/	マニキュア	매니큐어 /mɛnikʰjuʌ/

　これらの語の特徴は、原語である英語において、綴り字は /i/ であるが、発音は /ə/ と現れる語である。原語の英語の /ə/ が日本語の外来語では /i/ で代用されることは、綴り字に引かれて成立した語形とみるべきものであろう。韓国語においては、英語の /ə/ は /ʌ/ で代置されるのが一般的であるにもかかわらず、上記のような語が韓国語の外来語の語形として存在することは、日本語からの影響によるものと考えられる[101]。

（6）/æ/ が /a/ に代置された外来語

　日本語の母音には /æ/ の音が存在しないので、日本語の外来語においては、母音 /a/ が西欧語の母音 /æ/ の代わりに現れる。一方、韓国語には、西欧語の母音 /æ/ は存在しないが、母音音素 /ɛ/ があるので、日本語の外来語の音形とは異なり、/ɛ/ をもって代置されるのが通例である。しかし、日本語を経由したと思われる二次的な西欧語の借用語においては、日本語と同様に /a/ をもって代置された例が見られる。

101　原音に基づいて見出し語を載せることを原則にしている韓国語の辞書にも、この語形が見られる。それによって、この語形は韓国語に定着したことがわかる。

図表6

日本語	日本語経由借用語	英語	直接借用語
パス	파스/pʰasi/	pass	패스/pʰɛsi/
バッチ	빠찌/p'achi/	badge	배찌/pɛc'i/
クラス	크라스/kʰirasi/	class	클래스/kʰilrɛsi/
チャンス	찬스/cʰansi/	chance	챈스/cʰɛnsi/
バランス	바란스/paransi/	balance	밸런스/pɛlrʌsi/
クラシック	크라식/kʰirasik/	classic	클래식/kʰilrɛsik/
バルブ	발브/palpi/	valve	밸브/pɛlpi/
グラム	그라무/kuramu/	gram	그램/kirɛm/
ガス	가스/kasi/	gas	개스/kɛsi/
チャンピオン	참피온/cʰamphion/	champion	챔피온/cʰɛmphion/
フラッシュ	후라쉬/hurasy/	flash	플래쉬/pʰilrɛsy/
マンモス	맘모스/mammosi/	mamoth	매머드/mɛmʌti/
バトン	바톤/patʰon/	baton	배턴/pɛtʰʌn/
バット	빠따/p'at'a/	bat	배트/pɛtʰi/
タレント	타렌트/tʰarentʰi/	talent	탤런트/tʰɛlrʌntʰi/
カレンダー	카렌다/kʰarenta/	calendar	캘린더/kʰɛlrintʌ/

　図表6のように、日本語には /æ/ が存在しないので、母音 /æ/ が現れる英語は、日本語の外来語においては、/a/ に置き換えられる。し

かし、韓国語の外来語においては、英語から直接借用された語の母音 /æ/ は、/ɛ/ によって代置されるのが通例であるにもかかわらず、日本語の母音と同様に /a/ の形で現れる例が見られる。

　これらの音形の変容過程は次のように示すことができる。

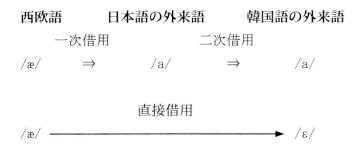

　すなわち、西欧語における母音 /æ/ は、日本語に一次借用される際には、その音形が /a/ に代置される。それらが韓国語に借用される際には、日本語の外来語に現れる母音 /a/ は、韓国語においても日本語の母音と同様に /a/ として用いられる。しかし、一方で同じ西欧語が日本語を経由せずに、直接借用される場合においては、西欧語の母音 /æ/ は /ɛ/ に変えられる。したがって、韓国語における外来語のうち、西欧語の母音 /æ/ が /ɛ/ に代置された語は、一次的直接借用語であり、/a/ の母音で現れる語は、日本語を経由して二次的に借用されたものと見なすことができる。

　（7）/æ/ が /ja/ に代置された語

　西欧語の /æ/ は、韓国語における外来語の音形には、「talent、탤런트/tʰɛlrʌntʰi/」のように /ɛ/ によって代置されるのが一般的であるが、それとは異なり、/ja/ の形で現れる語が次のように見られる。

図表7

日本語	韓国語	英語
キャラメル	カラメル/kʰjaramel/	caramel[kærəməl]
キャメラ	カメラ/kʰamera/	camera[kæmərə]
キャバレー	カバレ/kʰjapare/	cabaret[kæbarei]

　上例の語は、「cabaret/kæbarei/」のように、原語の一音節目は /æ/ である。韓国語においては、直接借用語の場合の /æ/ は /ε/ に交替するのが一般的な規則である。しかし、/æ/ が /ja/ に変えられる理由はどこにあるかを調べれば、この類の語も日本語から借用された語に属するのが明らかになる。

　たとえば、次のような英語の /æ, ʌ, ə, a/ は、日本語のでは /a/ に変えられる。

英語　　　æ, ʌ, ə, a
　　　　　↘ ↓ ↓ ↙
日本語　　　a [102]

　しかし、この中の /æ/ 音だけは例外が存在して、半母音 /j/ が加わって /ja/ に変わる傾向がある。例外として取り挙げられた日本語のおける外来語としては次のような語が見られる。

Camp/kæmp/ →　キャンプ
Cancel/kænsl/ →　キャンセル
Caramel/kærəməl/ →　キャラメル
Cash/kæʃ/ →　キャッシュ

102　『外来語の形成とその教育』（1981）国立国語研究所刊行 52 項

Cat/kæt/　→　キャット
　　Gag/gæg/　→　ギャグ
　　gallery/gæləri/　→　ギャラリー
　　gap/gæp/　→　ギャップ
　　gamble/gæmbl/　→　ギャンブル
　　gang/gæŋ/　→　ギャング[103]

　このように日本語における外来語には、/k, g/ の次に来る /æ/ は、/ja/ の形を取って現れる場合がある。そのほか、「リヤカー」と「リアカー」のように、「rear-car[104]」の日本語の外来語が二つの音形に現れるケースもある。

　したがって、韓国語の外来語においても、「카바레/kʰjapare/ ; キャバレー」のように /æ/ が /ja/ の形で現れるのは、日本語からの借用語であることがわかる。

　これまで、英語の母音音素が日本語と韓国語の外来語において、いかなる音素として代置されるかを考察し、日・韓両国語の外来語の音形によって、韓国語における外来語の借用経路を推測してきた。

　ここで、韓国語における外来語の母音についてまとめれば、次のように整理される。

　日本語の母音音素は /a, i, u, e, o/ の5つだけで、英語の「curve[kəːrv]、cup[kʌp]、camera[kæməːrəː]」等にある /æ, ʌ, ə/ が存在しない。すなわち、英語の /æ, ʌ, ə/ は、日本語には /a, i, u, e, o/ で代置されることになる。なお、原語である英語の /æ, ʌ, ə/ は日本語では、一つの音素が代置する

103　上掲書 56 項
104　『角川外来語辞典』では、原語を英語にして、「リアカー」だけが見出し語としてみられる。一方、『大辞泉』においては、原語をオランダ語にして、見出し語としては両方出ているが、「リアカー」の見出しには、説明がなく、矢印で「リヤカー」の説明を見るようになっている。

のではなく、借用語によって、多様な音素の代置が見られる。

一方、韓国語の母音音素は /a, ʌ, o, u, i, i, e, ɛ, y, ø/ の10個が存在している。韓国語の音素にも英語の /æ, ə/ の音が存在しないが、日本語と異なり韓国語においては、直接借用語の場合、韓国語の音素にない英語の /ə/ は /ʌ/ に、/æ/ は /ɛ/ にと、一つの英語の音素に一つの音素として代置されるのが、規則的に行われている。しかしながら、韓国語の外来語の音形には、この規則に当てはまらない語形が見られる。したがって、それらの語形は直接借用語ではなく、日本語系借用語の影響によって成立した語形ということがわかる。

以上を、まとめれば次のようになる。

英語		日本語
	→	a
ə (ʌ)	→	e
	→	o
ə	→	i[105]

—直接借用—

英語		韓国語
ə (ʌ)	→	ʌ

—二次的借用—

英語		日本語		韓国語（日本語系借用語）
	→	a	→	a
ə (ʌ)	→	e	→	e
	→	o	→	o
ə	→	i	→	i

---

105 綴り字が "i" で発音が [i] になる語において、見られる通称綴り字発音。

上記の図に見られるように、英語の /ə, ʌ/ は、日本語には /a, e, o/ に代置される。しかし、韓国語には /ʌ/ が存在するので、英語の /ə/ だけが、直接借用の場合 /ʌ/ によって代置される。しかし日本語を経由して借用された語は、日本語と同様な母音によって代置されることがわかる。

　英語の /æ/ は、日本語と韓国語の両国語に共に存在しない音素である。原語の /æ/ は、日本語には /a, ja/ に代置されることが例によってわかる。韓国語においては、原音の /æ/ は、英語からの直接借用語であれば /ɛ/ で代置される。しかし、韓国語においても日本語と同様に英語の /æ/ を /ja/ で代用した例が見られる。

```
        ―直接借用―
 英語    日本語    英語    韓国語
 æ   →    a      æ   →    ɛ
      ↘   ja


        ―二次的借用―
 英語    日本語    韓国語
 æ   →    a   →    a
      ↘   ja  →    ja
```

　よって、これらの音形は日本語から借用された語よる影響であることがわかる。

　また、英語の /i/ が、日本語と韓国語の両国語の外来語において、/e/ で代置される語の例を考察した。日・韓両国語の音素に /i/ が存在しているので、英語の /i/ はそのまま /i/ によって代用されるはずであるにもかかわらず、/e/ で代置されている語がみられる。この現象は、「business」のように、「e」の綴り字が [i] に発音される語に

多くみられる。これらは綴り字発音よって成立した語形である。この綴りによる音形の成立は韓国語にも起こりうる現象なので、韓国語における外来語の音形は、必ずしも日本語から借用された語の影響とは言い切れないが、ほかの語にも日本語と同様な変容が見られるので、そのように推定することが妥当である。

これまで見てきた韓国語における西欧語の外来語のうち、日本語と同様の音形を有している語は、日本語を経由して流入した語で見るべきである。

2　子音の交替

日本語の子音音素は、/p, b, m, n, t, d, s, z, c, r, k, g, h/ の13個が存在し、有声と無声による対立を成している。

無声音素：/p, t, c, s, k, h/
有声音素：/b, d, z, g, r, m, n/

一方、韓国語の子音音素は、/p, ph, p', t, th, t', k, kh, k', c, ch, c', s, s', l (r), m, n, ŋ, h/[106]の19個が存在し、有声と無声による二系列の対立体系ではなく、/p/：/ph/：/p'/のように気の有無による三系列の対立を成す。そのため、英語と日本語における /b/ は、韓国語には /p/ で代置されるし、日本語の /p/ は /ph/ で代置されるのが通例である。それ以外に、韓国語の子音音素には、英語における音素 /f, z, v, θ, ð, ʃ, ʒ, dz, ʧ/ などが存在しない。したがって、これらの音素が韓国語においては、どのような音素に代置されるかについて日本語と比較してみると、図表8のような相違が見られる[107]。

106　許雄（1973）『国語音韻学』正音社 205-206 頁
107　韓国語外来語表記法の中「表1『国際音声記号とハングル対照表』」

図表8

英語	→	韓国語	英語	→	日本語
f	→	pʰ (ㅍ)	f	→	h (ハ行)
z, ʒ, dz, ʥ	→	c (ㅈ)	z, ʒ, dz, ʥ	→	z (ザ行)
ʧ, ts	→	c (ㅈ)	ʧ, ts	→	t (タ行)
v	→	p (ㅂ)	v	→	b (バ行)
θ, ʃ	→	s (ㅅ)	θ, ʃ	→	s (サ行)
ð	→	t (ㄷ)	ð	→	z (ザ行)

　図表8の例における音素の代置は、英語を直接借用する際に行われるものである。これは一般的な代置を表しているが、韓国語においては、直接借用ではなく日本語を経由して二次的に借用された語が数多くあるため、その場合は上記の音素の代置とは異なる語形が現れる。

（1）/f/ が /h/ として取り入れられた語
　韓国語には、英語の /f/ が存在しないので、原語の /f/ は、上記にみられるように /pʰ/ をもって代置するのが通例である。しかし、原語の /f/ が韓国語における外来語には /h/ として現れる語が見られる。

図表9

日本語	日本語系借用語	英語	直接借用語
フォーク	호크/hokʰi/	fork	포크/pʰokʰi/
ヒューズ	휴즈/hjuci/	fuse	퓨즈/pʰjuci/
フライ	후라이/hurai/	fly	플라이/pʰilrai/
フライ	후라이/hurai/	fry	프라이/pʰirai/
フラッシュ	후라쉬/hurasy/	flash	플래쉬/pʰilrɛsy/
フリー	후리/huri/	free	프리/pʰiri/

フルーツ	후루츠/huruchi/	fruit	프루츠/pʰuruchi/
フロア	후로아/huroa/	floor	플로어/pʰilroʌ/
フランス	후랑스/huraŋsi/	France	프랑스/pʰiraŋsi/
マフラー	마후라/mahura/	muffler	머플러/mʌpʰilrʌ/

　上記の例は、原語である英語の /f/ が韓国語においては /pʰ/ で代置されるはずであるにもかかわらず、日本語の影響で /h/ で代用された語の例である。つまり、韓国語における外来語の音形は、直接借用語の場合には、英語の /f/ が /pʰ/ によって置き換えられることが通例であり、日本語を経由して二次的に借用された語は、英語の /f/ が日本語に入って、/h/ に代置された後、そのまま韓国語に借用されたので、/h/ を持つ音形の語が現れるようになったものである。
　これを図示すれば、次のようになる。

―直接借用―

英語

　f　　→　　h（日本語）
　　　↘　　pʰ（韓国語）

―二次的借用―

英語　　　日本語　　　韓国語
　f　→　　h　　→　　h

（2）子音 /l/[108] が省略された語
　そもそも英語において、/r/ と /l/ は、音節の位置とは無関係に、どこにでも現れることが可能である。一方、韓国語においては、[r]

108　韓国語の流音「ㄹ」は、主音素としては /r/、異音素として /l/ を持っている。/r/ は、語頭や音節頭だけに現れ、/l/ は語末や音節末だけに現れる。

は語頭や音節頭（初声）のみに、［l］は語末や音節末（終声）のみにしか現れない、いわば異音である。しかし、日本語には舌の側音［l］が存在しないので、英語の［l］はすべて［r］で置き換えられる。

したがって、韓国語の外来語には、その借用経路によって、/l/ が現れる語形と省略される語形とが共存する場合がある。

図表10

日本語	日本語系借用語	英語	直接借用語
バレエ	바레/pare/	ballet	발레 /palre/
ビラ	삐라/p'ira/	bill	빌/bil/
カタログ	카타로구/kʰatʰaroki/	catalogue	카탈로구/kʰatʰalroki/
コンプレックス	콤프렉스/kʰompʰireksi/	complex	콤플렉스/kʰompʰilreksi/
カトリック	카토릭/kʰatʰorik/	catʰolic	카톨릭/kʰatʰolrik/
カラー	카라/kʰara/	color	칼라/kʰalra/
エナメル	에나메루/enameru/	enamel	에너멜/enʌmel/
ガソリン	가소린/kasorin/	gasoline	개솔린/kɛsolrin/
ゲリラ	게리라/kerira/	guerilla	게릴라/kerilra/
グライダー	그라이다/kiraita/	glider	글라이더/kilraitʌ/
インフレーション	인프레이숀/inpʰireisjon/	inflation	인플레이션/inpʰilresjʌn/
マイル	마이르/mairi/	mile	마일 /mail/

図表 10 の例のように、日本語には［l］の音素が存在しないので、英語の［l］は［r］で代置されるのが一般的である。一方、韓国語における外来語は、直接借用の場合には、語末や音節末（終声）の［l］は、そのまま［l］として現れるのが通例である。しかし、韓国語の外来語には語頭や語末および音節頭や音節末に来る英語の［l］は［r］に代置された語形が見られるということは、それらが日本語から借用されたことによって成立したものであることを示している。
　これらを図示すれば、次のようになる。

　　　―直接借用―
英語
l　　→　　r（日本語）
　　↘　　l（韓国語）[109]

　　　―二次的借用―
英語　　　　**日本語**　　　**韓国語**
l　　→　　　　r　　→　　　　r

（3）/n/ が語末において /ŋ/ に代置された語

　韓国語における鼻音 /m, n, ŋ/ の音素は、音節末（終声）に現れる場合、たとえば、「삼/sam/（三）」、「산/san/（山）」、「상/saŋ/（賞）」のように、各々の音素によって弁別される。
　一方、日本語には、韓国語の鼻音 /m, n, ŋ/ にあたるモーラ音素として /N/ が存在しているが、韓国語と異なり、環境によって［n, ŋ, m］などの異音として現れることだけで、音素としては弁別されない。
　したがって、西欧語の語末に現れる /m, n, ŋ/ は、韓国語の外来語にはそのまま現れるが、日本語の外来語においては撥音 /N/ で代置される。

109　音節末や語末のみ /l/ が現れる。

図表11

英語	直接借用語
ribbon	리본/ripon/
siren	싸이렌/s'airen/
fan	팬/pʰɛn/[110]
running	런닝/rʌnniŋ/
cunning	커닝/kʰʌniŋ/
gang	갱/kɛŋ/
complex	콤플렉스/kʰompʰilreksi/

図表12

英語	直接借用語
- n →	- n
- ŋ →	- ŋ
- m →	- m

図表13

英語	日本語
ribbon	リボン /riboN/
siren	サイレン /saireN/
fan	ファン /huaN/
running	ランニング /raNniNgu/
cunning	カンニング /kaNnigu/

110　韓国語においては、スポーツファンは /pʰɛn/ として、送風機のファンは /huaŋ/ として用いられる場合もある。

```
gang                        ギャング /gjaNgu/
complex                     コンプレックス /koNpureQkusu/
dump                        ダンプ /daNpu/
```

図表14

英語	日本語
- n ↘	
- ŋ →	- N
- m ↗	

このように、英語の /m, n, ŋ/ は、韓国語においてはそのまま現れるが、日本語においては、撥音 /N/ に代置されるところに相違が見られる。

ところが、韓国語の外来語においては英語の /n, m, ŋ/ がそのまま現れるはずであるにもかかわらず異なる音形をもって現れる語形が見られる。

図表15

日本語	日本語系借用語	英語	直接借用語
バトン	바통/patʰoŋ/	baton	바톤/patʰon/
カーテン	카텡/kʰatʰeŋ/	curtain	커튼/kʰʌtʰin/
ファン	후앙 /huaŋ/	fan	팬/pʰɛn/
ガロン	가롱/karoŋ/	garon	갤론/kɛlron/
アイロン	아이롱/airoŋ/	iron	아이언/aiʌn/
マラソン	마라송/marasoŋ/	maratʰon	마라톤/maratʰon/
ナイロン	나이롱/nairoŋ/	nylon	나일론/nailron/

レモン	레몽/remoŋ/	lemon	레몬/remon/
サロン	싸롱/s'aroŋ/	salon	설룬/sʌlrun/[111]
リボン	리봉/ripoŋ/	ribbon	리본/ripon/
サイレン	싸이렝/s'aireŋ/	sairen	사이렌/sairen/
ホームラン	호무랑/homuraŋ/	home-run	홈런/homrʌn/

　図表15の例は、原語の /n/ が韓国語に直接借用された場合には、そのまま /n/ の形で現れるはずのものが、日本語を経由して借用された結果、/ŋ/ に置き換えられたものである。

　つまり、原語の /n/ が日本語に流入して、モーラ音素 /N/ に変えられた後、それが韓国語に借用されたので、今度は日本語の /N/ が韓国語には /ŋ/ として認識され、置き換えられたことにより成立したものである。

図表16

英語	日本語	韓国語
- n ↘		
- ŋ →	/ N /	/ŋ/
- m ↗		

　なぜ、このような現象が起こるのかといえば、日本語の撥音 /N/ は語末では不完全鼻音になるので、日本語の語末の /N/ は、韓国語においては /ŋ/ に認識されやすいためである。

111　韓国の辞書には、この語の語源をフランス語にして /salroŋ/ と表記している。しかし、韓国語の辞書に載った外来語の語形については次のような指摘がある。「国語浄化運動の一環として故意的にその音形を西洋の原語の発音に近いようにしてことである」（裵亮端（1975）「韓国外来語の原語判定と表記」『応用言語学第7巻第2号』170頁）

これらを改めて図表に表すと、次のようになる。

　　　　―直接借用―
英語
- n　→　　／N／（日本語）
　　　↘　　／n／（韓国語）

　　　　―二次的借用―
英語　　　**日本語**　　　　**韓国語**
- n　→　　／N／　→　　／ŋ／

（4）子音 /s/ と /t/ の混用

日本語と韓国語の音素には、共に英語の /θ/ 音素が存在しない。そのため、日本語においては、英語の「marathon/mærəθn/」が「マラソン /marasoN/」に変わるように、原語の /θ/ は /s/（サ行）をもって置き換えられるのが通例である。一方、韓国語には、この /θ/ に代用される音素に二つの音形が見られる。

図表17

日本語	日本語系借用語	直接借用語
マラソン	마라송/marasoŋ/	마라톤/marathon/
マンモス	맘모스/mammosɨ/	매머드/mɛmʌtɨ/
サンキュー	쌍큐/s'aŋkju/	땡큐/t'ɛŋkju/

上記のように、原語の /θ/ は韓国語においては、/s/ と /t/ の二つの音形によって代用される。なぜこのような現象が起きるのかを探ってみると、元来、韓国語における日本語から借用された語の音形は、日本語と同様に原語の /θ/ は /s/ で代置された。しかし、韓国では日

本語式の発音を避けるべきであるという動きがあって、これまで /s/ の音形で代用された原語の /θ/ は、日本語と異なる形となるように、/t/ の音形に置き換えることになり、辞書にも /t/ の音形が認められた。その後、韓国語における外来語の表記規則によって、/θ/ は /s/ をもって表すことを妥当とする見解が出された。それに従えば、辞書などの音形は再び「마라손/marason/」のように直されなければならないが、以前の「마라톤/ maratʰon/」をすでに慣用形として認め用いられているので、両語形が共存するようになったと思われる。

　つまり、日本語からの借用の音形ということによって意識的に変えられた音形が、新しく標準的な音形として認められる結果になったものであろう。

　（6）/ð/ が /c/ に対置された語

　英語の音素 /ð/ は、日本語と韓国語には存在しない音素である。日本語においては、「leather [leðə]」が「レザー /rezaR/」となる例に見られるように、原語の音素 /ð/ は /z/ によって代置される。一方韓国語においては、英語の定冠詞「the」が日本語の /za/ と異なって /tʌ/ に置き換えられる例にみられるように、原語の /ð/ は /t/ によって代用されるのが一般的である。しかし、韓国語の外来語の中にはまれであるが、原語の音素 /ð/ が通例とは異なって /c/ や /s/ の形で現れる語形が見られる。

図表18

日本語	日本語系借用語	英語	直接借用語
レザー	레자/reca/	leather	레더/retʌ/
スムーズ	스무스/simusi/	smooth	스무드/simuti/

図表18の語は、その数は少ないが、原語の/ð/が/t/ではなく/c/や/s/に変わった例である。韓国語の音素には/z/が存在しないので、日本語の/z/を/c/や/s/として受け取ったことによって生じたものである。

　したがって、これらの語は英語の/ð/が日本語に流入して/z/によって置き換えられた後、韓国語に借用されて/z/が/c/や/s/に代用されたものと推測される。これを図示すると次のようになる。

　　―直接借用―
　英語
　　-ð　　→　　-z（日本語）
　　　　　↘　　-t（韓国語）

　　―二次的借用―
　英語　　　**日本語**　　　**韓国語**
　-ð　　→　　-z　　→　　-c（s）

　以上、韓国語における外来語について、子音を中心として日本語系借用語が有する語形の特性をみてきた。それらをまとめると、英語の/f/は、日本語においては/h/として、韓国語において直接借用の場合は、/pʰ/として現れるが、日本語から二次的に借用された場合は、/h/の音形を持つ。英語の子音/l/は、日本語においては省略され、韓国語には音節末や語末にはそのまま現れるはずであるが、日本語系借用語の場合は、日本語と同様に/l/が省略された語形が見られる。それと同様に英語の/n/と/ŋ/は、それぞれ/n/と/t/として現れるべきであるが、それと異なって、英語の/n/が/ŋ/と/c/で置き換えられた語形が現れる。したがって、これらの子音の代置は日本語から借用された語形であるために生じたものだということがわかる。

3 開音節化

日本語は開音節（open syllable）を原則とし、日本語で閉音節を形成する音素は撥音 /N/ と促音 /Q/ のみである。しかも /Q/ に後続する子音の種類は /k, t, p, s/ と限られている。また子音群はによる音節の形成は起こらない。したがって、音節末尾の撥音 /N/ を除けば、日本語における外来語はすべて開音節化されることになる。

外国語が日本語に流入して外来語として用いられる際、基本的には図表 19 のように、母音 /e, i, u/ の添加によって開音節化が行われる。

図表19

英語の音	日本語の母音添加
a. [-t,-d]	/-o/
・chocolate[tʃɔkəlit]	チョコレート
・band[bænd]	バンド
b. [-ts]	/-u/
・tree[tri:]	ツリー
c. [-tʃ,-ʤ]	/-i/
・bench[bentʃ]	ベンチ
・orange[ɔ:rinʤ]	オレンジ
d. [-k,-ʃ,-ʒ]	/-i/ または /-u/
・text[tekst]	テキスト / テクスト
・ink[iŋk]	インキ / インク
・cash[kæʃ]	キャッシュ
・sabotage[sæbəta:ʒ]	サボタージュ / サボタージ
e. 他の子音の後	/-u/
・pass[pæs]	パス

一方、韓国語は閉音節（closed syllable）を基本としている。しかし、外来語において閉音節で用いられる子音は無声破裂音素 /p, t, k/[112]、鼻音 /n, m, ŋ/ と流音 /l/ の7つのみで、それ以外の /s, z, f, v, θ, ð, ʃ, ʒ/ や有声破裂音 /b, d, g/ の後には、母音 /ɨ/ を添加して日本語のように開音節化される。ただし、日本語の母音添加には、前に来る子音によって母音 /e, i, u/ が添加されるが、韓国語の母音添加には、前の子音が [ʨ, ʧ] の場合だけに /i/ を加え、それ以外の子音にはすべて母音 /ɨ/ を添加するところが日本語と異なる点である。

図表20

英語の音	韓国語の母音添加
land[lænd]	랜드/rɛndɨ/
signal[signəl]	시그널/sikɨnəl/
mask[maːsk]	마스크/masikʰɨ/
graph[græf]	그래프/kɨrɛpʰɨ/
film[film]	필름/pʰilrim/

　このように、日本語と韓国語において英語の子音連続や語末の子音をいかに代用しているかを比較すると図表21のようになる。

　日・韓両国語における外来語に添加される母音は [ʨ, ʧ] と [ʃ] に対する場合のみが同様で、その他は異なることがわかる。主に、語末や子音連続には日本語の場合は /u/ が、韓国語の場合は /ɨ/ が添加されることが相違点である。

112　子音で終われるのは、短母音で語末無声破裂音 /p,t,k/ のみで、apple/æpʰɨl/（アップル）のように子音の前や語末の子音には母音 /ɨ/ を加えて音節を形成する。

図表21

日本語	母音添加	韓国語
/t,d/ の後	/o/	（母音添加なし）
/ts/ の後	/u/	（母音添加なし）
/ʥ, ʧ/ の後	/i/	/ʥ, ʧ/
/k, ʃ, ʒ/ の後	/u/・/i/	/ʃ/[113]
他の子音の後	/u/・/i/	他の子音後

　この点を踏まえて、韓国語における外来語を調べれば、韓国語の母音添加の規則とは外れる語形が多く見られる。

図表22

日本語	日本語系借用語	英語	直接借用語
バック	빠꾸/p'akku/	back	백/pɛk/
ブロック	부로꾸/burok'u/	block	블록/pilrok/
クリーム	구리무/kurimu/	cream	크림/kʰirim/
カット	카토/kʰatʰo/	cut	컷/kʰʌt/
コイル	코이루/kʰoiru/	coil	코일/kʰoil/
カンニング	칸닝구/kʰanniŋgu/	cunning	커닝/kʰʌniŋ/
ドラム	도라무/toramu/	drum	드럼/tirʌm/
ハンドル	한도루/hantoru/	handle	핸들/hɛntil/
トラック	토라꾸/tʰorak'u/	truck	트럭/tʰirɛk/
テーブル	테부루/tʰepuru/	table	테이블/tʰeipil/

113　韓国語における /ʃ/ の後の母音添加には子音連続の場合、/u/ の前に半母音 /j/ が加わって「슈/sju/」になる。

チャック	자꾸/cak'u/	chuck	척/cʰʌk/
ジープ	지푸/cipʰu/	jeep	집/cip/
ヒール	히루/hiru/	heel	힐/hil/
ゴム	고무/komu/	gom	고무/komu/
ビラ	삐라/p'ira/	bill	삐라/p'ira/[114]
ケーキ	케이키/kʰeikʰi/	cake	케이크/kʰeikʰi/

　上記の例は、母音添加による開音節化において、日本語の母音添加と同様に /u, i, o/ で現れた語形の例である。つまり、日本語の母音添加によって、開音節化された語形が、そのまま韓国語に借用された結果、日本語と近似な音形を持つようになったことがわかる。

3　日本語経由の西欧語の語形

　外国語が他の言語に流入し、外来語化が行われる際には、受け止める側と受け止められる側の言語体系によって様々な形による変容が生じるのは周知の事実である。

　ここでは、韓国語の外来語に見られる省略形外来語の源泉を探って日本語との関連を中心に述べることにする。

　日本語の外来語には、日本語の音の構造によって、音節が短く省略された語が多く見られるが、それに関して、楳垣氏[115] はその理由を述べている。それを整理すると次のようになる。

114　고무/komu/（ゴム）、삐라/ppira/（ビラ）は、日本語から借用された語形がそのまま定着したもので、辞書にもこの語形のみが載せられている。

115　楳垣実（1943）『増補日本外来語の研究』

a. 日本語と西欧語のアクセントの違い

西欧語のアクセントは強弱によるもので、日本語の話し手には強勢のない音節が聞こえないために、それを落として受け入れた例である。

- メリケン（american）
- リスリン（glycerine）

b. 古い時代に流入した慣用語

音声言語として伝わった語が省略の形で、一般によく使われる語に多く見られ、学術用語などには見られない現象である。

- セメント（cement）
- コンクリート（concrete）

c. 文法の相違による語尾脱落

英語の機能形態素である分詞の -ed や複数の所有格を示す語尾 -s, -ing などを脱落させた例である。

- コーンビーフ（corned beef）
- ストッキング（stockings）
- スキー（skiing）

d. 句や文の中の単語が省略された語

句の部分を省略して単語のようにした例である。

- ホームラン（home run hit）
- カレーライス（curry and rice）

日本語は開音節を基本にしており、閉音節になれるのは、撥音 /N/ と一部の子音の前にくる促音 /Q/ のみである。そのため、たとえば、英語の「professional」のように閉音節や子音連続などが可能である

外国語が日本語に流入し、外来語として定着される際には、閉音節と子音連続には母音が添加されて開音節化が行われることになる。したがって、日本語に定着する外来語は、開音節化とともに音節の数が長くならざるえない。上記の単語は、元来は三音節語であるが、日本語に流入して外来語化が行われる際には、「プロフェッショナル」と七音節になる。このように、外来語の音節が長くなるために、日本語には外来語の一部の音節を省略して、「プロフェッショナル」を「プロ」[116]の二音節に短くして用いる傾向がある。

　一方、韓国語の場合は、閉音節を基本としていて、「홈런/homrʌn/ホームラン」のように音節末（終声）と音節頭（初声）による子音連続が可能なので、英語の「professional」は韓国語においては、「프로페셔널/pʰiropʰesjnʌl/」として五音節になる。

　すなわち、韓国語における「프로페셔널/pʰiropʰesjnʌl/」は原語よりは二音節長くなるが、日本語のように長くはならない。したがって、英語を直接借用する場合、たとえば英語の「word-processor」を日本語の「ワープロ」にように省略せずに、「워드프로세서/wʌtipʰirosesʌ/」として取り入れて日本語のように音節の一部を省略することはめったにない。

　にもかかわらず、韓国語における外来語には、日本語のように省略された語形の外来語が多く見られるので、その省略された語形を、日本語における外来語と比較しながら、その借用経路をたどってみる。

1　一部省略語

　日本語において音節が長い外来語の省略にも様々な形態がある。たとえば、英語の「signature」の末部分を省略して「サイン/sain/」

116　日本語の「プロ」には、「プロフェッショナル」の省略の他に、英語の program, production, propaganda などの略語形が含まれている。

にする語がある一方、「varnnish」を「ニス /nisu/」にするように、前の部分を省略した語もみられる。また、単語や形態素を利用して複合語を造る場合もあるが、その際には「remote」と「control」を「リモ＋コン」のようにした単語や、語形態素を省略して使う複合語形が多く見られる。このような省略の仕方は、開音節構造の日本語における外来語の特性ともいえるが、これらの方法によって省略された外来語の語形が韓国語にもそのまま見られる。

　とくに、このような複合語の省略形は、韓国語の辞書にも省略の形でそのまま載せられているので、それらを省略の仕方によって分類する。

（１）後半部省略語
　外国語が日本語に流入し、開音節化によって音節が長くなるため、後半部が省略されることが多い。

図表23

日本語	韓国語[117]	原語
サイン	사인/sain/	signature
プロ	프로/pʰiro/	professional
テロ	테러/tʰerʌ/	terrorism
パンク	빵꾸/p'aŋk'u/[118]	punture
ルポ	르포/ripʰo/	reportage
インテリ	인텔리/intʰelri/	intelligentsia
インフレ	인플레/inpʰilre/	inflation

117　日本語系外来語は、口語と比べて辞書に載っている語形の異なるものが多いが、ここでは辞書（『東亜새国語辞典』）に載っている語形だけを示す。

118　直接借用されれば、/pʰʌŋchwʌ/ になるはずだが、韓国語の辞書には、この語形しか載っていない。

コンビ	콤비/kʰompi/	combination
ダイヤ	다이아/daia/	diamond|diagram
タイプ	타이프/tʰaipʰi/	type writer
ディスコ	디스코/tisikʰo/	discotheque
テレビ	텔레비/tʰel-repi/	television
デモ	데모/temo/	demonstration
パーマ	퍼머/pʰʌmʌ/	permanent wave
ビデオ	비디오/pitio/	video cassette tape
ペンキ	뻥끼/p'eŋkki/[119]	bek,paint
ポルノ	포르노/pʰorino/	pornography
トランス	트랜스/tʰirɛnsi/	trans former
マイク	마이크/maikʰi/	microphone
アパート	아파트/apʰatʰi/	apartmenthouse
イラスト	일러스트/ilrʌsitʰi/	illustration
オフセット	오프셋/opʰiset/	offset printing
ハンドル	핸들/hɛntil/	handle bar

(2) 前半部省略語

日本語では、原語の platʰome が「ホーム」となるように、前の部分が省略されて使われるものが多い。一方、韓国語にも日本語と同様に前の部分が省略された次のような語形が見られる。

---

[119] 日本語におけるペンキの原語はオランダ語の pek で、「原音はペッキで、ンは unoriginal medial の「n」(『角川外来語辞典』) である。

第 5 章 借用経路による借用語の音形と字形・175

図表24

日本語	韓国語	英語
ホーム	홈/hom/	platform
ニス	니스/nisi/	varnnish
ガム	껌/k'ʌm/	chewing gum
シャツ	샤츠| 셔츠[120] /sjacʰɨ/|/sjʌcʰɨ/	underchirt
ボールペン	볼펜/polpʰen/	ball point pen
ポラロイドカメラ	폴라로이드카메라 /pʰoraroitikʰamera/	polaroid and camera
ミシン	미싱/misiŋ/	sewing machine

（3）機能形態素が省略された語

　外国語が他の言語に借用される際には、文法の面ではなく音韻の面による借用が主に行われる。そのため、文法的な面が無視される場合がしばしば見られる。たとえば英語の分詞の「-ing」や複数の「-s」所有格の「-s'」などは、日本語においては存在しない文法的な要素なので無視され省略される場合が多い。このように文法的な機能形態素の省略された語形が韓国語にも多く見られる。

　図表25のように、原語においては文法的に重要な役割をする機能形態素が、日本語において無視され省略された後、その語形が韓国語に借用された結果、韓国語の外来語にも同じ形で現れる傾向がある。

---

[120]　샤츠/sjacʰɨ/ は、日本語のシャツの音形によったもので、셔츠/sjʌcʰɨ/ は英語の under shirt で shirt の音 /ʃʌːt/ によって成立されたものである。両方とも辞書に載っている。

図表25

日本語	韓国語	英語
オープンゲーム	오픈게임/opʰinkeim/	opening game
フライパン	프라이팬/pʰiraipʰan/	frying pan
サングラス	선글래스/sʌnkilrɛsi/	sunglasses
ストッキング	스타킹/sitʰakʰiŋ/	stockings
コーンビーフ	콘비프/kʰonpipʰi/	corned beef
ドライクリーニング	드라이클리닝/tiraikʰilriniŋ/	dried cleaning
カレーライス	카레라이스/kʰareraisi/	curry and rice
ハイヒール	하이힐/haihil/	high heeled shoes
オムライス	오므라이스/omiraisi/	omelette and rice

（4）複合語の省略

　日本語では、二つの単語から成る複合語や二つの形態素の結合で成立した単語の前の部分から2拍、後ろの部分から2拍を採って四拍の語を形成する例が非常に多い[121]。たとえば、「契約、通勤、確実」などの漢語のように、日本語では4モーラの単語を2モーラ＋2モーラという形態素分析をしがちである。したがって、外来語にもこの規則が適用された例が多く見られる。

　韓国語では、複合語として省略された4モーラの外来語は、「오토바이/otʰopai/」のように、偶然日本語と同様に四音節になっている語もあるが、たとえば、マスコミという日本語の四音節語が「매스컴/mɛsikʰʌm/」と三節語に変わるように、四音節形の複合外来語の省略が規則的には適用されないので、これらは日本語からの影響によって成立したものである。

121　国立国語研究所（1981）『外来語の形成とその教育』14頁

図表26

日本語	韓国語	原語
オートバイ	오토바이/otʰopai/	auto+bicycle
オーバースロー	오버스로/opʌsirou/	over hand+throw
オールバック	올백/olpɛk/	all+back
ソフトクリーム	소프트크림 /sopʰitʰikʰirim/	soft+ice cream
ダンプ	덤프/tʌmpʰi/	dump+truck
ハイテク	하이테크/haitʰekʰi/	high+technology
マスコミ	매스컴/mɛsikʰʌm/	mass+communication
リモコン	리모콘/rimokʰon/	remote+control
ワンピース	원피스/wʌnpʰisi/	one piece+dress

2　和製外来語

　和製外来語とは、日本語のうち外国語の単語や形態素を利用して造ったもので、外国語としては通用しない語である。つまり、日本語の漢語において、既成漢語である「発」を造語の語基として用いて「発車・発生・始発」のような新しい漢語を作り出す[122]ように、外国語の単語や形態素を用いて造られた、日本語だけにおいて新しい概念を有する語を指摘する。このような和製外来語を石綿敏雄氏[123]は次のように分類している。

（1）英語にない単語の組み合わせ
（2）接頭語接尾語・文法的な語尾などの使い方が英語と合わないもの
（3）意味用法の変化

122　日向敏彦（1992）「字音語の造語力」『日本語学』5月号。36頁
123　文化庁（1976）「和製英語と国際通用語」『ことばシリーズ4、外来語』67頁

（4）品詞の転用
（5）語形の大幅な省略
（6）異なる外国語の組合せ

　しかし、このうち（2）と（4）・（5）は、原語にあるものが省略された形で、新しく作り出された語ではない。ここでは、（2）と（4）・（5）は原語の変容や省略した語として扱うことにする。したがって、（1）と（6）のみを英語や外国語を語構成要素として新しく造出された和製外来語として認める。また（3）の場合は、原語とは意味が異なる語として、日本語の独自の意味を有する点において和製的といえるので、ここではこれら三つのみを和製外来語として取り上げる。

　（1）原語にない合成外来語
　日本語の外来語には、その要素にあたる単語や語形態素は外国語であるにもかかわらず、原語に存在しない合成外来語が見られる。このような和製合成外来語は韓国語の外来語にも多く見られる。次にその例を取り上げる。
　図表 27 の語は、英語の単語を語構成要素として用いて日本で合成した複合形単語であり、英語にはこのような合成語は見られない。これらの語が韓国語に流入して、日本語と同様の語形と意味をもって使われている。
　その中で一つ注目したいことは、上記のワイシャツの場合、韓国語の辞書[124]には二つの語形、「와이샤쓰/waisjasʼi/」[125] と「와이셔츠/waisjʌcʰi/」が見出し語として載っていることである。一般に使われる語形は前者のほうであるが、これは、前者が日本語系借用語の語形で、後者は一見直接借用系のようにも思われる語形である。

---

124 『東亜새国語辞典』韓国東亜出版社
125 韓国語辞書には、この語について二つの見出し語が見られる。

図表27

日本語	韓国語	英語
オーナードライバー	오너드라이버 /onʌtiraipʌ/	owenr+driver
シャープペンシル	샤프펜슬 /sjapʰipʰensi/	sharp+pencil
ダブルパンチ	더블펀치 /tʌpilpʰʌnchi/	double+punch
ハイティーン	하이틴 /haitʰin/	high+teens
ホームドラマ	홈드라마 /homtɨdirama/	home+drama
オールドミス	올드미스 /oltɨmisɨ/	old+miss
サラリーマン	샐러리맨 /sɛlrʌrimɛn/	sallary+man
バックミラー	백미러 /pɛkmirʌ/	back+mirror
ゴールイン	골인 /kolin/	gole+in
バーゲンセール	바겐세일 /pakenseil/	bargain+sail
ビーチパラソル	비치파라솔 /pichipʰarasol/	beach+parasol
フリートーキング	프리토킹 /pʰiritʰokʰiŋ/	free +talking
マイカー	마이카 /maikʰa/	my+car
ワイシャツ	와이샤쓰 /waisjas'i/[126]	white+shirt
ハイカラ	하이칼라 /haikʰalra/	high+colllar
バックミラー	백미러 /pɛkmirʌ/	back+mirror

126　韓国語辞書には、この語について二つの見出し語が見られる。

しかし、直接借用の対象である英語には「white shirt」という複合語は見あたらない。ということは、後の語形「와이셔즈/waisjʌcʰi/」は、日本で造語されて韓国語に借用されたものを英語の音形に直して人為的に付けた語形であると思われる。このような現象について、裴亮端氏は次のように指摘している。

> 国語辞典や教科書に載せられた外来語の語形には、政策的に日本語式発音を英語式に人為的に新しく改めたものが多い。最近の原語接近と言う面において、日本語式発音を避けるために、原語接近方法において、すべての語を英語式発音として表記することは、語学的な研究の不足によることで避けるべきである。[127]

おそらく上記のような複合語を持ち、同じ意味に用いられているのは、世界の中で日本語と韓国語だけであろう。

（2）異なる外国語による合成語

日本語の和製外来語の中には、英語と他国の語が合成されて一つの複合語を成している語がある。たとえば、和語と漢語が合成して、「ながら＋族」の混種語を作り出すように、英語の「カフス」とオランダ語の「ボタン」が合成されて「カフスボタン」という複合語が造られる。

異なる外国語を語構成要素として造られたこのような多国籍語がそのまま韓国語に借用されている例が数多く見られるので、それらを取り挙げてみる。

---

[127] 裴亮瑞（1975）「韓国外来語の原語判定と表記」『応用言語学』第7巻第2号（拙訳）

図表28

日本語	韓国語	多国籍語
カフスボタン	커프스버튼/kʰʌpʰispʌtʰin/	cuffs+botão（英＋蘭）
テーマソング	테마송/tʰemasoŋ/	thema+song（独＋英）
ゴムテープ	고무테프/komutʰepʰi/	gom+tape（蘭＋英）
ゴムバンド	고무밴드/komupɛnti/	gom+band（蘭＋英）

　上記の語は、それぞれの外国語が日本語に流入して語形態素の資格を得て合成された語である。これらの語は、一つの複合語として韓国語の外来語として認められて辞書に載っている。しかし、これらの語を分けてみれば、個別的な単語としては使われない語がある。たとえば「테마송/tʰemasoŋ/」を分離すれば、「테마/tʰema/」という語は見られるが、「송/soŋ/」という語は単独では辞書に載っていない。なお「커프스버튼/kʰʌpʰispʌtʰin/」の「버튼/pʌtʰin/[128]」の語形は、英語「button」の音形に近似的に直したものであるが、英語には「cuffs button」という語が存在せず、「cufflinks」の形で存在する。したがって、この語形も、日本で造られた和製外来語「カフスボタン」を借用して、その音形を英語のように改めたものであることは明らかである。

3　原語と意味が異なる語

　日本語の外来語には、たとえば「カンニング」のように、原語である英語の「cunning」とは異なる意味をもって使われる語がある。こ

---

[128] 韓国語の外来語は日本語から借用された語もその音形を原語に近い形に直したものがほとんどである。「国語辞典には、韓国語に借用された日本を経た西洋語を日本語に入る以前の西洋語として取り扱っていることを重視するべきで、実際、一般人が使っている発音というよりは、西洋語の原語に近いように、直したものが多い。」裴亮端（1975）「韓国外来語の原語判定と表記」『応用言語学』第 7 巻第 2 号（拙訳）

れについて松村明氏は次のように指摘している。

> 外来語は、原則として、外国語をそのまま取り入れたものであるから、その意味は原語と同じであるはずであるが、実際には原語の意味とすべて一致しているということはあまり多くはない。外来語では、一般に原語の意味より限定されたものであったり、特殊なニュアンスが伴ったものであったりする方が多い。[129]

つまり、外国語が日本語に流入して外来語として定着する際、本来の意味とは異なる意味を持つ一種の意味変容が行われる。これらは、ある原語が日本語において新たな意味を獲得したもので、日本語でしか通用しないものであることが多い。しかしながら、韓国語の外来語にも、原語とは異なり、日本語と同じ意味を表すものが見られる。

・ボス（日）：親分、親方、領袖、首領、陰謀政治屋（角）[130]
・보스（韓）：首領、大物、犯罪集団の頭目（韓）[131]

英語の「boss」には、社長、所長など意はあるが、日本語と韓国語のように悪いイメージではない（英）[132]

・アイロン（日）：英語で flatiron, smoothing iron という。こて。
・아이론（韓）：こて、髪こて。

129 　松村 明（1976）「外国語と外来語」『ことばシリーズ４、外来語』文化庁
130 　「角」は『角川外来語辞典』（角川書店）の略称
131 　「韓」は『東亜새국어辞典』（韓国東亜出版社）の略称
132 　「英」は『新英和中辞典』（研究社）の略称

英語の「iron」には「鉄、鉄のような堅さ、強固、鉄の器具」という意はあるが、日本語と韓国語での意はない。

・レジ（日）：レジスターの略。金銭登録機、勘定台やその係り
・레지（韓）：喫茶店などでお茶を運ぶ女性

英語の原語は「register」で記録、登記、自動記録機の意はあるが、日本語と韓国語で使われるように、人を指す意はない。

・カンニング（日）：試験の際の否定行為
・커닝（韓）：試験の際の否定行為

英語には「cunning」は「狡い、狡猾な」の意で、日本語と韓国語における意はない。

・トランプ（日）：英語では playing cards
・트럼프（韓）：西洋のカード

英語の「trump」は、トランプをする際、切り札として使われるものの意で、日・韓両国語の意として使われる語は英語では「cards」である。

・アルバイト（日）：仕事、作業、労働、英語の part time job
・아르바이트（韓）：労働、仕事、学生や一般人の副業

ドイツ語の「arbeit」の本来の意は労働、仕事、研究の意で日本語と韓国語にある学生の副業の意はない。面白い現象は、「アルバイト」の音節が五音節で、長いと感じたせいか日本では「バイト」と音節を縮め、韓国では「알바/alpa/」の二音節にして用いる傾向がある。

- トランク（日）：大型の旅行用カバン。英語の suitcase
- 트렁크（韓）：旅行用のカバン。車の後ろの荷物入れ

英語の「trunk」は大型のカバンや胴体または自動車の荷物入れの意で、日本語と韓国語における旅行用カバンの意はない。したがって、その代わりに「スーツケース、キャリーバッグ、キャリーケース」という外来語が用いられる傾向がある。

- パス（日）：通る、合格する、定期乗車券
- 패스（韓）：無料入場券、定期券、合格することなど

英語の「pass」には、名詞の用法で狭い通路や峠または水道のという意はあるが、日本語と韓国語における定期乗車券の意はない。

- スマート（日）：体やものの形がすらりとして格好が良い様(泉)[133]
- 스마트（韓）：形がすらりとして整って、軽やかなさま（韓）

英語の「smart」には「活発な、素早い、頭の良い、賢明な（英）」意はあるが、日本語と韓国語のような意はない。

原語の有する意味と異なり、日本語と韓国語に共通の意味をもって使われる語には上記の以外にも、次のようなものがある。

イニシャル：이니셜
ストーブ：스토브
ハンマー：해머
ジェスチャー：제스춰
ステッキ：스틱

---

133 「泉」は『大辞泉』（小学館）の略称。

ナイフ：나이프
　サイダー：사이다
　マンション：맨션
　ハンドル：핸들、(steerinh wheel)
　サイン：사인
　ブローカー：브로커

　上記の例は、原語にそのような語形はあるものの、日・韓両国語の意味は備わっていないものである。つまり、外国語が日本語に流入して使われているうち、本来の意味を失ったか、あるいは意味が拡張するようになり、それらが韓国語に借用されるようになった結果、原語とは異なる。日本語と同じ意味を持つ外来語が韓国語に存在することになったものと思われる。

4　混種語

　ここでいう混種語とは、日本語と外来語の混交によって成立した語のことで、外来語と漢語が接辞のように用いられ、他の語との混交の結果、成立した語である。外国語と他の外国語との合成によって作られ語も混種語とみられるが、日本語では語種の分類として和語・漢語（字音語）に対して外来語と称するので、外来語と和語や漢語との混交によるものだけを混種語と見なすことにした。日本語には、たとえば、和語の成分「生（なま）」と外来語の成分「クリーム」を合成して造られた「生クリーム」という語形が見られる。この類の語が韓国語の外来語にも同様な形態で、同じ意味をもって使われるのが見られるのでそれらを取り上げてみる。

図表29

日本語	韓国語
アキレス腱（achilles＋腱）	아킬레스건/akʰilresikʌn/
ニコチン中毒（nicotine＋中毒）	니코틴중독/nicʰotʰincuŋtok/
生クリーム（生＋cream）	생크림/sɛŋkʰirim/
名コンビ（名＋combi）	명콤비/mjʌŋkʰompi/
クレー射撃（clay＋射撃）	클레이사격/kʰilreisjakjʌk/
ダンプ車（ダンプカー）	덤프차/tʌmpʰicʰa/

　図表29の語は、韓国語における混種語の例である。このように、韓国語における混種語は漢語の接辞と外来語によるものである。その理由は、韓国語においては、漢語として造られた語は借用に抵抗感がないように、漢語と外来語との結合による混種語は、和語と外来語との結合によるものよりも受容されやすい。たとえば、「あかチンキ（赤＋tinctuur）」のような語は、口語として使われている語であるにもかかわらず、辞書に載せられていない。それは、日本語の訓読みの形が混じっているために避けられたのであろう。そのほか、混種語のうち漢字で表記された部分は必ず韓国語の漢字音として読むことが特徴として挙げられる。たとえば、日本語では「生クリーム」の「生（なま）」は訓読みされ、音読みしない語であるが、韓国語では音読みで用いる。「名コンビ」の「名」は、韓国語においても接頭語として「名選手」や「名俳優」などのように語構成要素として使われている。よって、「名コンビ」は韓国で合成されたとも考えられるが、日本語の省略語である「コンビ」と合成されているので日本語の混種語からの借用としてみて差し支えないと思われる。また「덤프차/tʌmpʰicʰa/」は、日本語における「ダンプカー」[134]の前の部分をそのまま用いて、後の

134　日本語の「ダンプカー」は和製英語で、英語としては「dump truck」である。

部分の「カー」だけを韓国語の「車」の意である「차/cʰa/（車）」に代置した語である。これは日本語を原語としている借用語の訳語ともいえる語である。

　ここにおいては日本語経由の西欧語のうち、省略された語形を中心に分析してみた。これらの省かれた外来語形は、日本で造られたものが、そのまま韓国語に借用されたために、両国語における省略語形や合成による語形などが一致していることがわかる。したがって、韓国語における外来語のうち、これまで考察してきた外来語は、その源泉を日本語の外来語に求めるべきである。

4　漢字語借用語の特徴

　ある言語が外来語として借用される際には、両言語の言語体系の相違によって様々な変容が行われることは前にも述べた。しかし、日本語のなかでは、英語の「O.K」のように文字や音形などをそのまま借用して使う場合もある。これはまだ外国語の段階で、一般的には、その音形を借用して、「オーケー」のように日本語の音韻体系による音形の変容が行われ、また日本語の文字で表記されることによってはじめてこれを借用語と認めるべきである。

　このように、ある外国語が借用され、一定の課程を経て外来語化される際には、音形の借用によるものが普通だが、韓国語における漢字語系借用語は、このような音形の借用とは少し異なるのが特徴である。

　韓国語においては、昔から長い期間、自国独自の表記手段を持っていなかったので、中国の漢字のみが表記手段として使われていたし、15世紀において固有文字であるハングルが造られた後にも、19世紀までには漢字で書かれた漢文だけが公用文として認められていた。そのため、韓国では漢字で表記された語については外来語という意識が

薄かった。

　前にも述べたとおり19世紀以降、日本語から多くの漢字語が借用されていたが、それらに対しても、漢字で表記さえできれば外来語と見なす意識はなかったともいえる。

　さらに、韓国語における漢字語を形成する漢字の字音は、「車、金、茶、読、悪、楽」などの一部の語を除けば、そのほとんどが一字一音で、呉音、漢音、唐音のように語によって異なる音を有する日本語とは少し状況が異なる。

　つまり、韓国語のなかにおける漢字語には、古代中国の漢語から借用されたものと、近代日本語から借用されたものなどがあるが、その借用元や時期とは関係なしに、いずれも韓国語の漢字音で読まれる。たとえば、19世紀（開化期）以降、日本製漢語が大量に韓国に流入するが、その中には、次のように日本語において訓読みされる語さえもが韓国語漢字音読みの形にして使われる。

葉書：엽서/jʌpsʌ/、追越：추월/cʰuwʌl/、建物：건물/kʌnmul/、手続：수속/susok/、品切：품절/pʰumcʌl/、貸切：대절/tɛcʌl/、割引：할인/halin/

　このように同じ漢字文化圏である中国語や日本語から借用されて韓国語に定着した漢字語は、そのすべてが韓国語の漢字音で読まれるという点で、音形のみの借用語とはその性質が異なる。つまり、西欧語および日本語の和語から音形のみを借用することによって行われたものだとすれば、韓国語における日本語系漢字借用語は、音形の借用を伴わない、漢字という文字を媒介にした字形のみの借用語ということになる。

　以下、本章では日本語から借用されて韓国語の漢字音で読まれることによって成立した日本語系漢字借用語について分析してみる。

4-1　韓国語における漢字語の位相

　韓国語における漢字語[135]は、日本語における漢語と同様に、語彙体系のなかにおいて固有語、外来語、混種語とともに重要な位置を占めている。ちなみに、韓国語の「国語大辞典」[136]に収録された語種別の構成比は、延べ語数 225,203 語のうち、漢字語が 150,936 語（67.02%）、固有語が 58,323 語（25.09%）、外来語が 15,944 語（7.08%）[137]となっている。また、別の調査である「한국어대사전（韓国語大辞典）」の巻末の分類によれば、延べ語数 164,125 語のうち、固有語 74,612 語、漢字語 85,527 語、外来語 3,986 語で、固有名詞、古語、吏読や接辞を除けば漢字語と非漢字語の比率は 53 対 47 である[138]。これは、韓国語における漢字語の占める位置を如実に示す一つのデータであろう。

　このように、韓国語における漢字語は、それを除けば言語生活ができないほど重要な位置を占めており、今日では表記手段としてハングルのみを認めようとする動きもあるが、ハングルの表記でも意味の紛れやすい単語については漢字を用いたりすることもあるので、漢字の重要性は未だに失われていないのも事実である。

4-2　韓国語における漢字語の起源的系譜

　韓国語における借用語については、第一章で述べたとおり、古代から近代までは中国語からの借用がほとんどで、近代以降は日本語からの借用が主であった。

135　漢字で表記することができ、韓国語の漢字音で読まれる語をこのように称する。
136　李熙昇（1990）「国語大辞典」（民衆書館刊）
137　조영성（1990）「韓国語の中の日本製外来語に関する考察」慶尚大教大修士論。박미영（2023）による 2022 年度の調査は、少し異なる。「'한글' 에 대한 새로운 이해와 상상 -한국어를 더욱 풍부하게 해주는 어휘의 다양한 모습-」参照
138　朴英燮（1994）『国語漢字語の起源的系譜研究』솔터

韓国語における漢字語の系譜について、その起源をたどれば、中国および日本からの借用と、韓国で造られたものの三種に分けられる。その借用の年代においても、中国からの借用は、漢字が初めて伝来した時期から近世までの長期間に渡って行われた。韓国で漢字語が造られたのは、韓国漢文学が成立した以降のことであり、日本から流入したのは19世紀以降からである。

沈在箕氏は、韓国語における漢字語の起源的系譜について次のような例を挙げている[139]。

1. 中国古典から来たもの
    君子、妻子、聖人、天地、莫大など（考経）
    朝夕、風俗、豊年、鮮明、生命など（文選）
    即位、同盟、国家、匹夫、婦人など（左伝）

2. 中国を経由した仏教経典からきたもの
    伽羅、伽藍、袈裟、衆生、出家など

3. 中国の口語である白話文からきたもの
    合当、様子、打破、十分、許多など

4. 日本で造られたもの
    敷地、相談、納得、約束、役割など

5. 韓国で造られたもの
    感気（風邪）、苦生（苦労）、兵丁（兵卒）など

このように、韓国語における漢字語は、独自に造られた語を除けば、

---

139 沈在箕（1990）『国語語彙論』韓国集文堂

その借用の元は中国と日本であるということがわかる。このような韓国語の漢字語について朴英燮氏は、中国古典から借用された語は一般語、仏経からは観念語、日本語からは専門語や学術用語が流入したと述べている[140]。

しかし、韓国語における漢字語のうち、日本語から借用されたものは、単純に漢字語として扱われているが、それらを探ってみれば、様々な日本語が含まれて、漢字語の形をとっていることがわかる。

4-3　日本語から借用された漢字語

前述したとおり、古代から中国より一方的に流入した漢字語は、19世紀以降、日本語から多くの語が韓国語に借用されるようになった。

漢字語の借用元が中国から日本に変わるにつれて、以前中国から流入した漢字語形が日本語の漢字語形に置き換えられた例が見られる。たとえば宋敏氏は、韓国の文献である『日東記游』に現れる「火輪船、火輪之船、火輪、輪船」のような語を取り上げ、これら「火輪船」系語形は近代中国語で『海国図誌』にもその例が見られる語で、近世日本語にも「火輪船、火船」などの語形が見られるが、日本で近代において新しく造語された「蒸気船、汽船」などによって変えられたと述べる[141]。実際現代の日本語および韓国語の辞書には次のような説明が見られる。

・火輪船：汽船、とくに外輪船のこと（幕末・明治に使われた語。（火船））。[142]
・화륜선（火輪船）：汽船の以前の語。省略（輪船）。[143]

140　朴英燮（1995）『国語漢字語彙論』韓国図書出版 박이정
141　宋敏（1994）「甲午更張期の語彙」『새국어생활』第4巻4号
142　松村明監修（1995）『大辞泉』小学館
143　李基文監修（1964）『東亜새（新）国語辞典』韓国東亜出版社、拙訳。

このように、韓国語においても日本語と同様に中国語系漢字語形の「火輪船」が使われていたが、今日においては、日本で造られた日本語系漢字語の「汽船」のみが一般的に使われるようになったのである。

　日本語と韓国語には同じく漢字を表記手段として使っていたので、日本語のうち、漢字で表記された語が韓国語に借用されるようになったのは、和語や西欧語に比べて早く流入し、韓国語の漢字語として定着しやすかったためであろう。

　同様な例は、17世紀に韓国で刊行された『捷解新語』における韓国語の釈文中にも、韓国語としては意味が通じない「念比、気遣、日吉利」などの漢字語が用いられていることなどが見られる。つまり、漢字で表記される「念比、気遣、日吉利」を別の韓国語で訳すより、そのまま漢字で表した方が意味が理解しやすいという考えが働いたものである。

　このように、比較的早い時期から、日本語系漢字語は韓国語に流入して音形の変容を行い、韓国語として定着した。韓国語における日本語から借用された漢字語の実態を考察するために、これまでの研究結果を中心にまとめてみる。

1　日本語系漢字語についての研究

　これまでの韓国語における日本語系漢字語についての主な研究は、韓国語の漢字語の研究として沈在箕「漢字語の伝来と系譜（1982）」、宋敏「語彙変化の様相とその背景（1990）」、朴英燮『国語漢字語彙論（1995）、また日本語の研究として李漢燮「『西遊見聞』の漢字語について（1985）」などの研究が挙げられる。

　（1）沈在箕[144]の「漢字語の伝来と系譜」
　まず、沈在箕氏は「漢字語の伝来と系譜」において日本語からの漢

144　沈在箕（1990）『国語語彙論』韓国集文堂

字借用語として次のような漢字語を伝統漢字語[145]として対比し取り挙げている。

図表30

日本語系漢字語	韓国の伝統的な漢字語
貸家、貸店舗	貰家、貰店舗
生産高、残高	生産額、残額
敷地	基地、基址

　しかし、用例も少なく、日本語から借用された漢字語についての綿密な調査が行われていない。すなわち伝統的な韓国の漢字語として挙げられている「残額」などの語は、いかなる基準でそのように定義したかなどについて十分な論拠がない。つまり、「残額」は韓国語の古語辞典にも載っておらず、韓国語の字典のうち、早い時期に刊行された『韓仏字典（1880）』[146]や『韓英字典初版（1987）』にも見あたらないが、『韓英字典二版（1911）』には載っている。日本語においても韓国語と同じ意味で用いられていることなどからみれば、簡単に伝統的な韓国語の漢字語とはいえない語である。
　日本語系漢字語を韓国語における漢字語の研究の一環として扱っているだけで、出自や経路などについて追加の調査と考察が必要である。

　（２）宋敏の「語彙変化の様相とその背景」
　韓国語における日本語から借用された漢字語について体系的に考察したのは宋敏氏である。宋敏氏は、「朝・日修好通商条約（1976）」の

145　伝統漢字語とは、中国語から借用されたか、あるいは韓国で造られて日本語系漢字語が借用される以前から使われていた漢字語の意である。
146　作者未詳（フランス宣教師）（1880）『韓仏字典』（Yokohama）

後、朝鮮修信使として日本を訪れ日本語に接した修信使たちの記録を考察して、日本語系漢字語をまとめている。たとえば、李鑢永が記録した『日槎集略（1881）』や金綺秀『日東記游（1876）』などには次のような新文明語彙が見られるとしている。

・中学・私立・証券・印紙・営業・公債・人力車・造船所
・医学・数学・会議・議員 [147]

なお、日本語から流入した漢字語が、伝統的な語彙に大きな変化をもたらしてきたと指摘しながら、「語彙変化の様相とその背景（1990）」において、奥山仙三（1929）[148] の付録における日本語系漢字語と固有漢字語を比較して、次のような例を取り挙げている。

図表31

日本語系漢字語	固有漢字語
家族	食口
夫婦	内外
美人	一色
交際	相従・交接
見本	看色

ところが、宋敏氏自身も疑わしい項目もあると認めているように、その出自が中国語か日本語からかについての調査が行われていない。ただし、韓国語と中国語との漢字語形を次のように対照し、現代韓国語における漢字語の語形が中国語より日本語と一致するということで韓国語に

147　宋敏（1988）「日本修身使の新文明語彙接触」『語文学論叢』
148　奥山仙三（1929）『語法会話朝鮮語大成』京城、日韓書房

おける漢字語が日本語からの借用語に近いことを主張している。

日本語	:	韓国語	:	中国語
野球	:	野球	:	棒球
帰国	:	帰国	:	回国
気分	:	気分	:	情緒（精神、心情）
相談	:	相談	:	商量
食事	:	食事	:	飯（飯食）

　上記の例をみれば、確かに現代の韓国語の漢字語は中国語より日本語と同形であるので、日本語からの借用の可能性が高い。

　　（3）朴英燮の『国語漢字語彙論』[149]
　朴英燮氏は『国語漢字語彙論』で、韓国語における漢字語の系譜の分析において韓国の資料[150]に見られる日本語系漢字語彙1,182語を取り挙げている。日本語系漢字語の流入については次のように見解を述べている。

　　日本語系漢字語の流入は開化期を通して西欧の文物が導入されてからである。これらは主に開化期の近代式学校の設立と新聞・雑誌等を通した西欧の新しい知識を紹介する課程で新語や外来語が流入・借用された。
　　しかし、その出自などについては触れていない。なお、日本語系漢字語を中国語系漢字語とどのような方法で区別したかについても述べられていない。たとえば、収録語彙のうち、「演繹的」や「倫

149　朴英燮（1995）『国語漢字語彙論』韓国博而精出版社
150　『開化期国語教科書』、『西遊見聞』、『万物事物起源歴史』、『少年』、『青春』、『新民』から調査、収集。

理学」などの語が見られるが、これらの語は、森岡健二氏などによって中国語から借用された語であることが、すでに明らかにされている。[151]

```
deduction    演繹法（中庸序、更互演繹）
ethics       倫理学（礼楽記、通干倫理）
```

確かに、これらの語が中国語から日本語に借用された後、再び韓国語に借用されたとは思われるが、その経路を明らかにする必要はある。

（4）李漢燮の「『西遊見聞』の漢字語について」

前記の3人は韓国語研究者で、それぞれの研究は韓国語のなかにおける漢字語の研究の一環として日本語系漢字語を考察されたものである。

しかし、日本語研究者としての李漢燮氏の研究は韓国語における漢字語全体ではなく、日本語と関連付けて日本語系漢字語の出自と経路を明らかにしたところが前の3人の研究と異なる。すなわち、韓国語に流入した日本語系漢字語を究明するために、韓国の資料である『西遊見聞』に出ている漢字語[152]を日本の文献や中国の文献と比べ、『西遊見聞』以前の中国や韓国の文献には見あたらないが日本語の文献に見られる語を日本語系漢字語として認め、日本で造られた274個の語と、中国で造られ日本を通して韓国に入った16個の語を合わせて290個の漢字語を取り挙げている。

・医学・印刷・衛生・現実・裁判・新聞・倉庫・石油
・電車・灯台・美術・見本・命令・優勝など

---

151 森岡健二（1969）『近代語の成立―明治期語彙編―』明治書院 273頁
152 李漢燮（1985）「『西遊見聞』の漢字語について」『国語学』141集

この研究は、韓国語における日本語系漢字語についての文献と用例に基づいてその出自と経路を明らかにしている点について高く評価される。ただし、『西遊見聞』だけに限った漢字語の調査であり、その量も少ないので、韓国語における日本語系漢字語の全体に関してはなお今後の研究が要求されるべきであろう。

　（５）中国の『現代漢語外来詞研究』[153]

　日本語系漢字借用語については、同じく漢字文化圏である中国においても盛んに研究されている。中国では近代以降、日本で造られた日本製漢語が中国語に流入したため、それらについて研究が進んでおり、『漢語外来詞辞典』等の辞典や『現代漢語外来詞研究』等の研究書も刊行されている。中国語における日本語から借用された漢語について『現代漢語外来詞研究』においては、次のように3つに分類しているので、参考としてそれを紹介する。

（１）純粋な日本語から借用された現代中国語の外来語（元から日本語に存在し、欧米語彙要素を翻訳したものではない日本語の単語）：
　　　場合、場面、場所、支配、体験、取消など90語

（２）中国の古典から借用し、意味が改新された語：
　　　文学（『論語』）、文化（『説苑』）、文明（『易経』）など67語

153　鳥井克之訳（1988）『現代中国語における外来語研究』関西大学出版部として日本で刊行されたので、それを参照した。

（3）日本語の訳語：漢字の組合せにより欧米語を意訳あるいは音訳した語。
　　美学、美術、抽象、電力、独裁、概念など299語[154]。

この分類について、沈国威氏（1994）は次のように指摘している。

(1)の語に関して「下駄」のような日本固有の文物、制度を表す語を除けば、語の形成、一般使用、少なくとも新しい意味の付与において、外国語と何らかの関係をもっていたことは、日本の近代語の研究によって明らかにされている。たとえば『明治のことば辞典』によれば、この項に挙げられた「支配」「体験」「取消」などは、外来概念の刺激を受けて一般化したものであり、訳語の性格が強い。この意味では、(1)は(2)、(3)と少なからず共通性をもっている。[155]

このように、中国にも近代において日本で造られた訳語の借用についてはその見解や分析が多様である。

4-4　日本製訳語系漢字語

これまでは韓国語における日本語系漢字語は漢字語としてひと括りに扱われているが、実は韓国語の漢字語のなかには、その原語である日本語の字音語ばかりだけではなく和語や当て字なども多く含まれている。

韓国語における日本語系漢字語は、中国語における日本語系漢字借

154　森岡健二（1969）によって中国古典から置き換えた語として明らかになった語「絶対（絶対孤立自得之義）」、「演繹法（中庸序、更互演繹）」等も見られる。
155　沈国威（1994）『近代日中語彙交流史』（笠間書院）63-64頁

用語と同様に、次のように分類することが可能である。

1 訳語：西欧語を漢字で訳して造られた語
（１）意訳語：西欧語の概念を漢字の表意機能を生かした翻訳語。
（２）音訳語：西欧語の音形（発音）を漢字の表音機能を生かし、漢字を当てた語。

2 当て字和語：固有日本語に漢字を当てて表記した語

　近代以降、西欧の文物が東洋に伝わるにつれ、その概念を表すために日本で造られた新しい漢語には、「銀行」、「保険」、「化学」のようにすでに中国で造られた語を中国語から借用したもの、「演繹」、「良心」、「福祉」のように中国の漢籍から借りて意味を改新したもの、「常識」、「哲学」、「郵便」などのように日本で漢字の表意性を利用して造られたものなどがあり、その出自は多様である。

　同様に、韓国語における日本語系漢字語の出自を明らかにすることは難しく、またそれを全部明らかにしたとしても、その借用経路まで明らかにすることは、いまのところかなり難しい。

　ここでは、これまでの研究によって韓国語において日本語系借用漢字語として認められた語について、韓国側の文献を対象にしてまとめておく。

3 日本語における訳語

　江戸末から明治期の西洋文物の伝来につれて、日本語には新しい概念を表す語が急増したが、それらのなかには漢字の表意性を利用して造られた多くの訳語がある。

　日本語の訳語には、仮名書きによるものと漢字によるものが存在する。『国語学研究辞典』[156]によれば、日本語における訳語は「十六世紀

156　佐藤喜代治編（1977）『国語学研究字典』明治書院

以前の漢語に対するものと十六世紀以後の西欧語に対するものとに大別される。漢語の訳語は訓または字訓といわれて仮名書きされ、西欧語の場合は漢字で書き表されるが普通である。」と説明されている。

ここでは、仮名による訳語はひとまずさておいて、西欧語の訳語によって造られた漢語だけを対象として見ることにしたい。

森岡健二氏は近代において成立した漢語による訳語を、次のように分類している[157]。

（1）置き換え：既存の漢語で置き換えられた語
・現世・安心・解説・世界・出世

（2）再生転用：古語や廃語を再生したり、新しい意で転用された語
・absolute：絶対（絶対孤立自得之義）
・becoming：転化（准南原道、転化推移得一之道以小生多）
・deduction：演繹法（中庸序、更互演繹）
・ethics：倫理学（礼楽記、通干倫理）
・relativity：相対（荘子林注、左与右相対而相反）

（3）変形
① 省略：経済（経世済民）
② 音読み法の変更（呉音から漢音）
・変化（呉音：ヘンゲ、漢音：ヘンカ）
③ 文字の入れ換え、転倒：論推・謬誤など

（4）借用
・ability（才能・機能）

157　森岡健二（1969）『近代語の成立―明治期語彙編―』明治書院 269

・abhor（嫌悪）

（5）仮借
　　　・珈琲・瓦斯など

（6）造語（日本製漢語）：
　　　・共和・神経・地球・衛星・圧力・重心・水素
　　　・哲学・美学・工学・哲学・美学など。

　上記の（1）から（5）までの訳語は、多少語形を変えることはあっても、そのほとんどは既存の漢語を置き換えたり、借用したりしたものであるが、（6）は日本独自に造られた日本製漢字訳語である。
　明治期の日本語においては、このように西欧語が持っている意味を漢字で翻訳する方法によって数多くの漢語が造られ、以前に比べて語彙数が増加したのである。

4　日本語系漢字語

　近代において日本で造られた語は、そのほとんどが漢字の表意性を利用して西欧語を翻訳したものである。
　森岡氏は、幕末から明治、大正にかけて、漢語による翻訳語の急激な増加が目立っていることを『英和辞書』の調査をもとに指摘している[158]。
　このように日本語において急増した漢字訳語のうちどのような語が韓国語の漢字語として定着したかについて韓国の文献『西遊見聞』を対象にまとめてみる。

158　森岡健二（1969）『近代語の成立―明治期語彙編―』明治書院 267 頁

二字漢字語：

医学、依頼、印刷、院内、引論、衛生、営業、演説、欧州、下院、外交、会社、会場、解剖、概論、会話、科学、化学、学費、架設、学科、関係、管制、議員、幾何、技術、汽船、客室、休戦、牛痘、給料、協議、行政、競争、共治、距離、共和、銀行、金額、軍医、軍楽、軍艦、経験、経済、形式、芸術、形法、月収、原因、現金、権限、現実、現像、建設、元素、現代、建築、権利、公園、工業、公権、公告、交際、鉱山、交渉、公衆、光線、構造、鉱物、工兵、語学、国債、国憲、歳出、裁判、酸素、時間、支出、市場、時代、実用、紙幣、司法、資本、社会、就学、宗教、銃剣、銃殺、重砲、重量、主義、主権、出版、主務、上院、商業、商権、条件、商社、商店、蒸発、殖民、所長、人権、新聞、心霊、水素、推相、条約、消化、数学、税額、政権、政体、政府、税法、西暦、石油、説教、戦時、宣戦、船体、船長、専任、船舶、占有、増加、総額、倉庫、操縦、速度、総計、体格、体制、体操、中立、庁舎、庭園、碇泊、敵視、哲学、鉄橋、鉄柵、電車、電信、電線、電報、動機、灯台、独裁、独立、特別、特許、特権、農学、爆発、発射、馬力、反射、美術、肥料、舞台、物資、物品、分析、文法、文明、法官、法規、暴挙、暴行、紡織、法庭、暴徒、法律、見本、命令、約束、遊戯、優勝、遊星、輸運、令状、要港、論述、論評、乱暴、理学、立憲、流行

三字漢字語

医学校、演説会、海関税、海陸軍、家産税、家室税、器械学、機関士、機関車、議事院、芸術書、軽砲隊、言語学、鉱物学、孤児院、古物学、裁判所、証印税、蒸気車、蒸気船、常備車、常備兵、女学校、植物院、植物学、人口税、新聞局、司法官、歯牙医、宗教学、修身学、小銃隊、牛痘法、窮理学、共和党、金石学、経済学、政治学、生物学、専売権、造船局、造幣局、総領事、測量学、睟業状、太陰暦、大学校、代議士、大審院、大都会、大統領、太陽暦、炭気灯、痴児院、中立国、中立党、

電気学、電信機、電信局、伝染病、天文学、天文台、動物院、動物学、爆発物、博物学、博物館、博覧会、舶来品、独立軍、物産学、歩騎砲、輸出品、郵便船、婦人医、紡織所、法律学、保守党、野戦砲、流行病、硫酸水、歴史学、老人院

四字漢字語

化学機器、共和政治、君民共治、高等学校、裁縫器械、試験事項、師範学校、自主権利、自由貿易、蒸気機関、商人会社、私立学校、文明開化、立憲政体

上記の例を通して見てわかるように『西遊見聞』に現れる日本語系漢字語は、そのほとんどが新しい訳語である。

用例として取り挙げられた漢字語はわずか290個で、韓国語における日本語系漢字語の一部にしかすぎないが、これらの語を他の文献や辞書と比べてその実態を類推することが可能である。

上記の用例のうち、当て字和語系は「市場(いちば)」と「見本(みほん)」の二つのみである。これは『西遊見聞(1985)』が刊行された時期までは、後の時代に数多く流入することになる「手続」や「組合」のような訓読みの当て字和語はあまり流入しなかったことが察せられる。

また、『西遊見聞』の漢字語は、著者である兪吉濬が福沢諭吉の著書である『西洋事情』の影響を受けたことを考えれば、個人性ということも考慮に入れる必要がある。

李漢燮氏は日本語から入った語彙として『西洋事情』から受け入れた語、「医学、会社、海陸軍、人口税、炭気灯」など110個の漢字語を挙げている。しかし、これらの語のなかには、「医学、会社」のようにそのまま定着した語もあるが、「海陸軍、人口税」のように、現在は使われない語も存在する。これは、兪吉濬が福沢の個人が造って用いた個人性が強いともいえるべき単語をそのまま『西遊見聞』に借り入れたことによるからである。

上記の語がその時代に実際にどれほど用いられたか探ってみるために、『西遊見聞（1895）』より後に刊行された『韓英字典＜二版＞（1911）』[159]と 1906 年から 1912 年の間に書かれた韓国の新小説における語彙[160]とを比べてみた。すると、これらの文献には現れない語として次のようなものがあった。

二字漢字語

　院内、引論、下院、概論、会話、科学、学費、幾何、給料、共治、共和、軍楽、軍艦、共治、芸術、現実、現代、公権、公告、裁判、自主、資本、社会、就学、銃殺、重砲、主義、商権、条件、商社、商店、消化、推相、政体、心霊、税法、船体、操縦、体制、庁舎、庭園（庭前）、碇泊、敵視、動機、独裁、発射、物資、法規、暴挙、暴行、紡織（紡績）、見本、乱暴、論述、論評

三字漢字語

　議事院（室）、軽砲隊、歯牙医、商物学、証印税、（人口税）、造船局、総領事、太陰歴、炭気灯、痴児院、舶来品、歩騎砲、硫酸水、歴史学

四字漢字語

　化学機器、君民共治、裁縫器械、試験事項、自主権利、自由貿易、蒸気機関、商人会社

　『韓英字典』には見られないが、そのうち次の語は「新小説」では

159　J.S.Gale（1911）『韓英字典―Korean-English Dictionary』（The Hukuin printing Co.Lt. Yokohama）
160　韓国国立国語研究院（1993）『新小説言語使用実態調査』、調査対象なったのは（『親小説・翻訳（訳）小説』韓国亜細亜文化社（1978）影印本十冊）における新小説作品 13 編である。

第 5 章　借用経路による借用語の音形と字形・205

見られる。

　学費、軍艦、裁判、資本、主義、商店、小銃、人口、操縦、碇泊、暴行、乱暴、歴史、自主権、睟業状など

　これらの語のほとんどは現代の韓国語辞書に載せられており、辞書に見られない語は次のようなものがある。

二字漢字語
　引諭、欧州[161]、共治、推相

三字漢字語
　家産税、家室税、究理学、芸術書、古物学、歯牙医、小銃隊、造船局、痴児院、炭気灯、中立党、歩騎砲、紡織所、硫酸水、老人院

四字漢字語
　化学機器、裁縫器械、試験事項、自主権利、商人会社など

　このように、『西遊見聞』に見られるほとんどの語は現代の韓国語の辞書にも載っているが、上記のような語、とくに三字漢字語の多くは韓国語の辞書に載っていない。これらは日本語の辞書にも見られないものであるが、三字漢字語の「医学＋校、演説＋会」を語基と接尾辞として分解すれば、語基である「医学、演説」は辞書にみられるものである。四字漢字語の「化学機器、裁縫器械、試験事項、自主権利、商人会社」の複合語も「化学＋機器」、「自主＋権利」のように単語と単語の結びによるものとして分解すれば、各々の単語は辞書にみられる。

161　「欧州」は単独語では載っていないが、「欧州共同体」のように複合語の形で載っている。

これらは福沢諭吉が西洋の制度や概念を説明するために造った個人性の強い語彙ともいえる。たとえば、『西洋事情』の翻訳の部分においては、「家産税」について次のような説明がなされている。

　　商売を為し或いは学術を教授する等に由て家産を営むものは、一歳所得の利潤二十五分の一を官に納む。之を家産税と云ふ。[162]

今日の「所得税」にあたるものであろう。このようなものは福沢個人が当時使われていた単語を語基として造った複合語であったと見られる。

　また李漢燮氏は『西遊見聞』の語彙のうち、現代の韓国語で使われてない語を19語を取り挙げている。そのうち「海関税」は日本語の辞書にも韓国語の辞書にも複合形としてみられる。「人口税、中立党、造船局、新聞局、自主権利」等は現代韓国語辞書にも見られないが、韓国語で使われている語として分類している。しかし、なにに基づいたものかはわからない。

　さらに、『西遊見聞』に見られる日本語系漢字語の中には、「古物学」のように現代の韓国語とは意味が異なる語などもある。

　ちなみに、「古物学」についての『韓英字典』には次のように説明している。

고물학　古物学　Archacology[163]

　英語のArchacologyは、現代においては「考古学」の意味として用

162　富田正文編（1980）「西洋事情―初編巻之一―『福沢諭吉選集第一巻』」岩波書店　107頁
163　ロブシャイドの『英華字典』には「古学、論古」となっている。

いられてる。現代韓国語辞書には「古物学」という三字漢字語はみられないが、「古物」は「古い物件」の意味として使われているので、少しずれがある。

『西遊見聞』における日本語系漢字語の中には、日本で訳語として造られた語が多いが、中国の古典から借りて訳語として用いた例もあるので、先行の研究[164]を参考にしてそれらを出典とともに取り挙げれば次のようになる。

医学（旧唐書）、衛生（庄子）、演説（尚書）、共和（史記）、経済（宋史）、芸術（後漢書）、刑法（佐伝）、資本（釈名）、社会（東京夢華）、自由（後漢書）、主義（史記）、条件（北史）、消化（周書）、博物（佐伝）、法廷（柳宗元）、法律（管史）

上記の語は、元々中国で造られた漢語が日本に借用されて意味の変化を経た語である。それらが、今度は逆に中国に流入して、古典の意味とは異なる意味をもって使われるに至ったものである。つまり、中国語から日本語に借用された語が改めて中国語や韓国語に流入した語の例の一部である。

このように、韓国の文献である『西遊見聞』に見られる日本語系漢字語290個の語について他の文献や現代の辞書と比べて考察した結果、韓国語に定着した日本語系漢字語が約83％に至る。この結果のように韓国語における日本語系漢字語は韓国語に流入する際、音形が韓国語の漢字音読みに変わるだけで容易く入るようになったことがわかる。このような背景から近代において日本で漢字を用いて造られた漢字訳語が数多く流入して、漢字語として定着し使われていることと判断される。

164　沈国威（1994）『近代日中語彙交流史―資料編』笠間書院

4 日本語系漢字音訳語

　漢字音訳語とは、漢字の有する表意性と表音性のうち、表意性を切り捨て、表音性のみを生かして成立した語で、言い換えれば漢字の字音だけを用いて造られた漢語である。すなわち、「表意性漢語は字義を以て意味を表すのに対して、表音性漢語は字音を以て意味を表すのが特徴である」[165]。

　中国における漢字の構成法には「六書」[166]があるが、漢字音訳語とはこの「六書」のうちの「仮借」に相当するものである。中国には古代からこのような漢字の字音を用いて音訳語を作り出した伝統があった。たとえば、中国で造られて日本語や韓国語に流入した多くの梵語系の仏教用語である「阿修羅（asura）、比丘尼（bhiksuni）、菩薩（bodhisattva）、夜叉（yaksa）」[167]などや近世において西欧語の音訳として造られた「三鞭（champagne）、硼砂（borax）、檸檬（lemon）、耶蘇（jesus）、欧羅巴（Europe）」なども漢字を介した音訳語である。

　日本語においても、たとえば、『万葉集』に用いられた「末通女（をとめ）、恋水（なみだ）、寒（ふゆ）」[168]などの万葉仮名や、「六借（むつまし）、浅猿（あさまし）」[169]などのような中世の当て字用法にみられるように、古くから漢字の字音や字訓を用いて日本語を表記していた例があり、現代においても「試合」「時計」などの語は当て字によって成立したものなので、漢字を媒介した当て字の用法はその根が深い。

　近代以降西洋の文物が東洋に伝来したことにより、中国と日本では

165　邱根成（1996）「表意性漢語と表音性漢語の研究」『専修大学院文学研究科博士号学位請求論文』238頁
166　象形・指事・会意・形成・転注・仮借。
167　鈴木丹士郎外（1979）『国語史辞典』東京堂出版「梵語からきた日本語」の項
168　杉本つとむ（1994）「あて字概説」『あて字用例辞典』雄山閣 476頁
169　林義雄（1994）「古辞書のあて字―『名語記』・『塵袋』を中心に―」『日本語学』1994年4月号、所収

数多くの訳語が誕生したことは周知の事実であるが、このような漢字音訳語の伝統によって、中国においては「三鞭酒（シャンペーン）、紐育（ニューヨーク）、伯林（ベルリン）」などが、また日本においては「護謨（ゴム）、曹達（ソーダ）、独逸（ドイツ）」などの音訳語が造られるようになった。

また、漢字文化圏に属する日・中・韓語においては漢字を表記手段として用いているが、各々の国語における漢字の字音はそれぞれ異なる。中国で造られた漢字音訳語は中国語の漢字の字音に基づいて成立したものであり、日本で造られた漢字音訳語は日本語の字音に基づいて成立したものである。たとえば「Deutsch land」に対する音訳語は、中国では「徳意志」[170]になり、日本では「独逸」と当てられるように、それぞれの字音によって漢字が当てられ語形を異にする場合が多い。このように外国語を各々の漢字の字音で音訳することによって成立した漢字音訳語は、中国で造られたものが日本語や韓国語に流入すると、その音訳の漢字の字音がそれぞれ違うため、外国語の原語とその音形が異なるものとなる傾向がある。そのようなずれを防ぐために、日本語では中国語から借用された漢字音訳語には「紐育〔ニューヨーク〕、伯林〔ベルリン〕」のようにルビを振っておいた。さらに漢字意訳語である「麺麭（パン）」「麦酒（ビール）」[171]のように漢字で表記されていても、日本語の字音として「メンホウ」と「バクシュ」とは読まないのが一般の使い方である。

しかし、韓国語においてはかつてから中国語の漢語を借用して韓国語の音読みで読むのが伝統のようになっているので意訳語であろうが、音訳語であろうが、区別せずいずれも韓国語の漢字音読みで「三鞭酒：삼편주/samp^{h}jʌncu/」と「伯林：백림/pɛkrim/」と読まれる。また日本語のようにルビを振る例もあまりないため、ほとんどが漢字

170　樋口信也（1992）『日中辞典』小学館、参照
171　韓国語においては /mɛkcu/ と読まれて通じる。

音読み化して定着することが多い。

　このような漢字音訳語は、日本で造られたものにもそのまま適用され、日本語の漢字の字音に基づいて造られた漢字音訳語「独逸/tokiI/」などは他の漢字意訳語とともに借用されて韓国語の漢字音読みで読まれるので、音訳か意訳か混同されるケースもしばしば起こる。

　漢字音訳語とは、当てられた漢字の字義よりは字音によって語意を持つようになって成立するものなので、中国や日本で造られ韓国に借用されて韓国語の漢字音読みで読まれるものは当然その音形も変わることになり、原語とはかけ離れた音形を持つようになるので、音形の近似によって語としての意を有する音訳語としての機能を失うことになる。それにもかかわらず、明治期において日本で造られた漢字音訳語が他の意訳語と同様に、漢字で表記されたということだけでなんの変容もなく、漢字の字音だけが韓国語の漢字音読みで読まれ用いられているので原語とは音形が異なる漢字音訳語が生じたのである。

　韓国語における漢字語は、意訳語と同様に、音訳語においても「欧羅巴、阿片」のように中国で造られて借用されたものもあり、「倶楽部、虎列刺」のように日本で造られて借用されたものもある。ただし、この章では日本語からの借用と思われる語だけを取り挙げることにする。

　韓国語における漢字音訳語の借用は中国語と日本語から流入したものが共に存在するので、これら漢字音訳語の出自をすべて明らかにすることは難しいであろうが、ここでは日本語からの出自を決める方法として、韓国語の資料[172]に見られる用例について日本語の資料には『宛字外来語辞典』[173]を、中国の資料には『英華辞典』[174]を用い、日・中両方にある場合は中国で造られたものと規定し、見られない場合は日本で造られたものとして判断する。

172　李鍾極（1937）『모던（モダン）朝鮮外来語辞典』漢城図書
173　宛字外来語辞典編集委員会編（1991）『宛字外来語辞典』柏書房
174　ロブシャイド「英華字典」および高名凱外「漢語外来詞詞典」上海辞書出版社

＊印は現代韓国語字典に見出し語として載っている語である。[175]

図表32

漢字表記	日本語	韓国語	原語
加農砲	カノン砲	＊가농포/kanopʰo/	canon
加里	カリ（カリウム）	＊가리/kari/[176]	kali
加里硝子	カリガラス	가리소자/karisoca/	kali+glass
珈琲	コーヒー	가배/kapɛ/	coffee
加特力教	カトリック＋教	가특력/katʰikrjʌk/	catholicism
護謨	ゴム	＊호모/homo/	gum
苦蘇	クッソ	고소/koso/	kousso
倶楽部	クラブ	＊구락부/kurakpu/	club
基路米突	キロメートル	기로미돌/kiromitol/	kilometre
単寧	タンニン	＊단녕/tannjʌŋ/	tannin
弗	ドル	＊불/pul/	dollar
羅紗	ラシャ	라사/rasa/	raxa
嗹	レン	연/jʌn/	ream
淋巴	リンパ	＊임파/impʰa/	lymph
馬克	マルク	＊마극/makik/	mark
満俺	マンガン	만암/manam/	mangan
門羅＋主義	モンロー	문라/munra/	monraeism
米突	メートル	미돌/mitol/	meter
彌撒	ミサ	미산/misan/	missa

175　ハングル学会（1958）『우리말큰사전―第３版―』
176　現代の字典では 独立単語としては見られないが、「青酸加里」としては載っている。

甘蕉（香蕉）	バナナ	감쵸/kamcʰo/	banana
汎	ハン＋ゲルマン主義	＊범/pʌm/	pan-germanism
封度	ポンド	＊봉도/poŋto/	pound
飛龍頭	ヒリョズ	비용두/pijoŋtu/	filhos
紗羅紗（更紗）	サラサ	사라사/sarasa/	sarasa
曹達	ソーダ	＊조달/cotal/	soda
沃度	ヨード	＊옥도/okto/	jod
越幾斯	エッキス	월기사/wʌlkisa/	extract
窒扶斯	チフス	질부사/cilpusa/[177]	typhus
打	ダース	＊타/tʰa/	dozen
忽布	ホップ	＊홀포/holpʰo/	hop
健質亜那	ゲンチャナ	건질아나/kʌncilana/	gentiana
古柯	コカ	고가/koka/	coca

　図表32の例は、日本語の文献[178]にも用例が見られる語である。

　『モダン朝鮮外来語辞典』に収録された外来語は約12,000語であるが、日本から借用されたと思われる語は上記に取り上げた語だけであるので、その数は多くない。

　例を見てわかるように日本で造られて韓国語に流入したこれらの漢字音訳語は、韓国語の漢字音として読まれる際には、「加里」のように、偶然日本語の漢字音と韓国語の漢字音が似ていることで日本語系漢字音訳語が原語とその音形が近似する場合もあるが、「護謨（호모/homo/）」のようにそのほとんどは、原語の音形とは全く異なる音形を持つようになる。

177　韓国語の現代字典には「窒扶斯」は見出しで出てないが、「腸＋窒扶斯」は載っている。
178　宛字外来語辞典編集委員会編（1991）『宛字外来語辞典』柏書房

このように音形の変容によって原語との音形のずれが生じるにもかかわらず、韓国語にそのまま定着したのは、前にも述べたとおり、ただ漢字で表記されたというだけの理由によるものである。
　このような漢字音訳語は、音形が異なるということで後から意訳語に変わった例もある。たとえば、英語の「president」に対する訳語として「伯理璽天徳」が用いられたが、後においては「大統領」に変わり、今日は「president」の意味を表す語として「大統領」のみが使われている。宋敏氏はこのことについて次のように指摘している。

> 1891年までは国家公式文書では'伯理璽天徳'やがてpresidentの模写形が'大統領'の代わりの用いられていた。
> 「大朝鮮国君主　大美国伯理璽天徳[179]　並其商民…」[180]

　このような「伯理璽天徳」が「大統領」に変わった例が見られるのは1892年からである。

> （高宗）二十九年（1892）駐箚美国公使報称　該国前大統領因南党再薦　定為新大統領[181]

　このような語は修信使であった李鑢永の記録である『日槎集略(1881)』に「大統領」の語の下に「即国王の称」という注を付けていることを見れば「大統領」という概念を理解していなかった。そのため、「大統領」という語が受容されずに「伯理璽天徳」という音訳語が使われていたのだが、その後「大統領」という語が受容され定着した。
　これは、日本語から借用された音訳語が漢字の意味としては不十分

179　下線は拙者の添付（以下同）
180　韓国「増補文献備考」巻之一白八十二［補］交聘考十二附韓美条約。
181　韓国「増補文献備考」巻之一白八十一［補］交聘考十一泰西各国交聘

なので、後に意訳語に代わったことを示す貴重な例であろう。

また、韓国の『モダン外来語辞典』には見出し語として挙げられるが、日本語の資料にはその用例が見あたらない語として図表33のような語がある。

図表33

漢字表記	日本語	韓国語	原語
加密児列	カミルレ[182]	가밀아열/kamilajʌl/	camomile
巨淋[183]	クリム	거림/kʌrim/	cream
普連土＋派[184]	フレンド＋ハ	보련토/porjʌntʰo/	friend
福寿	ボックス	복수	box
亜列布油	オリーブ＋油	아열포/ajʌlpʰo/	olive-oil
侏羅記	ジュラ	주라기/curaki/	jura
苦味丁幾	くみチンキ	고미정기/komicʌŋki/	?
弧光燈	アーク＋燈	호광/hokwaŋ/ ＊	arc-lamp

これらの語のうち、「加密児列、普連土」などの語はその漢字表記を日本語の字音をもって読めば原音と近い音形になる語であるので、日本で造られた漢字音訳語と推測されるが、用例が見られないので断定はできないところである。

---

182 「カミツレ」という表記もあるが、これは「加密列」という漢字を当てたためのなまり。『コンサイス外来語辞典―第3版―』(1979) 三省堂
183 日本語には見あたらない。
184 英語の「friend」に近い「普連土」の字音は日本語の字音／フレント／であるが『当て字字典』では日本語には見あたらない。

第5章 借用経路による借用語の音形と字形・215

また、日本語のアーク燈の「弧光燈」も管見には用例が見あたらないが、「弧燈」という用例[185]は見られる。しかし、中国の英華字典にも英語の「arc」については「弧」という漢字で訳されたものが見られるので、おそらく、中国語から借用されたものではないかと思われる。

　音韻の点においても、これらの日本語系漢字音訳語は西欧語系外来語と同じく借用語であるにもかかわらず、西欧語系の外来語とは区別されて扱われる面がある。

　つまり、韓国語の共通語の音韻規則においては、元来語頭には古代日本語と同様に /r/ の子音はこない。そのため語頭が「ㄹ/r/」で発音される漢語「喇叭 / 라괄」などの語は韓国語に借用された際には「나팔/napal/」のように語頭の「ㄹ/r/」が「ㄴ/n/」に変わって用いられる。現代の韓国語の辞典[186]において、語頭が「ㄹ/r/」で始まるものは、固有語の場合一つも見出し語が載っていないことを見ればそれが理解できる。ただし、このような音韻規則は、外来語の場合は例外として、語頭に「ㄹ/r/」が来るのが認められ「라디오/ratio/（ラジオ）」「림프/rimp^h/（リンパ）」などの語形が存在する。

　たとえば「淋巴腺」は日本で造られた日本語系漢字音訳語であるので、元来韓国語の漢字の字音にしたがえば「림파선/rimp^{h}asʌn/」であるはずであるが、語頭の音が変容され、現在は「임파선/imp^{h}asʌn/」の音形で用いられている。これは、この語が日本で造られた漢字音訳語を借用したものであるにもかかわらず、漢字で表記されたということで外来語の扱いではなく漢字語として扱われて韓国語の音韻規則が適用されたものである。現代の韓国語の国語辞書には外来語として「림프/rimp^{h}i/（リンパ）」という語形が見出し語として載っている一方、「임파선/imp^{h}asʌn/」という語形も別の見出し語として存在する。

185　荒川惣兵衛著（1977）『角川外来語辞典』角川書店
186　李基文監修（1964）『東亜 새国語辞典』韓国東亜出版社、参照。

このような現象は、原語を同じくする借用語であっても、韓国語においては西欧語に対する漢字音訳語は漢字語として認識され、西欧語から直接借用された語形は外来語として区別されていることを明らかにする一つの例である。

1　和語系漢字語

　和語系漢字語というのは、日本語において「手続（テツヅキ）」「受取（ウケトリ）」のように漢字を訓読して用いられている日本の固有語が韓国語に流入して、韓国語の漢字音読みで読まれ、漢字語として定着している語を意味する。

　日本語には元来、和語であった語に漢字が当てられて字音語化した類の語がある。山田孝雄氏は、「日本製の漢語といへるは、形は漢語と同じく漢字を用いてそれを音読するものなれども、それは本来の漢語にあらずして本邦にてつくれるものをさす」と指摘して、もとの日本固有語に漢字を当てた後、あとに音で読むことによって字音語の形態を有する語として次のような語の成立を例に挙げている。

「ではる＝出張（シュチャウ）」
「日の手当＝日当（ニッタウ）」
「番に当たる＝当番（タウバン）」[187]

　一方、日本語には、「上回り・窓口」などのように、音読みされるのではなく、訓読みによって使われる語がある。これらは日本語においては漢字で表記されていても決して音読みされることはない語である。しかし、これらの訓読みされる和語は、韓国語に借用されて韓国語の漢字音読みで読まれ、同じ意味をもつ漢字語として使われてい

187　これらの語形は韓国語に借用され、現在の韓国語の漢字音読みで読まれ使われている。

る。すなわち、しばしば述べたとおり、韓国語においては借用の対象となる語の語種はどうあれ、漢字で表記されたものであれば、韓国語の漢字音読みで読まれ、漢字語として定着する傾向がある。

このように、日本語から流入して韓国で使われている漢字語についての調査によれば、現代の韓国語の辞典に載録されている語のうち、日本語と同じ語形（漢字表記）を持つ語のなかで「合気道」を「합기도/hapkito/」としたり、「赤信号」を「적신호/cʌksinho/」とするように、日本で一部または全部が訓読みされている語が韓国では音読みされ使われている語が 405 個ある[188]。

さらに、日本語において漢字で表記されて訓読みされている語の中、「窓口」などの語は漢字だけで表記されているが、連用形で名詞を成す「貸し出し・追い越し」などのような語は漢字に送り仮名が付く語である。しかしこれらの語が韓国語に流入して漢字語として定着する際には、漢字以外の要素は省かれ、「貸出」になり、それを韓国語の字音で「대출/tɛcʰul/」と音読みしてしまう。つまり、日本語の仮名の部分は韓国語においては外国語の言語要素であるので、切り捨てられて漢字の部分のみが採択され音読みされることになる。

このような和語系漢字語はいつから韓国語に現れ始めたかについて調べてみると、西欧語に対する漢字訳語より後の時代に流入したものと思われる。

韓国の文献である『西遊見聞（1895）』における日本語系漢字語借用語として、「営業・印刷・会社」など、290 語が見られるが、訓読みや湯桶読みされる和語系漢字語は「市場・見本」のただ二つしか見あたらないことは前にも述べたとおりである。さらに、それより後の時代である 1906 年から 1912 年の間において刊行された韓国の『新小

---

[188]　李漢燮（1984）「現代韓国語に入っている日本語―日本で一部または全部が訓読みされる語を中心として―」『語文』大阪大学、所収

説』[189]には、次のような和語系漢字語の用例が見られる。

・葉書・只今・時計・大人・手帖・小切手・小包・赤十字・赤字
・下関[190]・金井

　このように、『新小説』に出ている漢字語は延べ8,586語であるが、和語系漢字語は上記の例しか見られないので、その数はわずかにすぎない。これによって、1920年代までは韓国語には和語系漢字語がそれほど多くは流入していないことがわかる。日本語において音読みされる漢字訳語などが近代初期から借用されて韓国の文献に多く現れることとは異なり、和語系訓読み漢字語の姿があまり見られない理由は、音読みされる漢字訳語に比べて、これらの語は漢字で表記されていても送り仮名などが付いているし、日本語では訓読みされていたので、外国語という印象が強かったために、そのまま借用するには抵抗感があったからであろう。

　韓国語に本格的に和語系訓読み漢字語が現れるのはさらに後の時代である。すなわち1910年から1945年にわたる日本の植民地支配によって、韓国では日本語が公用語と用いられたために、公用語としては日本語、生活語としては民族語である韓国語というような二重言語生活が行われた。それによって、日本語が生活語の中に流入するようになり、その中には訓読み漢字語も含まれていたものと思われる。そのように本来の日本語の訓読み漢字語が生活語の中に入って使われているうちに、韓国語の中にある漢字語のように、仮名の部分などは切り捨てられ、漢字の部分のみが採択され、韓国語の音読みで読まれたことによって次第に韓国語の漢字語として定着したものと推測される。

189　韓国国立国語研究院（1993）『新小説言語使用実態調査』
190　「下関・金井」のような地名や人名が見られるが、その地名や人名の読みにおいても「下関（하관/hakwan/）」のように音読みで読まれるので、本来とは全く異なる音形をもつようになる。

たとえば、韓国で1930年から1942年の12年間の調査によって完成され、戦後に出版された『큰사전（大辞典）』[191]には、「明渡・後払・編物」など数多くの和語系漢字語が載せられている。
　このように、日本語においては訓読みされる語が韓国語に借用されて音読みされ、語形と音形が変容される語を現在の韓国語辞典に基づいてその一部を取り出せば図表34のような語が見られる。

図表34

和語	韓国語の漢字語
明け渡し	明渡（명도/mjʌnto/）
言い渡し	言渡（언도/ʌnto/）
受け取り	受取（수취/suchy/）
埋め立て	埋立（매립/mɛrip/）
売り上げ	売上（매상/mɛsaŋ/）
追い越し	追越（추월/chuwʌl/）
買い入れ	買入（매입/mɛip/）
切り上げ	切上（절상/cʌlsaŋ/）
組み立て	組立（조립/corip/）
据え置く	据置（거치/kʌchi/）
競り合い	競合（경합/kjʌŋhap/）
取扱い	取扱（취급/chykip/）
積み立て	積立（적립/cʌkrip/）
引き上げ	引上（인상/insaŋ/）
船積み	船積（선적/sʌncʌk/）
手当て	手当（수당/sutaŋ/）

191　한글학회（1958）『우리말 큰 사전』어문각

見積もり	見積（견적/kjʌncʌk/）
品切れ	品切（품절/pʰumcʌl/）
編み物	編物（편물/pʰjʌnmul/）
貸し切り	貸切（대절/tɛcʌl/）
下請け	下請（하청/hacʰʌŋ/）
小売り	小売（소매/somɛ/）
葉書	葉書（엽서/jʌpsʌ/）
出張	出張（출장/cʰulcaŋ/）
割引	割引（할인/halin/）
見本	見本（견본/kjʌnpon/）
立場	立場（입장/ipcaŋ/）
敷地	敷地（부지/puci/）
家出	家出（가출/kacʰul/）

　これらの語は現代韓国語の辞典[192]から一部を取り出したものである。
　このような和語系漢字語のなかには、過去の文献には用例が見られるが、現代では使われない語もある。すなわち、「受付・小切手・手形」などの語が辞典には見出し語として載っているが、現在の韓国語においては使われていない語である。つまり植民地時代には日本語が公用語であったため使われていたが、戦後、韓国語のみが公用語に認められたことによって、排除された語であろう。このように韓国語における和語系漢字語には排除されたものもあり、そのまま定着して現在も使われている語も見られる。すなわち、植民地の時期においては、公用語として認められた日本語と民族語である韓国語の二重言語生活によって日本語が自然に韓国語の枠組みの中に入って使われるようになったが、戦後、植民地支配が終わることによって、韓国語には日本

192　한글학회（1958）『우리말 큰 사전（韓国語大辞典）―第3版―』ハングル学会

語排除の動きが起こりその結果、韓国語の固有語で代置できるものは、たとえば「受付→接受」「小切手→手票」のように他の漢字語や、また「手形→어음/ʌim/」のように固有語に変えられたために、使われなくなった語も見られる。

　日本語系漢字訓読み語は、たとえば「下請」の場合、韓国語の漢字語としては「下請（하청/hacʰʌŋ/）」として音読みされ定着している。すなわち、日本語の「下請/シタウケ/」という語が韓国語に借用されて音読み化が行われることによって、新しい音形「하청/hacʰʌŋ/」が生まれた一方、日本語の訓読みである「シタウケ」について「시다우케/sitaukʰe/」という音形を持つ語が、専門用語として使われている例も見られる。すなわち原語は一つであるのに、韓国語においては、韓国語の漢字音読みで読まれるものは漢字語として、日本の訓読みによるものは日本語系外来語として使われていることになる。

　これまで、日本語から韓国語に借用されている語のうち、漢字文化圏で行われる字形のみの借用語として日本製漢語を取り上げ、西欧語について漢字を用いて造った漢字訳語を意訳語と音訳語と分けて考察し、和語に漢字を当てて使っている訓読み字音語などについて韓国の辞典と資料を中心としてその実態を調べた。

　その結果、韓国において、古代から近代までは漢語の借用元は中国のみであったが、日本の明治期以降には中国語に変わり日本語からかなりの借用が行われた。また、古代から中国の漢語を借用して韓国語の音読みで読んで用いる伝統があったため、近代以降に流入した日本語からの借用においても、漢字で表記されていたものは、日本語では音読みされる語であろうが、訓読みされる語であろうが、いずれも韓国語では音読み化され漢字語として使われてきていることがわかる。

　もう一つ、韓国語における日本語系漢字借用語のうち、西欧語についての訳語である「科学・学費」のような意訳語と「護謨・曹達」などの音訳語が韓国の文献には比較的に早い時期から現れる。しかし、

「言渡・売上」などのような和語系訓読み語は近代の初期には見られず、後の植民地時代になってからは見られるようになる。

第 6 章

医学用語の借用の実態

日本語系借用語は口語や俗語、専門用語等に多く見られるが、本章においては近代以降韓国語に取り入れられた医学用語の借用経路や成立、そしてその実態などを把握する。

　実態を調べるために、韓国で 1906 年に刊行された『解剖学卷一』における医学用語を取り挙げる。そしてその底本と思われる日本の『実用解剖学』の医学用語との比較を行い、日本語からの影響を明らかにする。

　日本の近代における西洋の医学用語はオランダの西洋医学書を翻訳した『解体新書（1774）』をはじめ『重訂解体新書（1798)』などに登場する。たとえば、「屈伸、拇指、分泌 鎖骨、心臓、眼球、軟骨、榮養、腕骨、運動、隆起、子宮、椎骨、血液」などの医学用語がそれである。つまり、日本で初めて造られた医学用語が日本語として定着したのであった。その後 1906 年に刊行された『実用解剖学』などの医学書に用いられることになる。

　一方、韓国において西洋からの影響を受け、医学や科学に関する知識をとり入れる際、日本の書籍を参考にするなど、医学用語を選択、または翻訳する。その過程において日本語系医学用語が多く流入、借用される。たとえば、「距骨、肩胛、肩峰、脛骨、鼓膜、骨盤、顆粒、內臟、肋骨、頭蓋、分泌」などの用語は一般の辞書にも載り、一般用語にも用いられている。

　前章で述べたように、韓国語に外来要素が流入したり、借用された時期は大きく二つに分けられる。つまり 19 世紀中盤以前までは中国語の表記体系である漢字と中国からの書籍などを通し、多くの語彙が流入、借用される。しかし、19 世紀半ば以降になると日本や西欧などとの交流により、借用元が日本語と西欧語に変わる。

　とくに日本語系の借用語は近代以降自発的に借用されてきた面もあるが、植民地が始まった後には日本語の強制使用や教育により強制的な流入が起こることになる。この過程において自発的であれ強制的で

あれ、近現代にわたって韓国語の語彙形成に大きな影響を及ぼしてきたことは間違いない。

日本語から韓国語に流入または借用された借用語には、「でばり」から生まれた「出張（출장）」のような和製漢語をはじめ、英語の「society」が漢字に翻訳された「社会」のような翻訳語、そして「salad」が音訳された「サラダ（사라다）」のような西欧語系外来語など、その語種も多様である。

日本語系借用語のうち、多くの影響を及ぼした分野は建築、医学、服飾等と学術用語を含む専門用語で、とくに医学分野においては医療用語の約80％以上が日本語から借用である[193]と報告されている。

1　日本における近代医学用語の成立過程

日本でヨーロッパの解剖図が最初に翻訳され、紹介されたのは17世紀末に長崎の通訳者である本木良意の『解剖図譜（1682）』である。

> 長崎通詞本木良意が、J.レメリン（1583-1632）の『解剖図譜』を翻訳している。これが日本における最初のヨーロッパ解剖図譜の翻訳である。同書で翻訳された＜盲目腸・指十二幅腸・髄筋＞などが百年を経た『解体新書』で＜盲腸・十二指腸・神経＞となっている。中略、『解体新書』よりさらに約三十年後、文化二年（1805）に刊行された宇田川玄真『西說醫範提綱釋義』では解体新書で訳せなかった、たとえば＜蛮度（バンド）・奇縷（ゲール）＞を＜靭帯・乳摩管＞のように訳出あるいは改訳している。[194]

193　전종휘（1984）「우리의 의학용어」한글새소식140호, 10쪽
194　杉元つとむ（1987）『解体新書の時代－江戸の翻訳文化をさぐる』早稲田大学出版部　2頁

このように日本においてヨーロッパの解剖図が初めて翻訳されたのは江戸初期だが、引用で見られるように、『解剖図譜』に現れる翻訳語の「盲目腸、指十二幅腸」などは現代日本で使われる用語とその形態が大きく異なる。むしろその後の時代に刊行された『解体新書』と『西說醫範提綱釋』の用語と類似している。
　日本において西洋の医学用語が最初に成立したのは、杉田玄白らが翻訳し、刊行した『解体新書』である。翻訳本であるが、この『解体新書』に現れる医学用語がその嚆矢となったものといえる。
　一方、佐藤（1980）は、『解体新書』の翻訳を筆頭に近代的な意味での西洋医学に関する用語が現れ始めたが、『解体新書』には原語をそのまま漢字で表記するなど、一部不完全な部分が多く残っていると指摘している。『解体新書』における問題点を解決するため、杉田玄白の門下生である大槻玄沢が『解体新書』を改訳した『重訂解体新書（1798）』には多くの用語が対訳になったり新しく作られたりしたことがわかる。そして、その中から多くの用語がそのまま定着して現代語において、用いられていることは明らかである。

> 「重訂解体新書」は、「解体新書」を、玄白の命によって玄沢が改訂したもので、寛政十年（1798）に刊行された。両書とも刊行後相當に広く読まれていたことは、版本の種類が多く、しかも、しばしば版を重ねたことからも知られるのである。本書『重訂解体新書』が、『解体新書』より一層厳密に訳されたことは勿論であるが、更に一般語においても現代語と一致する点が多いのである。[195]

　『解体新書』で一字で成立した用語が『重訂解体新書』では二漢字語に改訂された単語を見ると次のようになる。

195　佐藤亨（1980）「重訂解体新書の譯語」『近世語彙の歴史的研究』桜楓社

胃之液／胃液、咽／咽頭、順／運行、養／榮養、血／血液、胛／肩胛、隨／骨髓 ＜『解体新書』／『重訂解体新書』＞

　上の例は、『解体新書』の「咽」のように一字漢字語と「胃の液」のように句で成立した語を「咽頭、胃液」などの二字漢字語に改訳した例である。このように、日本で西欧医学に対する翻訳が初めて始まったのは本木良意の『解剖図譜』であるが、近代的な意味で西洋医学に対する医学用語が翻訳され、本格的に成立、定着したのは、『解体新書』を初めとして見ることができる。その後、刊行された『重訂解体新書』と『西說醫範提綱釋義』などにより新たに改訳、造語されたことがわかる。
　一方、これらの医学用語に関する語源および出典について異論もある。舒志田（2003）は、中国で作られた一部の西洋医学用語が日本の医学用語の成立に影響を与えたことを用例を通して主張している。

　　跟骨、肋骨、內臟、四肢、子宮、掌骨、脊髓、血液、胸骨、『醫學原始（1692）』[196]

　上記の用語は、医学用語を翻訳する過程で中国の書籍を参考にしたという記録から見て、おそらくもともと中国で使われていた漢語の意味を若干変化させたものと考えられる。したがって、このような医学用語の一部は中国で作られ、日本に影響を与え、その後、韓国に借用されることとなる。この一連の過程を通じて日本で造られた医学用語は現在韓国語にも相当の数が存在し、用いられていることがわかる。

196　舒志田（2003）「性学粗術の語彙と日本の近代漢語」韓国日本語学会2003年度国際学術大会「漢字文化圏における近代語の成立と交流」発表集

2　韓国における西洋医学書の翻訳

　韓国で西洋医学が施術されたのは、記録によれば19世紀末にアメリカ人宣教師のアレン（Horace N. Allen）によるものがその嚆矢となっている。アレンは当時、朝鮮政府に西洋医学を取り入れた医療機関の設立を提案した。それが認められ、1885年2月、広恵院（3月に済衆院に改名）を設立し、開院する。そして、教育のために朝鮮政府の支援を受けて1886年にソウルに学校を開き、英語と算術、物理、化学、解剖学などを教え始める。その後アレンの後任として赴任してきたのが、エビソン（Oliver R. Avison）である。彼は、医学教育を行うにあたって、科学用語や医学用語がなかったため、教育の困難を感じ、西洋医学書の翻訳を開始した。しかしエビソンの語学の能力では西洋医学書を当時の韓国語に翻訳するのに無理があった。よって助手兼学生だった韓国人の金弼淳（1978-1919）と一緒に西洋医学書を翻訳することにした。その翻訳過程において用語選択や造語方法に関して次のような記録がある。

　　우리가 그레이씨의 해부학을 번역하기 시작할 때에 나는 조선말로 그
　　여러 가지 과학상 술어를 번역할 수 없음을 알고, 어찌할 바를 몰낫다.
　　그래서 우리는 이 교과서를 번역할 뿐만 아니라 새말을 만들지 않으면
　　아니 되엿다. （중략） 따라서 우리는 과학상 여러 가지 술어를 번역과
　　함께 새로 만드러 내기 시작하였다. （중략） 중국에는 서양으로브터 의
　　료 선교사들이 조선보다 훨신 일즉이 드러와서　의학　서적을 중국말
　　로 준비한 것이 많엇다. 이　책들을 참고하는 가온대 도움을 받은 것이
　　많으나 어떤 것은 조선에 적당치 않게 된 것도 상당히 만엇엇다. 교과서
　　전부를 다　준비하기 전에 일본 것을 구입하여 참고한 것도 많엇는데
　　대개는 문부성에서 의학교　교과서로 준비한 것들이엿다. 일어로 된

교과서중에도 중국어로 된 교과서에서 쓴 술어를 쓴 것이 많엇으나 어근은 같은 것이로되 서로다르게 쓴 것도 많엇으므로 두 가지를 참고하여 조선에 적당하도록새로 만든 것도 상당히 많게 되엿다[197].

（日本語訳：私たちがグレイさんの解剖学を翻訳し始めた時、私は朝鮮語でそのいろいろな科学上述語の翻訳ができないことを知り、途方に暮れた。それで私たちはこの教科書を翻訳するだけでなく新しい言葉を作らなければいけなかった。（中略）私たちは翻訳をする一方、様々な用語を新たに作り始めた。（中略）中国には西洋から宣教師たちが朝鮮よりずっと早く現れ、医学書籍を中国語で準備していた。漢文で書かれた本を参考にし、受け入れたものが多いが、あるものは朝鮮で使うには相応しくないものも相当あった。したがって、日本のものを参考にし、作ったものも多かった。その多くは日本の文部省が医学学校の教科書として準備したものだった。日本語の教科書の中にも中国語の教科書と重複する用語が多かった。漢字を使うので語根は同じものであるが、互いに異なる書き方をしたものも多かったので、二つを参考にして朝鮮に合うように、新しく作ったものも相当多くあった。）

上記の引用文からもわかるように、20世紀の初めまで韓国においては、西洋医学に対する知識が広く普及していなかったため、西洋医学を理解するのに困難があった。このような問題点を解決するため、西洋医学書に対する翻訳が行われたが、限界があったので中国と日本で翻訳された医学用語を参考にしたことがわかる。それによって多くの医学用語が中国と日本から借用され、定着することとなり、近代韓国語医学用語の成立に大きな影響を与えたことがわかる。

197　魚丕 信博士小傳（二五）「조선의료교육의 시작（二）」귀독신보, 제867호 1932年7月13日、（延世大学校医学大学医史学科編済衆院（세브란스）医学教科書韓國医史学科叢書）

3　医学翻訳書に現れる医学用語の形態

　韓国の最初の西洋医療機関である済衆院で編纂された教科書の中で素材が確認されたものは、『薬物学上巻無機質（1905）』、『新編化学教科書無機質（1906）』、『解剖学巻一（1906）』、『新編生理教科書前（1906）』、『診断学1（1906）』、『診断学2（1907）』、『武氏産科学（1908）』などである。

　なお、エビソンは当時、西洋医学書であるグレイの解剖学を翻訳したという記録はあるが、現存するものはない。一方、日本の書籍を底本とした翻訳医学書として『解剖学巻一（1906）』、『新編生理教科書前（1906）』、『武氏産科学（1908）』などがある。

　ここでは日本書籍を通じて影響を受けた医学用語の実態を究明するため、1906年に済衆院で翻訳、刊行された『解剖学巻一』と日本で刊行された『実用解剖学（1887）』に現れる医学用語を比較する。そして各々の特徴および実態を取り挙げてみる。

3-1　『解剖学巻一』の翻訳の実態

　日本で刊行された『実用解剖学』における医学用語とこれを底本として翻訳された『解剖学巻一』の用語を比較してみると、『実用解剖学』の語彙が『解剖学巻一』に多くの影響を与えたことがすぐわかる。

　まず、『実用解剖学』と『解剖学巻一』の用語の例を取り挙げると次のようになる。

　　骨格 Sceleton（Gerlppe）ト云フ則チ 身体ノ 基礎ニシテ他器ノ支
　　柱ト成リ或ハ大小不等ノ腔竅ヲ造リ貴要ノ器管ヲ包護ス又シ筋肉
　　ニ由リテハ各々運動ヲ営ム者ナリ [198]

198　今田束（1906）『実用解剖学』（株）東京印刷 1巻、4ページ

골격 (骨格) 이라 하니 곧 신체의 기초라 다른 기계의 기둥이 되며 크고 적은 여러 구멍이 있어 귀하고 요긴한 기관 (器官) 을 싸서보호하며 또 인대로서 모든 뼈의 관절을 연하여 매며 근육으로써 각각 운동을 하는 것이니라[199]

上記の内容でわかるのように、『解剖学巻一』は『実用解剖学』の記述にある漢字語や仮名をハングルで表記したことがわかる。たとえば「骨格（骨）」のような単語は、意味の理解を助けるために括弧内に漢字を併記した。『実用解剖学』と『解剖学巻一』の用例を抽出し、比べると以下の通りである。

골격（骨格）、신체（身体）、기관（器官）、인대（靭帯）、관절（関節）、근육（筋肉）、운동（運動）

「신체（身体)」のようにハングルだけで表記された例が見られるが、これは新しい翻訳をしたというよりは、『実用解剖学』に現れる漢字表記をただハングルで表記したものに過ぎない。それはエビソンの説明にも見られるように、当時の韓国語には西洋医学用語の概念が成立していなかったので、日本語の医学用語をそのまま借用したものと推測される。

面白いのは、『実用解剖学』には漢字で「器管」と表記されてあるが、『解剖学巻一』には括弧の中に「器官」と併記されている点である。なお、『実用解剖学』本文の医学用語には日本語にドイツ語とラテン語を併記している例が見られるが、『解剖学巻一』にはドイツ語とラテン語の代わりに英語が併記されているのも違う点である。

199　ハングル表記は現代表記に変更。韓国延世大学校医科大学医学史科編（2000）済衆院（세브란스）医学教科書3、韓国アセア文化社、13ページ

第6章 医学用語の借用の実態・233

骨組織（Feinerer　Bau der Knochen）『実用解剖学』[200]
골조직（骨組織）BONE TISSUE　『解剖學卷一』[201]

　これは当時、漢字語に翻訳された医学用語が確実な意味を持って、定着していないので、理解に困難があってはいけなく、施されたと推測する。『実用解剖学』の著者である今田は、漢字語に翻訳された医学用語について、次のような説明を付けている。

　訳名ハ尽ク先哲ノ所定ニ従フト雖モ亦タ必ス名下ニ羅甸語或ハ逸語ヲ併記シ以テ検悦ニ供ス。[202]

『解剖学卷一』の翻訳者であるエビソンと金弼淳は説明の部分を英語で説明した方が理解しやすいと思い、ラテン語とドイツ語の部分を英語に置き換えたものと思われる。

3-2　『解剖学卷一』における医学用語の特徴

　『解剖学卷一』に現れる医学用語の用例を取り挙げ、その語構成を分析してみると、医学用語の表記は「후두백회（後頭百会）」のようにハングルと漢字が併記された例と『実用解剖学』の漢字語表記を「쥬상골결절」のようにハングルだけで表記した例、そして「유스타키오관（eustachiantube）」のようにハングルとローマ字で併記した例がある。
　それらの中で、医学用語として認定[203]される用語は、全体用例のうち、漢字語が1,223個である。少ないが韓国語の固有語に翻訳された

200　今田束（1887）実用解剖学（株）東京印刷 1 巻 16 頁
201　韓国延世大学校医科大学医学史科編（2000）済衆院（세브란스）医学教科書3　アセア文化社 17 頁
202　今田束（1887）実用解剖学（株）東京印刷
203　韓国延世大学校医科大学医学史科編（2000）済衆院（세브란스）医学教科書 1　（解題、索引）に基づく。

例も現れる。

　뼈, 등뼈, 머리, 목, 발목, 손목, 팔꿈치, 반달모양, 벌의집

　ハングルで表記された固有語の例は単一語と複合語、句を合わせても 9 つの用例しかない。
　「뼈（骨）」と「벌의집（蜂窩）」の場合は、固有語の横に括弧を付け、漢字を併記している。これは当時、これらの語を医学用語として使用するに、かなりの戸惑いがあったので、施された措置ではないかと推測する。
　すなわち、『解剖学卷一』の翻訳者であるエビソンと金弼淳は日本語から漢字語をそのまま借用したが、概念の理解を助けるためにハングルと漢字を併記する方法を選んだものだろう。
　『解剖学卷一』の 1,223 個ある漢字語の用例のうち、漢字の数に区別してまとめると次のようになる。まず、一字漢字語 15 用例が現れる。

一字漢字語：

　腱（469）[204]、頸（372）、孔（314）、溝（320）、口（323）、弓（308）、筋（293）、囊（471）、竇（330）、膜（291）、背（296）、骨（293）、體（298）、核（546）、脾（295）

　一字の用例が多く現れない理由は、前述したように『重訂解体新書』と『西説醫範提綱釋義』などを通じて多くの用語がほぼ二字の漢字語で作られて定着したためだと思われる。
　一方、二字で成立した漢字語が 269 用例として現れるが、そのうちの一部だけを抜粋してみると次のようになる。

204　括弧は、本文に現れる『済衆院（세브란스）医学教科書』のページを表す。

二字漢字語：

　脛骨（418）、鼓室（345）、骨盤（308）、髖骨（307）、屈伸（430）、筋骨（423）、肋骨（319）、大翼（331）、頭蓋（325）、堆骨（306）

　これらの他にも二字漢字語は次のように相当数の用例が複合語の語基として使われている。その一部を抜粋して取り挙げる。

　骨盤－：骨盤腔、骨盤帶聯接
　肋骨－：肋骨擧筋、肋骨結節、肋骨頸、肋骨溝、肋骨部
　篩骨－：篩骨棘、篩骨突起、篩骨神經溝、篩骨緣、篩骨截痕、篩骨櫛
　鎖骨－：鎖骨上窩、鎖骨截痕、鎖骨下勁脉溝、鎖骨下筋

　このように複合語の語基となる二字漢字語は、明治期以降に作られたものも多いが、多くは『重訂解体新書』と『西説醫範提綱釋義』などに現れる用語で、近世以降に作られた医学用語がそのまま定着して用いられたことを証明する。
　なお、三字漢字語は356個の用例が見られるが、一部の用例だけを抜粋し、取り挙げると次のようになる。

三字漢字語：

　擧睪筋（486）、擧瀬筋（511）、鋸齒緣（335）、腱質部（490）、肩胛頸（391）、關節窩（391）、膠樣髓（303）、口蓋骨（335）、棘上筋（515）、內胚板（293）など

　三字漢字語は用例数が356個あり、一字漢字語と二字漢字語よりその用例数が多い。しかし、実際に三字で成立している漢字語の語構成を分析すると、「口蓋骨」のようにほぼ複合語で構成されており、語基を形成しているのは一字の漢字語と二字の漢字語の合成となっている。

また、四字以上の漢字語は583個の用例がみられるが、一部の用例を取り挙げると次のようになる。

四字以上の漢字語：

　假關節突起（315）、加棘狀突起（315）、假橫突起（315）、甲狀舌骨筋（500）、綱狀結締組織（294）、距骨筋骨間靭帶（464）、距骨筋骨關節（464）、肩胛舌骨筋（499）、肩峰突起（389）、肩峰鎖骨關節（445）

　現れる頻度としては、四字以上の漢字語が最も多く、583の用例があったが、三字漢字語と同様に、その語構成を分析すると、「肩峰鎖骨關節」のように語基を成しているのは、「堅峰」、「鎖骨」、「関節」のような二字の漢字語が中心を成していることがわかる。
　一方、固有語や漢字語の外にも、「불화칼시염，산화쏘듸엄」のような混種語（漢字語と英語の混合）をハングルで表記した用例がいくつかある。

　　그로토플나슘，님프，님프션，불화칼시염，산화쏘듸엄，끌뇌셔씨파렬，뻬듸아씨관，뻬듸아씨신경，뻬듸아씨관，아놀드씨신경，알킬레스건，애노토미，에스상와（S 狀窩），유스타키오관（eustachian tube），유스타키오관공，탄산박리시염，탄산칼시염，포팟씨인대，하버쓰씨쇼관（小管），하우엘씨층판

　上記の用例でわかるように、英語が含まれているものが20個もあるが、その構成を見ると、「불화칼시염，산화쏘듸엄」のように漢字音と英語の音が混在した例と「뻬듸아씨관，아놀드씨신경，알킬레스건」のように英語音と漢字音が混種して、ハングルで表記された場合がある。そして「님프，애노토미」のように英語発音のみをハングルで表示した用例も見られる。

表記上の特徴から区別すると「에스상와（S 状窩）」のように括弧内にアルファベットの大文字と漢字を混用して意味を説明した例と「유스타키오관（eustachian tube）」のように括弧の中にローマ字で表記を行った例が見られる。おそらく、医学用語について理解を深めようとして、英語の説明を併記したと推測される。

　しかし、このような表記は翻訳によって行われたものではなく、底本である『実用解剖学』の片仮名を単にハングルに移したことがわかる。つまり、翻訳過程において『実用解剖学』の医学用語をほとんどそのまま借用し、『解剖学卷一』に用いたと思われる。それらの用例が現代語にどれほど影響を及ぼしているかを調べるため韓国で刊行されている『必須医学用語集（2005）』[205]と比較してみると、159 用例が一致する。そのうちの一部だけを見ると、次の通りである。

　　白血球、繁殖、蜂窠、縫合、附骨、分泌、鼻腔、鼻骨、髀臼、鼻涙管、
　　上顎骨、生殖、上皮、色素、纖維、聲帶、神經、足關節、坐骨

　医学用語の専門用語集の外に一般語辞典にもその用例が見られる。二字漢字語を中心に一部を抜粋すると次のようになる。

　　距骨、犬齒、脛骨、結節、鼓膜、鼓室、骨盤、顆粒、軀幹、鉤狀、
　　球狀、屈筋、卵巢、內臟、肋骨、內皮、頭蓋、眉間、分泌、四肢、
　　上皮、舌骨、聲帶、鎖骨、伸筋、眼球、眼窩、腋窩、軟骨、榮養、
　　外科、運動、隆起、靭帶、子宮、組織、坐骨、尺骨、脊髓、脊柱、
　　錐體、恥骨、齒冠、血管、血液、頰筋、虹彩、橫徑、喉頭、胸腔、
　　胸骨、胸廓、胸椎[206]

205　大韓医師協会編著（2005）『必須医学用語集』図書出版、アラム、（『필수의학용어집』도서출관 아람）
206　『民衆エッセンス国語大辞典』（1994）民衆書林（第 4 版）

これは、近代以降日本で成立し、定着した医学用語が翻訳書である『解剖学卷一』などにより日本語から韓国語に借用され、現代語にまでその影響を及ぼしていることを裏付ける例である。

4 医学用語の成立および借用

　医学用語の借用の過程を調べると日本で刊行された『実用解剖学』とこれを底本とし、韓国で翻訳、刊行された『解剖学卷一』の内容は、一部の固有語の翻訳以外はほとんどの用語がそのまま借用されていることがわかる。
　また、『解剖学卷一』に借用された西洋の医学用語は、日本で初めて翻訳された『解体新書』を筆頭に、『重訂解体新書』、『西説醫範提綱釋義』などに現れる用例も相当数含まれている。その一部を取り挙げると次のようになる。

　　屈伸、拇指、分泌、鎖骨、心臟、眼球、軟骨、榮養、腕骨、運動、隆起、子宮
　　椎骨、血液など『重訂解體新書』[207]

　つまり近代以降西洋医学用語が日本で『解体新書』を通じて初めて作られた後、『重訂解体新書』などによって再整理され、明治期に使用されていた。なお、その医学用語が『実用解剖学』に用いられることになり、それを底本として韓国で翻訳された『解剖学卷一』に反映され、日本で造られた医学用語が借用されていたことがわかる。
　このように、『実用解剖学』の翻訳を通じて韓国で刊行された『解

207　佐藤亨（1980）「重訂解體新書の譯語」『近世語彙の歴史的研究』櫻楓社

剖学卷一』は、日本の医学用語の借用に重要な媒介の役割を果たしたことが推察できる。

　いままで考察してきたように、近代の中国と日本において西洋医学の導入とともに作られた西洋の医学用語に関する漢字翻訳語などは書籍の翻訳を通じて当時朝鮮に借用されたことがわかる。そして、その多くは現在もそのまま引き継がれ、専門用語として用いられ、一部は一般用語としてまで使われている実情であるところから、借用語が韓国語の語彙に与えた影響はかなり大きいと言わざるを得ない。

第7章

外国地名に関する漢字表記の借用

日本における外国地名は「アメリカ」、「イギリス」のように片仮名で表記するのが一般的である[208]。しかし、このような外国地名の表記も、江戸時代から、明治期にかけては漢字で表記するのが一般に行われた。すなわち、現在の仮名書きである「アメリカ」、「イギリス」等の国名が、以前は「亜米利加・亜墨利加・米利堅・米国‥」、「諳厄利亜・大不列顚・英吉利・英国‥」のような漢字表記をしたのである。今日においては、このような漢字表記はみられないが、たとえば「日米安保条約」などの熟語の表記は外国地名の漢字表記に基づいている。

　一方、韓国語においては、現在「ドイツ」「イギリス」「アメリカ」などを「독일/tokil/（独逸）」「영국/jʌŋkuk/（英国）」「미국/mikuk/（美国）」のようにハングルで表記しているが、これらのハングル語形は、「独逸」「英国」「美国」の漢字表記を韓国語の漢字音読みにしたものである。さらに、これらの外国地名は、その音形をみれば、原語の外国地名の音形とはかなり異なることがわかる。一見これらは、「麦酒」のように漢字の表意性をもって造られた意訳語であるかとも思われるが、漢字の意味とも無関係な語であることは間違いないであろう。

　たとえば、「独逸」の漢字表記は、原語である「Deutsch（land）」について、その言語の音形に近似する日本の漢字字音が当てられたことによって生まれた語形であり、「英国」や「美国」は、「English」や「America」の漢字音訳表記である「亜美利加」「英吉利」[209]の漢字

208　外国地名の仮名表記は明治 35 年 2 月に「外国地名及人名取調委員が任命され、その結果が同年 11 月に官報に掲載されて以来、昭和 21 年には文部省国語調査室の「外国の地名・人名の書き方（案）」がまとめられ、教科書や公用文・新聞等の参考になった。そして、現代表記で使用する地名の書き方について定めたのが、昭和 33 年 12 月の文部省社会科手引き書「地名の呼び方と書き方」である。

209　中国においては「イギリス」を漢字で「英吉利（『英華辞典』）・英圭黎（『海国図志』）」と「アメリカ」を「亜美利加（『英華辞典』）・美理哥（『海国図志』）」のように表記した例が見られる。

の一字を語頭にして「国」が付いたことによって生まれた語である。

このように、日本や中国において各々の漢字音に基づいて作られた外国地名の漢字音訳表記が韓国に借用され、韓国語の漢字音読みで読まれるので、原語の地名とは全く異なる音形になるのは当然である。

このような外国地名についての漢字表記は中国語や日本語から韓国語に借用されて、韓国語の漢字音読みが行われ、他の漢字語と同様に韓国語に定着していったものである。

ここでは、韓国語における外国地名の漢字表記について、その出典や借用経路を明らかにするために、中国語や日本語における外国地名の表記と比較しながらとりまとめる。

1　外国地名に対する漢字表記の嚆矢

このような外国地名についての漢字表記がいつから始まったかを文献で調べると、最初に作られたのは17世紀頃、明末・清初時代中国で活躍していた宣教師たちが著した世界地図や世界地理書によるものだったことが明らかである。その後、中国で西洋人によって作られた世界地図や地理書は日本・韓国にも伝わって両国における世界地理に関する知識を変え、様々な影響を与えるようになった。さらに同じ漢字文化圏である日・韓両国は、時代や経路は少し異なるが、外国地名の漢字表記にも大きな影響を受けるようになった。

上述したとおり、外国地名についての漢字表記は、17世紀前後（明末・清初時代）から中国で活躍した西洋の宣教師たちによって初めて作られた。すなわち、16世紀まで中華思想に包まれた中国に、西洋における世界知識を伝えるため、耶蘇会の宣教師たちが中国の漢字を利用して世界地図や世界地理書を描いたのが始まりである。耶蘇会の宣教師たちは中国でキリスト教を布教するためには、まず中国の知識

人層に信用を得ることが大切であることに気付いた。そして、西洋の地理知識を中国に紹介するために海洋開拓によって発見されたそれらを漢字に翻訳することに努めたのである[210]。そのなかでも彼らの名声を高め、世界地理知識に関して、中国をはじめ日本と韓国にも大きな影響を与えたと評価されるのが、世界最初の漢訳世界地図であるマテオ・リッチの『坤輿万国全図』[211]の刊行である。この地図における地名の漢字表記は、地理的な面だけではなく、語学的に貴重な資料であり、とくに外国地名の漢字訳語表記の嚆矢として評価されるべきものである。

このような『坤輿万国全図』が刊行された後に、J.Aleni（漢字名：艾儒略）が書いた『職方外紀（1623）』や『海国図志（1802）』、『瀛環志畧（1861）』などにも外国地名が漢字訳で表記され、日本や韓国に伝えられて影響を与えた。

日本においては中国で造られたこれらの文献に現れる外国地名の漢字表記をそのまま借用しながら、字音が中国の漢字音と異なることから生じる原語との音形の相違を解決する方法で、仮名によるルビを振り、あるいは、独自の漢字表記を造って用いた。それによって、明治期においては外国地名について様々な漢字表記が当てられて異なる語形（字形）を持つ外国地名が多く存在するようになった。

韓国においては、19世紀初期までは、日本と同様に中国で造られた外国地名の漢字表記を受容してそのまま用いていた。しかし、日本と異なる点は、ルビを付けずにそのまま韓国語の漢字音読みで読まれ

---

210 中国側では徐光啓、イエズス会側ではリッチが中心となり、ヨーロッパの天文学、数学などの書物の漢訳が盛んに行われた。これらの多くは1602年に李之藻が編集した『天学初函』に収められている。（『世界大百科事典』29巻平凡社1988）559頁

211 「マテオ・リッチが描いた世界図は「山海輿地図（1584）」から始まり、何種類かあるが、しかし地名が漢字で表記され、完成されたのは「坤輿万国全図」である。」鮎沢信太郎著『地理学史の研究』愛日書院 69-70頁

たことである。

　19世紀以降はこれまで中国のみからの借用が日本に変わり、日本で造られた漢字表記が流入するようになる。それにつれて、中国語から流入した漢字表記、たとえば「徳国」と、日本で造られた漢字表記「独逸」が共に入って使われる状態になった。一方においては、中国語や日本語から流入した外国地名の漢字表記は、韓国語の漢字音読みにする際に原語との音形において相違が生ずるということで、韓国語の漢字音に基づいた漢字表記も試みられた。それによって、韓国語における外国地名に対する漢字表記には、中国語や日本語出自のものに韓国語独自のものが加わって、多くの漢字表記が行われた。

　このような韓国語における外国地名に関する漢字表記の借用や現在まで使われている外国地名の借用経路を考察する必要があるため、中国や日本、そして韓国における文献に現れる漢字表記をまとめる。

2　中国の文献における外国地名の漢字表記

　中国において外国地名の漢字表記が最初になされたのは、マテオ・リッチが作った『坤輿万国全図』であった。その後、さまざまな世界地図や地理書が書かれて、外国地名についての漢字表記には多様性が見られるようになる。

　そのうち、日本や韓国に伝わり影響を与えたとみられる文献には、近世における『坤輿万国全図』や『職方外紀』と、近代における『海国図志』や『瀛環志畧』などがある。

　まず、日本に伝わり影響を与えたとみられる上記の四書における外国地名に関する漢字表記を取り上げることとするが、その前に各々の書について少し解説を加えておく。

2-1『坤輿万国全図（1602）』の外国地名の漢字表記と影響

　前にも触れたとおり、『坤輿万国全図（1602）』は耶蘇会の宣教師であるマテオ・リッチによって作られた世界地図である。
　まず、マテオ・リッチの『坤輿万国全図』の作成に関する典拠と特徴について、いくつかの解説を引用しながら理解を深める。織田武雄氏は次のように指摘する。

> リッチがこの地図の作成にあたって用いたのは、1570年のオルテリウスや1595年のメルカトルの地図帖、または1592年のプランシウスの世界図などであったと考えられるが、ヨーロッパ製の世界図では図面のほぼ中央に大西洋がくるように描かれているのを、中国が中央を占めるように置き換え、また中国を中心とした東アジア部分は、中国側の資料に基づいて描き改めている。[212]

　これを換言すれば、リッチの地図は、その時代までに刊行された中国の地図と西洋の地図を併せて作成されたものであり、この地図の完成によって、中国において今まで知られなかった外国地名、たとえば、「諳厄利亜（イギリス）」、「以西把爾亜（スペイン）」のような西洋諸国の地名が漢字で表記され、初めて紹介されたということになる。この図における漢字地名は「夜人国[213]（現；北極圏）」、「矮人国（現；ロシアの周辺）」などのように音訳語ではない地名もいくつかは見えるが、このような若干の地名[214]を除けば、大部分は漢字音訳された語で、西洋地名についての漢字音訳表記がほとんどを占めるのである。

212　織田 武雄（1974）『地図の歴史』講談社　210頁
213　古代中国で描かれた地図には実際存在しない地名が想像によって作られた例がある。
214　これらの地名は古代以来中国と朝貢の形で交流した国で、古代から漢字表記された。

写真1　『坤輿万国全図（1602）』の全面写真

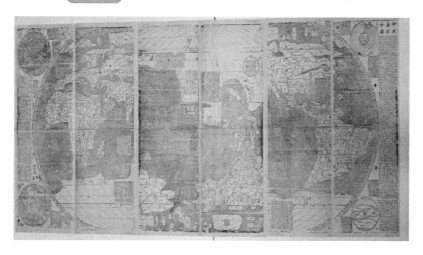

　『坤輿万国全図（1602）』の音訳語の当て方について、世界地図の専門家である船越昭生氏は次のように述べる。

> リッチが漢字の音韻研究を行っていたことは紛れもない事実であって、漢訳された聖書の一部に、体系化されたローマ字字母を附し、それに独特の考案になる四声音符を附したものなどが残されており、新中国になってからさえも、この成果は『併音方案』作成の資料として複刻されているのである。外国地名の漢訳も決して一朝一夕に成ったものでないこと、それは、当然決していい加減なものではなく慎重に行われていることを思わしめる。そして、以後明末・清初はもとよりなお現代の標準外国地名として、教科書の類にまで用いられているものが少なくないことは、すでに知られるところである。[215]

215　船越 昭生（1970）『東方学報』第 41 冊、京都大学人文科学研究所　708 項

写真2　『坤輿万国全図』におけるヨーロッパの部分[216]

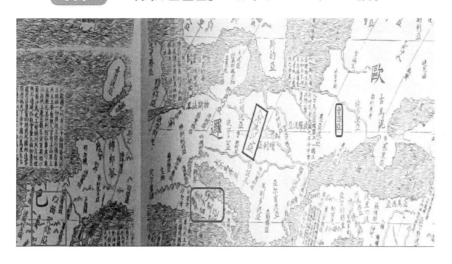

　このように、マテオ・リッチの『坤輿万国全図』は、西洋の宣教師として漢字に詳しい知識に基づいて作られたもので、そこに見られる漢字表記は世界各地の原語の音形に基づいた最初のものであったことがわかる。
　『坤輿万国全図』の以前にも中国と当時の朝鮮で作られた世界地図はあったが、中国中心の中華思想の世界観を反映したもので、実際の世界地理とはかけ離れた世界地図であった。さらに、西洋に関する地名なども一部のみが表示され、不正確だったので世界地図としての限界を持っていた。

2　『職方外紀（1623）』

　この書は中国において宣教活動をしていたイタリアの宣教師であるJ. Aleny（漢字名：艾儒略）が著した世界地理書である。日本に与えた影響について次の引用を参考に理解してみる。

216　四角の印は、筆者が付ける。

我が国では寛永の禁書のなかに加えられたが、ひそかに識者の間に転写され、鎖国時代の世界地理知識の展開に及ぼした影響は少なくない。昌永は『訂正増訳采覧異言』の中にも、『職方外紀』をしばしば引用しているから本書は『訂正増訳采覧異言』著述の資料として執筆せられたものであろう。[217]

また、佐藤亨氏は『職方外紀』の資料について次のように述べる。

『職方外紀』が漢語地理書という資料性から、まず本邦近世の地理書に大きな影響を与え、かつ用語の面にもそれがみられる。その点、中国初期洋学資料の一たる漢訳地理書と我が国の漢語、特に近代の漢語との関連が認められると考える。[218]

写真3 『職方外紀』の一部

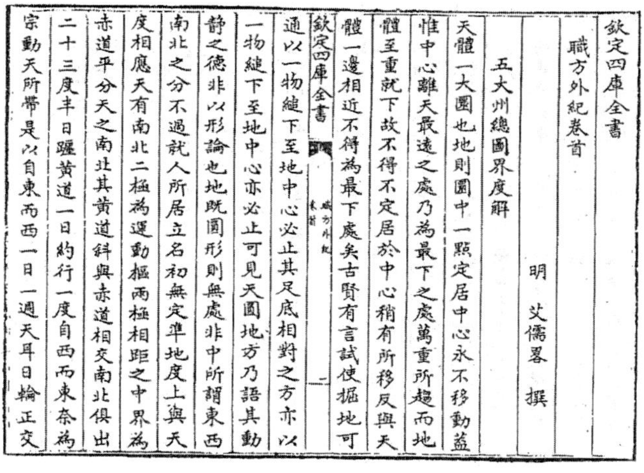
欽定四庫全書
職方外紀卷首
明 艾儒畧 撰
五大州總圖界度解
天體一大圜也地則圜中一點定居中心永不移動葢
惟中心離天最遠之處乃為最下之處萬重所趨而地
體至重就下故不得不定居於中心稍有所移反與天
體一邊相近不得為最下處矣古賢有言試使掘地可
欽定四庫全書 職方外紀 卷首 一
通以一物縋下至地中心必止其足底相對之方亦以
一物縋下至地中心亦必止可見天圓地方乃語其動
靜之德非以形論也地既圓形則無處非中所謂東西
南北之分不過就人所居立名初無定準地度上與天
度相應天有南北二極為運動樞兩極相距之中界為
赤道平分天之南北其黄道斜與赤道相交南北俱出
二十三度半日躔黄道一日約行一度自西而東奈為
宗動天所帶是以自東而西一日一週天其日輪正交

217 開国百年記念文化事業会編（1953）『鎖国時代日本人の海外知識―世界地理・西洋史に関する文献解題―』乾元社刊 40-41 頁

218 佐藤亨（1980）「『職方外紀』の語彙と我が国近代漢語との関連について」『文芸研究』日本文芸研究会 95 35 頁。

このように、『坤輿万国全図』とともに『職方外紀』は、日本に伝えられて世界に関する知識を与える一方、外国地名の漢字表記にも大きな影響を与えた書として注目すべきものである。

3 『海国図志（1852）』

中国での阿片戦争が終わってから書かれた『海国図志』は近世中国における世界地理書である。アメリカの宣教師[219]が書いた書籍を基に林則除が翻訳した『四洲志』という書籍を魏源が増補して著した、地理書を兼ねた兵書である。

この『海国図志』は日本にも伝わり、明治期初半において日本の知識人たちに大きな影響を与えた書籍である。

> 魏源の『海国図志』は近世支那における世界地理書として著名な良書である。我が幕末開国期にあたって伝来したこの『海国図志』は対外問題に心ある人々の間に熱心に読まれた。時の人々の欧米諸国に対する認識は本書によって導かれた所が少なくない[220]。

---

219 『海国図志』には「欧羅巴人原撰」とあるが、この欧羅巴人とは漢名を「高理文（Coleman）」或いは「裨治文 Bridgmaan）」と称するものでアメリカ公理会最初の中国渡来宣教師の一人である。『『鎖国時代日本人の海外知識―世界地理・西洋史に関する文献解題―』136 頁参照。
220 開国百年記念文化事業会編（1953）『鎖国時代日本人の海外知識―世界地理・西洋史に関する文献解題―』乾元社刊、135 頁

写真4　『海国図志』の地図の一部

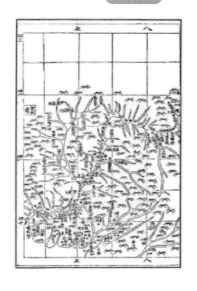

4　『瀛環志畧（1861）』

『海国図志』と同様に日本と韓国に伝わり大きな影響を与えた世界地理書である。

> この書は清の徐継畬が幾多の西洋製世界図を参考し、直接西国多聞の士といわれる米利堅人雅　裨理やそのほかの西人にも質問して著した世界地理書である。[221]

このように、上記で紹介した資料は、近世における西洋について大きな知識を中国や日本・韓国に与えるとともに、中国は云うまでもなく、漢字文化圏である日本と韓国にも外国地名の漢字表記に関してかなりの影響を与えたのである。

221　上掲書 160 頁

写真5　『瀛環志畧』の地図の一部

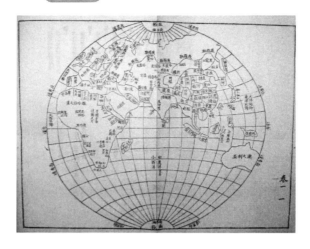

　したがって、ここにおいてはまず、中国で作られた上記の資料に現れる外国地名の漢字表記と、日本における西洋語の訳語に関して大いに参考にされたものとして知られているロブシャイドの『英華辞典』における外国地名の漢字表記を調べ、それらが日本語や韓国語にいかに影響を与えたかを考察したい。

　資料としては、次のような文献を用いた。
①『坤輿万国全図』：利瑪竇『坤輿万国全図（1602）』宮城県立図書館所蔵
②『職方外紀』：（李之藻『天学初函（1628）』影印本、韓国ソウル亜細亜文化社刊行）
③『海国図志』：魏源（『海国図志（1852）』清道光版本台湾成文出版社）
④『瀛環志畧』：壁星泉・劉玉坡鑑定総理衛門藏版（韓国中央国立図書館所蔵）
⑤『英華辞典』：（ロブシャイド『英華辞典』初版四冊本（1866-1869）CD-ROM複刻版アビリティ社）

図表1　外国地名漢字表記の比較

仮名＼資料	坤輿万国全図	職方外紀	海国図志	瀛環志畧	英華辞典
			漢字表記		
アジア	＊亜細亜	亜細亜	亜済亜[222] 阿細亜	亜細亜	亜細亜
アラビア	曷剌比亜	曷剌比亜 回回	阿丹国 阿蘭 呵臘比阿 曷剌比亜	亜剌伯 天方	亜剌伯
イスラエル 古名；ユダヤ	如徳亜	如徳亜	如徳亜	拂林国	＊以色列
イラン 古名；ペルシア	巴爾斎亜	白爾西亜	包社 波斯 巴爾斎亜 白爾西亜		波斯
インド	應帝亜	印弟亜 印度亜	＊印度	印度	印度 天竺
カンボジア	甘波牙 真臘		＊柬埔塞		
ジャワ	＊爪哇	爪哇	爪哇		爪哇洲
セイロン スリランカ の旧称	錫狼	則意蘭	＊錫蘭		
スマトラ	蘇門答剌	蘇門答剌 一名；須文達飛			
タイ古名；サイアム[223]	暹羅	暹羅	暹羅		

222　『萬国地理全図』の引用文の中に出ている。
223　1939年に「タイ（泰国）」と改称したが、1946年シャムとなり、1949年再び「タイ」

フィリピン	呂宋[224] 非利皮那	呂宋	小呂宋 蛮里喇島	呂宋	
タタール	韃靼	韃而靼			
トルコ	突厥	度爾格	都魯機国	＊土耳其	
ベトナム	安南 旧交趾		安南 ＊越南	越南	安南
ミャンマ	緬旬		緬旬	緬旬	緬旬
ラオス	＊老過		老過		
ヨーロッパ	欧邏巴	欧邏巴	欧羅巴	欧羅巴	欧羅巴
アイランド	喜白泥亜	意而蘭	愛倫島	阿爾蘭	
イギリス	諳厄利亜	諳厄利亜	英吉利国 英倫 蘭噸先本荒島	英吉利	英吉利 大英国 紅毛国
イタリア	意大里亜	意大里亜 羅馬	以他里 伊達里 羅馬国 羅問国	＊意大里	以大利
オーストリア	奥失突利亜		奥地利亜 欧塞特里国	＊奥地利亜	奥地哩亜国
オランダ	咼蘭地	法蘭得斯	＊荷蘭 和蘭	荷蘭	苛蘭
ギリシャ	厄靭斎亜	厄靭祭亜	＊希臘	希臘 額理士	希臘

となった。谷岡武雄監修『コンサイス外国地名辞典―改訂版―』三省堂
224 「呂宋」と「非利皮那」という島に分けられている。

スウェーデン	蘇亦斉		端国 端丁 ＊端典 綏沙蘭 藍旗 大爾馬斉亜		端典 藍旗
スペイン異名； イスパニア	以西把爾亜	以西把尼亜	大呂宋 是班牙 斯扁国 ＊西班亜	西班亜	大呂宋 西班牙
デンマーク	大泥亜	大泥亜	大泥 丁抹 黄旗 連国	嗹国	大泥国 黄旗
ドイツ 古名；ゲルマニア	爾馬泥亜		耶馬尼国 熱爾瑪尼 者爾麻尼 日耳曼 阿理曼 普魯社	普魯士 日耳曼	
ノルウェー	諾爾物人亜		＊那威 綏林国 波的亜		
ハンガリー	翁阿利亜	翁加里亜	寒牙里[225] 寒底里阿	＊匈牙利	
フランス	佛郎察	佛郎察	佛蘭西 佛郎西 法蘭西 勃蘭西	佛郎西	佛蘭西 ＊法国
ポーランド	波羅泥亜	波羅泥亜	波羅尼 波蘭国	＊波蘭	

225　オーストリアの属国となっている。

ポルトガル	波爾社瓦爾		＊葡萄亜 布路亜 博都爾喝亜 魯西達尼阿	葡萄亜	
ロシア	魯西亜		＊俄羅斯	峨羅斯国	峨羅斯
アフリカ	利味亜	利味亜	利味亜洲 亜非利加[226]	阿非利加	亜非利加
エチオピア 古名；アビシニア	亜毘心城	亜毘心城	阿邁司尼国	阿比努 阿社西尼亜	
モロッコ	馬邏可	馬邏可	麻羅果 弗沙国 馬羅可	＊摩洛哥	
アメリカ	亜墨利加	亜墨利加	墨利加州[227] 美理哥 彌利堅国 阿墨剌加	亜墨利加 米利堅	亜美利加 合国 花旗国
カナダ	加奈大				加拿他
キューバ	＊古巴			古巴	
ジャマイカ	牙賣加			牙買加	
チリ	智里	智加	智里	＊智利	智利
ハイチ	小以西巴泥亜			＊海地	
ブラジル	伯西兒	伯西爾	伯西爾	＊巴西	巴西国
ペルー	孛露	孛露	孛露	＊秘魯	
メキシコ	墨是可	墨是可	墨西科国 墨是可	墨西可	
オーストラリア	墨瓦蝋泥加	墨瓦蝋泥加		奥大利亜	

---

226 『萬国地理全図』の引用文にみられる。
227 『海国図志』においては、アメリカ大陸は「墨利加洲」でアメリカ（米国）は、「彌利堅」と区別して使われている。

上記の資料は、前にも述べたとおり日本と韓国に伝わった西洋に関する知識について多くの影響を与えたものである。各文献に現れる外国地名の漢字表記は同様のものもあるが異なるものも多く見られる。

　表を見てわかるように、『坤輿万国全図』をはじめとして、ほとんどの文献における特徴としていえることは、東洋の地名、たとえば「爪哇（ジャワ）」「暹羅（タイの旧名；サイアム）」などの漢字表記は安定しているが、西洋の地名は、「スペイン」の漢字表記のように「以西把爾亜、大呂宋、是班牙、斯扁国、西班亜」は各々の資料によって異なり、多様性が見られる。

　その理由は、東洋の地名、とくに中国の周辺の地名は古代から中国と朝貢の形で交流しあって、中国ではよく知られた地名であり、古くから漢籍に現れる表記として、『坤輿万国全図』が作られる以前から存在したためで、マテオ・リッチも漢籍を参考にしてこの表記を用いたとみなされる。

　しかし、西洋語の地名は漢字音訳による漢字表記がほとんどであり、中国の漢字音には同音異字が多く存在する。したがって、それぞれの音訳において用いた漢字字形が異なったためにこのような相違が生じたのであろう。たとえば、上記の表には「フランス」の漢字表記として「佛郎察、佛蘭西、佛郎西、法蘭西、勃蘭西」の例が見られる。すなわち、「フ」に当たる漢字として「佛、法、勃」、「ラン」に当たる漢字として「郎、蘭」、また「ス」に当たる漢字として「察、西」などが使われている。また「アフリカ」に付けられた漢字表記についての別の調査によれば、「ア；亜、阿」「フ；弗、佛、払、布、夫、非、」「リ；利、里、裏、理」「カ；加、遐、駕」などの漢字が当てられた例が見られるという報告もある[228]。

228　王敏東（1992）「外国地名の漢字表記について‐アフリカを中心に‐」『語文』58　大阪大学　14頁

このように、外国地名の漢字表記は、そのほとんどが音訳語で、なおかつ漢字には同音異字が多く存在するので一つの外国地名に多くの漢字が付けられたということである。

　上記の表によれば、『坤輿万国全図』の地名は、例のようにアジア以外はほとんどが「以西把爾亜（スペイン別名；イスパニア）のような表記に見ることがく、西洋語の一音節に漢字一字を当てた音訳語であることがわかる。また、イギリスを表す漢字訳語として「諳厄利亜」という表記が見られるが、おそらくこの表記は「メルカトル地図（1569年）」か、オルテリウス（Ortelius）が制作した『世界の舞台（Theatrum orbis terrarum（1570））にある〈Anglia[229]〉に漢字を当てたものであると推測される。

写真6　「Mercator's chart of the world（1569）」[230]

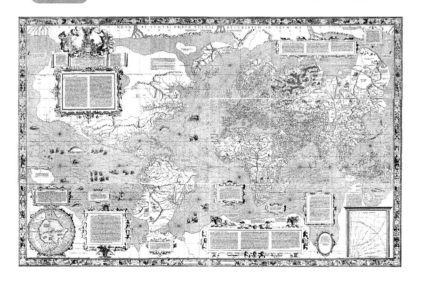

229　「Anglia」は、中世ラテン語の発音である。
230　URL：[https://classicsailor.com/2018/04/mercator-and-his-1569-world-map/]

写真7　『Theatrum orbis terrarum（1570）』の表紙

写真8　『Theatrum orbis terrarum（1570）』の世界地図

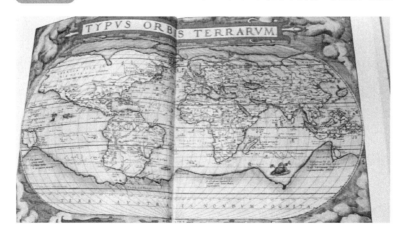

写真9　『Theatrum orbis terrarum (1570)』のスペイン、イギリス

　このようにマテオ・リッチの『坤輿万国全図』に現れる西洋の地名には、音節ごとに一つの漢字を当てたために、後で作られた表記、たとえば『海国図志（1852）』の「英吉利、西班亜、葡萄亜」に比べて文字数が多いという特徴が見られる。
　上記の中国の文献における外国地名の漢字表記と現在中国で使われている漢字表記[231]を比べると、「以色列（イスラエル）」などの25個の表記が現在も使われていることがわかる。また、「英吉利（『海国図志』）・亜非利加（『英華辞典』）」など、参考にした辞書には載っていないが実際には使われているし、「日耳曼（『海国図志』）」という表記も「ゲルマン民族」という民族を表す場合はいまだに使われていることが判明する。
　次に、上記を踏まえて、日本語と韓国語にみられる外国地名の漢字表記について詳細に調べてみる。

231　表に＊印が付けられている表記

3　日本の文献に現れる外国地名の漢字表記

　江戸時代から明治期にかけての文献における外国地名の漢字表記には、「イギリス」という外国地名に「諳厄利亜・大不列顛・英吉利斯・伊吉里斯・英国」などの多様な表記が見える。このような外国地名の漢字表記に多様性が見られることには、いくつかの原因があるだろう。その漢字表記の成立の根源を「イギリス」について調べてみると次のようなことがわかる。

・諳厄利亜：イギリスのラテン語の表記〈Anglia〉に基づいた表記[232]。
・大不列顛：英語の〈Great Britain〉のGreatの意訳である〈大〉
　　　　　　とBritainの音訳である〈不列顛〉の合成。
・英吉利斯：英語のスペリング〈English〉による表記。
・伊吉里斯：外来語のイギリスに対する日本語の漢字音による表記。
・英国：英吉利斯などの頭文字「英」に「国」を付けた簡略表記。

　このように、日本語における外国地名の漢字表記の成立の原因は多様である。「諳厄利亜」のように中国の漢字音を当てて作られた漢字表記が日本に伝わってそのまま使われたり、あるいは西洋から直接伝わった原語に日本の漢字音を当て「伊吉里斯」のように使われたりするために、字形が異なる多様な漢字表記が生まれた結果が生じる。
　外国地名の原音はその言語の音韻体系に基づいたもので、他の言語の音韻体系に合わないのが一般的である。したがって、他の言語の音韻体系に併せてこの外国地名の原音が変えられる際に、さまざまな方法で原音に近い音を選んで表記することになろう。日本における外国地名の漢字表記は、最初は中国の漢字表記をそのまま受け入れたが、

232　この漢字表記は「坤輿万国全図」から始まった表記である。

その漢字表記を日本語の字音で読むには原音とのずれが生じた。したがって、原音に近い音読みをするために読み仮名を付けるようになり、その結果、漢字表記と読みの不一致が生じ、それを是正し外国地名を日本語の字音でより原音に近く表記しようとする過程で、さらに新たな漢字表記が生まれるに至ったものと思われる。

次に、そのような日本における外国地名の漢字表記の由来を探るために、近世における初めての正統な世界地理書といわれている新井白石の『采覧異言（1713）』に載っている外国地名をはじめに、『世界国尽（1869）』『西国立志（1871）』『地名字彙（1876）』『英和辞典（1884）』『世界大地図索引（1910）』などに見られる外国地名の漢字表記の実態とその特徴と問題を分析してみる。

3-1『采覧異言』における外国地名の漢字表記

『采覧異言（1713）』は「江戸時代を通じて、あるものは現代に至るまで世界各地の地名漢字訳が、大体白石の『采覧異言』を踏襲していると思われる。」[233] といわれる書で、日本人の手で著された最初の体系的な世界地理書である。そこにおける外国地名の漢字表記を取り上げれば図表2のようになる。

『采覧異言』で見られる外国地名に対する漢字表記は合計82種である。その中で『坤輿万国全図』と一致する表記が57種である。原文の「加西蝋、蝋一作郎」のような表記まで入れると59種になり、それ以外にも『坤輿万国全図』の「麻打曷失島」を「麻打曷失曷」に、「宇革堂」を「路革堂」に書いた例（これは写し違いと思われる）なども見られるので『采覧異言』における地名の漢字表記はおよそ80％近くが『坤輿万国全図』の表記と一致している。

233　開国百年記念文化事業会編（1958）『鎖国時代日本人の海外知識』乾元社 22頁

図表2 『采覧異言[234]』における外国地名の用例

仮名表記	漢字表記	現在の仮名表記
エウローパ、エロッパ[235]	欧邏巴	ヨーロッパ
イタアリヤ	意大里亜（里一作禮）	イタリア
ローマン、ローマ	邏馬	ローマ
ゼルマニアホーゴドイチ、ドイチ	入爾馬泥亜（爾一作耳）	ドイツ（古名；ゲルマニア）
デイヌマルカ	第那瑪爾加	（原文；地在入爾馬泥亜西北）
フランデブルコ、フランデボルコ	肥良的亜	ブランデンブルク（東ドイツ中部）
ボローニヤ、ポール	波羅泥亜	ボローニヤ（イタリア北部）
ホタラーニヤ	波多里亜（里一作禮）	ウクライナ周辺
リトーニヤ、リホーニア	禮勿泥亜	リトアニア
スウェイツヤ、スウェツヤスエツア、スウェイーデ、スペイデ、ニスペウラント	蘇亦斉、又蘇皮亜	スウェーデン
ノールウェヂャ、ルイキ、ノールイキ	諾爾物入亜、諾爾京	ノルウェー
モスコービヤ、ムスコービヤ	没廝箇未突、莫所未得	モスコワ
サコソーニヤ	沙瑣泥亜（瑣一作所）	ザクセン（ドイツ北部の一帯）
シシーリヤ	西斉里亜	シシリア（イタリアの島）
イスパニヤ、イスパンヤ、スパンヤ	以西把爾亜（斯一作西）	スペイン

234　資料としては「編輯兼校訂市島謙吉『新井白石全集 第4』明治39年」を用いる。
235　仮名の表記が多いものはその一部を省く。

第7章 外国地名に関する漢字表記の借用・263

ポルトガル	波爾社瓦爾、波羅多伽児、蒲麗都家	ポルトガル
アンダルーシヤ	俺大魯西亜（俺一作？）	アンダルシア（スペイン南部地方）
ガラナナタ、ガラナアタ	瓦辣那達又瓦刺察	（原文；地在俺大魯西亜東）
カステイラ、カステリヤン	加西蝋（蝋一作郎）	カスティリャ王国
ナハラ	那勿蝋、那勿蝋巴	ナバラ
ガアリヤ、フランス	佛郎察、佛郎機[236]佛狼機、発郎機	フランス
ヲーランド、ヲーランデヤ	咼蘭地、和蘭別名紅夷	オランダ
アンゲルア、インゲランド	漢又刺亜、諳厄利亜	イギリス
スコツテヤ、スコツトラント	思可斉亜	スコットランド
イベリニヤ、イイルラント	喜白泥亜	アイルランド
グルウンランデヤ	臥児狼徳、臥蘭的亜	グリーンランド
アフリカ	利未亜	アフリカ
トルカ、トルコツルコ	都児（児一作耳）	トルコ
カアブトホユスベイ、カアボテホスフランス	曷叭布刺	（原文；地在利未亜之南）
マダガスカ、マダガスカ	麻打曷失曷一名仙労冷祖島	マダガスカル島
アジア	亜細亜	アジア
アラビヤ	亜蝋皮亜又扼落野	アラビア
オルムス	恩魯謨斯又忽魯謨斯	ペルシア湾の辺
パルシヤ	巴爾斉亜（爾一作耳）、巴爾西	イラン（古名；ペルシア）
モゴル、モウル	莫臥児（児一作爾）	モンゴル

---

[236]「佛郎機」は「坤輿万国全図」においては「ポルトガル」を表している。

インデヤ	應帝亜	インド
アラバアル、マルバアル	麻辣蔑爾	マルバル
ゴア、ゴワ	臥亜	ゴア（インドの地方）
コチン	各正	コチン
セイラン、サイロン	斉狼島（斉一作錫）	セイロン島
ナガバタン	沙里八丹	（原文；空欄）
マジリパタン、マスリパタン	加寧八丹	インド東南
オレキサ	烏里舎	インド東南
アラカン	亜蝋敢（蝋或作臘）	ベンガル湾の一角
ベンガラ、ベンカアラ	傍葛刺（刺一作蘭）、旁葛臘	ベンガル（インド北東部の地方）
ベグウ、ベイグウ	琵牛	ペグー（ミャンマ中南部）
スイヤム、シャム、シャムロ	暹羅	タイ（古名；サイアム）
マロカ、マラカ、マラヤ	満刺加（満一作麻）、麻六甲	マラヤ
スマアタラ、スマンタラ	沙馬大刺、蘇門答刺、蘇門塔刺、須文達那、蘇木都刺	スマトラ島
ボルネヨ、ボルネル	波耳匿何（旧作渤泥）	ボルネオ島
ジャワ、ジャガタラ	爪哇（旧作闍婆）別名咬留啼巴、咬刺巴、交留巴	ジャワ
セレベス	食力白私	セレベス（ジャワ東南部の島）
マロク	馬路古	マラッカマレーシアの港町
ホルランリアノウワ、ヲランデヤノヲバ新ヲランダ		（原文；地在千東南大海中）
ロソン、ルコニヤ	呂宋	フィリピンの島

マカヲ、アマカワ	阿馬港	マカオ
イラステフラモル、マンリ	萬里石塘	（原文；焦在 州南海之中）
エン	野作	ウラジオストク周辺
タルタリヤ	韃靼	タタール
ソイデアメリカ	南亜墨利加	南アメリカ
バラシリヤ	伯西兒	ブラジル
バタゴーラス	巴大温	アルゼンチン周辺
ギリ、ゲリ、チリ	智里	チリ
ペイル、ペル	孛露	ペルー
アロウカス	訳厥	ブラジルの西北カリアナの西
カステイラ、デル、ヲーゴ	金加西蝋	コロンビアの周辺
ホホヤナ	坡巴牙那	パナマの周辺
ボンテイラス	豊慶臘	ホンジュラス
ルカタン	路革堂	メキシコのユカタン海峡
ウワテマラ	哇的麻刺	グアテマラ
ノオルト、アメリカ	北亜墨利加	北 アメリカ
イスパニヤ、ノヲバ、ノヲバイスパニヤ	新伊斯把爾亜	メキシコ東北の周辺
ノヲバ、ガラナナダ	新瓦刺察、瓦刺察（即瓦辣達別号）	メキシコ北の周辺
ニウ、ソイデ、ワアルスニウ、ノオルド、ワアルス	訳厥	（原文；即白呉耳南北之地）
ノヲバ、フランシャ	新佛郎察	アメリカ中東部
ノランベイガ	諾龍伯耳瓦	アメリカ東部
モコサ	莫可沙、麻可麻国	アメリカの中部
アバカル	亜八加爾	アメリカの中南部
アパルカン	亜伯耳耕	アメリカの東南部
タゼール	大入耳	アメリカの中部
クハ	古巴	キューバ

スパンヨウラ	小伊西把爾亜	ハイチ
カルホルニヤ	角利勿爾泥亜（泥或作尼）	アメリカのカリフォルニア

　これは『采覧異言』が外国地名の漢字表記にあたっては、マテオ・リッチの『坤輿万国全図』の影響をかなり受けたことを裏付ける例である。

　新井白石は『坤輿万国全図』をもとにして外国地名を漢字で表記し、その傍らに仮名表記を併用している。おそらく白石が用いた漢字表記はあまりにも日本語の音読みとしては不自然だったためであろう。したがって、オランダの世界図や参考書に基づいて原音に近い仮名表記を併せ用いたことが推測される。

3-2　近代の文献における外国地名の漢字表記

　日本における外国地名の漢字表記について、日本の近世期における外国地名の漢字表記は『坤輿万国全図』と『海国図志』による影響と二つに分かれる。しかし、その一方では日本で独自に当てた外国地名の漢字表記もある。福沢諭吉の『世界国尽』にその例が見られる[237]といわれるので、近代における他の文献に現れる外国地名とともに比較してみることにする。

<資料>
　1.『世界国尽（1869）』：『宛字外来語辞典』（参考資料の項＜柏書房＞）
　2.『西国立志（1871）』：『西国立志編』＜講談社学術文庫＞（1981）
　3.『地名字彙（1876）』：（藤田九二著『英語和解・地名字彙』明治8）国立図書館所蔵。
　4.『明治英和辞典（1884）』：（尺振八訳　1884　六合館蔵版）
　5.『世界大地図索引（1910）』：（佐藤博藏著　大倉書店発行）

237　小林雅宏（1982）「明治初期の翻訳書からみた外国地名の表記」『文献論集』8号

図表3　日本の文献における外国地名

資料	世界国尽	西国立志	地名字彙	英和辞典	世界大地図索引
仮名表記	漢字表記				
アジア	亜細亜	亜細亜	亜細亜		亜細亜
インド	印度地	印度	印度	印度	印度
アラビア	荒火屋国	亜刺伯	亜刺比	亜刺伯	
タータル		韃靼		韃靼	
ミャンマ	暹羅	暹羅		暹羅	
フィリピン				比律賓	
ベトナム	安南		安南		
トルコ	土留古	突厥	土耳其	土耳其	
イラン		波斯	波斯	波斯	
イスラエル		以色列			
ヨーロッパ	欧羅巴	欧羅巴 / 欧州			欧羅巴
ドイツ	日耳曼		日耳曼	日耳曼	独逸
イタリア	伊太利国	以太利 / 意太利	以太利	伊太利	
ベルギー	白耳義		比耳義	白耳義	白耳義
スペイン	西班牙	士班牙 / 士班	西班牙		
ギリシャ	希臘	希臘	希臘	希臘	希臘
フランス	仏蘭西国	法蘭西 / 法国	佛蘭西	佛蘭西 / 佛国	佛蘭西
オランダ	和蘭	和蘭 / 荷蘭	和蘭	和蘭	和蘭

イギリス	英倫 英吉利	英国	英倫 英吉利海峡[238] 大英国 貌利太島	英国 英吉利 大貌利顛		
プロイゼン	普魯社	普魯士	普魯士			
スイス	端西	端士	端士			
スウェーデン	端典	端典	端典			
ポルトガル		葡萄牙	葡萄牙	葡国	葡萄牙	
アイランド	阿爾蘭	愛蘭	愛爾蘭	愛耳蘭	愛耳蘭	
ノルウェー	能留英		諾威		諾威	
デンマーク	連国	連国 連馬 領墨	連国	丁抹国 端典	丁抹	
ロシア	魯西亜	俄羅斯 魯西亜	魯西亜	魯国	露西亜	
オーストリア	墺地利	墺土地利 澳土地利 澳士太拉利	奥地利	墺国	澳地利	
スコットランド	蘇格蘭	蘇格蘭 蘇葛蘭 蘇国	蘇格蘭		蘇格蘭	
ハンガリー				匈牙利		
ポーランド		波蘭			波蘭	
アフリカ	阿非利加		亜弗利加	亜弗利加	亜弗利加	

---

238 English Channel の訳としては「英吉利海峡」と「英吉利」の形を、また国の名としては、「英倫（England）」の異なる形を用いている。

エジプト	衛士府都	挨及	挨及		
エチオピア	越屋比屋				
アメリカ	亜米利加 亜墨利加 彌利堅	亜米利加	亜米利加	亜米利加 亜米利加合衆国 米国	亜米利加
カナダ	金田	加拿他			
ジャマイカ	邪麻伊嘉	日売加 牙買加			
ペルー	平柳国		比路		秘魯
チリ	池鯉		智利		
メキシコ	女喜志古		墨西哥		
ハイチ	拝地				
パナマ	巴奈馬				
コロンビア	古論備屋				
ブラジル	武良尻				
オーストラリア			澳太利		濠太刺利亜

　上記の表によって日本の文献における外国地名の漢字表記は次のように分類できる。

　まず、上記で取り上げた5つの文献には、たとえば「亜細亜、印度、安南、欧羅巴」などはいずれも同一の漢字表記であることがわかる。「亜細亜、欧羅巴」などの漢字表記は『坤輿万国全図』において初めて当てられた表記であり、「印度・安南・韃靼」などのような表記は『坤輿万国全図』が造られる以前から、中国によって造られた漢字表記である。つまり『坤輿万国全図』以前から中国において存在した亜細亜の国々の地名はそのままマテオ・リッチによって『坤輿万国全図』に引用されたため、これらの表記は、日本においても相違は見られない。

すなわち字形が安定している表記ということがわかる。

前述したとおり、日本における外国地名の漢字表記は主に『坤輿万国全図』と『海国図志』の影響によるものに二分される。

上記の文献に現れる漢字表記を調べてみれば、その系統が次のように明らかになる。(ただし、ここにおいては、「亜細亜・暹羅・韃靼・安南・欧羅巴」のようにその外国地名の漢字表記がほとんど固定している表記については取り上げない)

『坤輿万国全図』の表記と同一のもの
意太利（西[239]）・突厥（西）・魯西亜（世・西・地）亜墨利加（西）

『海国図志』の表記と同一のもの

波斯（西, 地, 英）・日耳曼（世, 地, 英）・西班牙[240]（世, 地）・和蘭（世, 西, 地, 英, 大）・佛蘭西（世, 地, 英, 大）・英吉利（世, 英）・瑞典（世, 西, 地）・葡萄牙（西, 地, 大）・丁未（英, 大）・我羅斯（西）・奥地利[241]（地）[242]・希臘（世, 西, 地, 英, 大）・阿非利加（世）・牙買加（西）・墨西哥（地）など。

なお、『坤輿万国全図』や『海国図志』には見られないが、『瀛環志畧』や『英華辞典』の表記と同一のものも見られる。

『瀛環志畧』の表記と同一のもの
亜刺伯（西, 英）・土耳其（地, 英）・連国（世, 西, 地）・亜米利加（世,

---

239 「西」は『西国立志』の略称であり、「世」は『世界国尽』、「地」は『地名字彙』、「英」は『英和辞典』、「大」は『世界大地図索引』の略称である。
240 『海国図志』には「西班亜」になっている。
241 『海国図志』には「奥地利亜」になっている。
242 『世界国尽』には「墺地利」として、『世界大地図索引』には「澳地利」で、「オ」に当たる漢字のみ異なる。

西，地，英，大）・秘魯（大）、智利（地）など。

『英華辞典』と同一のもの

　以色列（西）・以太利（西，地）・法国（西）・大英国（地）、加拿他（西）など。

　このほかに、「諾威（地，大）」のような表記は中国の文献には見られない表記であるが、『坤輿万国全図』にある「諾爾物人亜」の「諾」と『海国図志』にある「那威」の「威」が見られるので、それによって成立したものであると推測される。

　このように、日本の文献における外国地名の漢字表記は、その多くが中国の文献にも見られるものであって、中国の影響を受けたことがわかる。

　しかし、一方では中国の文献に見られない漢字表記も存在する。たとえば、『世界国尽』には「能留英（ノルウェー）」という漢字表記が見られる。これらは、福沢諭吉が外国地名を表すのに、日本語の漢字音を用いて当てたもので例が少ない独特な漢字表記である。このように日本語の字音や訓読みを用いて当てたものとしては、他に次のような漢字表記が現れる。

　　荒火屋国（アラビア）・土留古（トルコ）・能留英（ノルウェー）・衛士府都（エジプト）・金田（カナダ）・邪麻伊嘉（ジャマイカ）・平柳（ペルー）・池鯉（チリ）・女喜志古（メキシコ）・拝地（ハイチ）・古論備屋（コロンビア）・武良尻（ブラジル）など。[243]

243　『世界国尽』にはこれ以外にも多数の地名が見られるが、一部だけを取り上げ、省いておく。

『世界国尽』における漢字表記について小林[244]氏は次のような特色があると述べる。

（イ）福沢諭吉が独自に当てた外国地名の漢字表記
（ロ）明・清時代の世界地理書にある外国地名の漢字表記
（ハ）外国地名の平仮名表記
（ニ）そのほか

このように、『世界国尽』においては福沢諭吉の独自の漢字表記が多く存在するが、その理由については『世界国尽』の凡例に「地名人名などは西洋の横文字をよんで畧その音に近き縦文字を当てることなれハ古来翻訳者の思々に色々の文字を用ひ同じ土地にても二つも三つも其名あるに似たり」と述べられている。

それでは、福沢諭吉は日本語の漢字の音や訓をいかに用いて外国地名に独自の漢字を当てたのかを見てみると次のようになる。

① 漢字の音を用いた表記
・土留古（トルコ）・能留英（ノルウェー）・衛士府都（エジプト）・邪麻伊嘉（ジャマイカ）・平柳（ペルー）・池鯉（チリ）・拝地（ハイチ）・古論備屋（コロンビア）

② 漢字の訓を用いた表記（湯桶読みや重箱読み）
・荒火屋国（アラビア）・金田（カナダ）・女喜志古（メキシコ）・武良尻（ブラジル）

このように、日本語の漢字音の特色を生かして原音に近い音を表すために独特な漢字表記を考案していながら、「欧羅巴・日耳曼・白耳義・

244　小林雅宏（1982）「明治初期の翻訳書からみた外国地名の表記」『文研論集』8 143頁。

西班牙」などのように中国の明・清時代の世界地理書から始まった漢字表記が『世界国尽』にも約20%近く現れることは、すでに外国地名の漢字表記がある程度固定化されていたことを示すものだと思われる。すなわち『世界国尽』には外国地名の漢字表記のうち、たとえば「欧羅巴・仏蘭西・端西・和蘭」のように、明・清時代から中国の世界地理書に現れる外国地名の表記をそのまま採用したものが多い。しかし、近代になって新しく日本に知られたと推測される外国地名、たとえば「馬浜（バハマ）・古論備屋（コロンビア）・宇柳貝（ウルグアイ）」などのような地名の多くは独自的に造られたものである。勿論『世界国尽』には明・清時代に中国で造られた漢字表記である「亜刺伯・亜刺比」に対して「荒火屋」を用いたり、「墨西哥」に対して「女喜志古」のように漢字表記を当てていることは日本独自の漢字表記として認められる。一方には「英吉利」のように中国で明・清時代に当てられた表記がそのまま採用された例が存在することにも注意すべきである。

『世界国尽』の凡例にも「多くは訳書中に普通なる文字は無理ながらも其のまま用」ということで、小林氏（1982）は「ある外国地名の漢字表記が普通に用いられるとは、その漢字表記が選ばれていたつまり定字化されていたことである。」[245]と指摘している。

このように、外国地名の漢字表記について明・清時代に中国で当てられた表記は中国の字音によって当てられたものであったために、日本語の字音で読む時には、外国地名の原音に合わないことがあったのである。それを補う方法として『采覧異言』では、仮名を用いてその原音を表そうとしていたのに対して、『世界国尽』においてはわざわざ新たな漢字を選んで当てた傾向があったというのが特徴である。

ちなみに、王敏東氏によれば「「アフリカ」の「ア」の部分に当てた漢字として「亜」と「阿」が見られるが、「発音の面からみれば中

245　小林雅宏（1982）「明治初期の翻訳書からみた外国地名の表記」『文献論集』8　144頁

国語において「亜」(/ya/)から「阿」(/a/)へ移ったのはより原音に近い形になったものと思われる。日本語では「阿」も「亜」も「ア」で発音するので、「亜」と「阿」のどちらかと言えば、中国の古い形である「亜」の形が受け継がれる傾向がある[246]。」と指摘している。

次に、上記の日本の文献における外国地名の漢字表記のうち、日本独特のものを探るために、前で取り挙げた明・清時代の中国の文献に見られない表記を取り出せば次のような表記が見られる。

図表4

アラビア	荒火屋国（世）・亜刺比（地）
フィリピン	比律賓（英）
トルコ	土留古（世）
ドイツ	独逸（大）
ベルギー	白耳義（世・英・大）・比耳義（地）247
スペイン	士班牙（西）
イギリス	英倫（世・地）
	不列顛（西）・貌利太島（地）・大貌利顛（英）
アイルランド	阿爾蘭（世）・愛蘭（西）・愛爾蘭（地）・愛耳蘭（英・大）
ノルウェー	能留英（世）
デンマーク	連国（世・西・地）・連馬（西）・領墨（西）
ロシア	露西亜（大）

246 　王敏東（1992）「外国地名の漢字表記について」『語文』58　大阪大学　15頁
247 　中国における現代の表記は「比利時」である。

オーストリア	墺土地利・澳土地利・澳士太拉利（西）
アフリカ	亜佛利加（地・英・大）
エジプト	衛士府都（世）
エチオピア	越屋比屋（世）
ジャマイカ	邪麻伊嘉（世）
ペルー	平柳（世）・比路（地）
チリ	池鯉（世）
ハイチ	拝地（世）
コロンビア	古論備屋（世）
メキシコ	女喜士古（世）
ブラジル	武良尻（世）
オーストラリア	濠太刺利亜（大）

　勿論、上記に取り挙げられたものがすべて日本で独自に造られた表記かどうかは、いまだ中国と日本の文献の調査が完全に終わってないので、断定できないところではあるが、日本語の漢字の音や訓で読んで原音に近い表記は、おそらく日本で当てられたものではなかろうかと思われる。

　また、現代の辞書[248]において、このような外国地名の漢字表記が漢字一字で表すことのできる主なものとして図表5のようなものが取り挙げられている。

　これらの略字は、たとえば「日・米外相会談」や「日・露首脳会談」などの熟語として使われており、かなり定字化されたものと見られる。

248　松村明監修（1995）『大辞泉』小学館

> 図表5

アジア	亜（亜細亜）
アフリカ	阿（阿弗利加）
アメリカ	米（亜米利加合衆国）
イギリス	英（英吉利）
イタリア	伊（伊太利）
インド	印（印度）
オーストリア	墺（墺太利）
オーストラリア	豪（豪州・濠太剌利）
オランダ	蘭（和蘭・阿蘭陀）
カナダ	加（加奈陀）
ギリシャ	希（希臘）
スペイン	西（西班牙）
タイ	泰（泰・暹羅）
ドイツ	独（独逸）
トルコ	土（土耳古・土耳其）
ハンガリー	洪（洪牙利・匈牙利）
ビルマ（現：ミャンマ）	緬（緬甸）
フィリピン	比（比律賓）
ブラジル	伯（伯剌西爾）
フランス	仏（仏蘭西）
プロシア	普（普魯西）
ベトナム	越（越南・安南）
ポルトガル	葡（葡萄牙）
メキシコ	墨（墨西哥）
モンゴル	蒙（蒙古）
ヨーロッパ	欧（欧羅巴）
ロシア	露（露西亜・魯西亜）[249]

---

249 松村明監修（1995）『大辞泉』小学館「世界当て字地図」の項

またこのような略字においては、「亜（アジア）」と「阿（アフリカ）」のように発音は同じであるが、表記によって役割分担までしていることがわかる。
　このように、日本における外国地名の漢字表記は、新井白石の『采覧異言』や他の文献にもみられるように、中国で明・清時代西洋の宣教師たちによって造られた世界地図や世界地理書とともに日本に伝わってそのまま用いられていたのである。これらの漢字表記は近世から近代にかけていまだにその名残が認められるのも事実である。しかし、近代に入ってからは、『海国図志』やその他の世界地理書が伝わり、それらに使われた漢字表記が日本語に取り入れられたのである。ただし、これらは中国の字音に従って当てられたもので日本の字音で読むには原音との相違が生じてしまうので、それを解決するためにルビを付けたり、音や訓を混用して新たな漢字表記を当てたりしたのであろう。それによって日本には多様な外国地名の漢字表記が存在するようになったものと思われる。

4　韓国語における外国地名の漢字表記

　韓国語における外国地名の漢字表記の成立や出自を探ろうとすれば、中国語や日本語における外国地名の漢字表記を調べなければならない。ここにおいても中国や日本における漢字表記の調査を踏まえて韓国語における外国地名の漢字表記について考察する。
　今日の日本で外国地名が仮名で表記されるように、韓国では、外国地名をほとんどハングルで表記するのが一般に行われている。しかし、かつては外国地名の表記はハングルではなく漢字表記が一般的であった。今日の外国地名のハングル表記のうち「미국/mikuk/（アメリカ）」「영국/jʌŋkuk/（イギリス）」「독일/tokil/（ドイツ））」「호주/

hocu/（オーストラリア）」は、「美国（日本の漢字表記では米国）・英国・独逸・濠州」などの漢字表記に基づいて成立した語形である。つまり、外国地名の漢字表記を韓国語の漢字音読みにしてハングルで表記したのである。また、「フランス」や「イタリア」のような国家の名は、ハングルで「프랑스/pʰiraŋsi/（フランス）」や「이탈리아/italria/（イタリア）」と表されいるが、これらの国の名は未だに「韓・伊首脳会談」「佛語佛文学科」のような漢字熟語の形としても使われており、これらは「佛蘭西・伊太利」などの漢字表記の頭文字を用いて成立した語形である。

　なお、韓国の国立国語研究院が運営している『標準国語大辞典』のホームページに接続し、「佛蘭西・伊太利」の漢字音をハングルで入力し、検索すると、次のような結果が見られる。

写真10　フランスのイタリアに関する検索結果 [250]

불란서 찾기 결과 (총 1 개)

불란서(佛蘭西)「명사」『지명』'프랑스'의 음역어. 전체 보기 ▶

이태리 찾기 결과 (총 1 개)

이태리(伊太利)「명사」『지명』'이탈리아'의 음역어.≒이. 전체 보기 ▶

250　国立国語研究院『標準国語大辞典』のホームページ https://stdict.korean.go.kr/main/main.do（2024 年 9 月 22 日検索）

つまり、「佛蘭西・伊太利」の漢字表記が漢字音訳語で成立したことを明確にしている。このように韓国語においても外国地名に対する漢字表記による語形は古くから用いられていたし、いまだにその影響が非常に根強く残っている。

4-1 『芝峰類説（1614）』における外国地名

　ここでは、韓国においてこれらの外国地名の漢字表記がいつから始まったか、なお同じ漢字文化圏である周辺国の中国や日本とは如何なる影響関係があったかを考察するために、まず、韓国の世界地理書である『芝峰類説』における外国地名の漢字表記について検討して、後に刊行された文献などに見られる漢字表記を取り上げ、中国や日本における漢字表記との影響や関わりを通時的に調べる。

　韓国において最初に造られた世界地図類は、権近[251]（1352-1409）が書いた『混一彊理歴代国都之図（1402）』である。この地図は中世の回教地理学と中国と日本の地図などを参考にし、それまでの地図に関する知識を総集して造られた地図である。しかし、東洋を中心としているために、中国・韓国・日本の部分は詳細であるが、欧羅巴やアフリカなどは一部だけしか描かれていないので、完全な世界地図とは言い難い。

　地図を見ると権近が作った『混一彊理歴代国都之図（1402）』には、地名などは記入されていない。おそらく、それより先に中国で制作された『大明混一圖（1386）』を参考にして作ったものと思われる。

　したがって、韓国における最初の世界に関する地図や地理書としては李睟光によって造られた『芝峰類説（1614）』を挙げるのがふさわしい。

251　高麗王朝末期と朝鮮王朝の初期に活躍した政治家、学者

写真11 中国で制作された『大明混一圖（1386）』

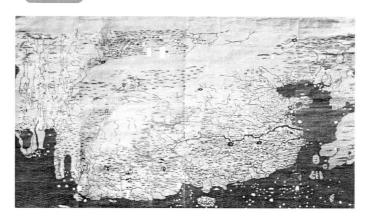

写真12 朝鮮で作られた『混壹疆理歴代國都之圖（1402）』[252]

252　出処、韓国国土地理情報院

『芝峰類説』は、"…所引書籍 六経以下至近世小説諸集 凡三百四十八家…"という凡例に示されているように、韓国や中国の文献など三四八巻を参考にして体系的に書かれた韓国におけるは最初の世界地理書である。本文には"佛浪機国。…中略…其火器号佛浪機…中略…南番国人。萬暦癸卯年間。隨倭舶漂抵我境。…"[253]

上記の引用に書かれているとおり、実際的な事実を根拠にして著述されている。

以下、『芝峰類説』に現れる世界の地名をまとめる。

図表6 [254] 『芝峰類説』の外国地名と現在の地名の比較

漢字表記	現在の地名
安南	ベトナム
老過	ラオス（本文；即哀牢国）
三佛斉	パレンバン
祖法児国	？（本文；在東南海中）
占城	チャンパ（古名；林邑）
暹羅	タイ（古名；シャム）
真臘国	カンボジア（本文；即夫南）
爪哇	ジャワ（古名；闍婆・南蛮驃国）
古俚大国	カリカット（インド南西端）
満刺加	マラッカ（マレーシア南部、古名；五嶼）
榜葛刺	ベンガル（東インド）

---

253 『芝峰類説』巻二 53頁
254 李睟光『芝峰類説』朝鮮研究会 活字本、上巻、1916年に基づく。

282・言語の交流 ―日本語と韓国語における借用語―

錫蘭山	セイロン
溜山	モルディブ島（南インド）
撒馬児罕	サマルカンド（ロシア南部）
天方	メッカ（サウジアラビアの西部）
渇石	？（本文；撒馬児罕西南）
土魯番	トウルフアン（中国の新彊ウイグル自治区東部の県）
黒婁	？（本文；近土魯番）
哈烈	ヘラート（アフガニスタン北西部）
千蘭大国	クチャ（中国の新彊ウイグル自治区中西部のオアシス都市、別名；庫車）
火州	（本文；宋史曰高昌、俗類匈奴）
魯陣	コーチン（インド南部）
忽魯謨斯	（ペルシア湾の周辺）
亦思把罕	（本文；宋史曰注輦）
西城五盧	タクラマカン砂漠（中国の新彊ウィグル自治区の南部）
阿速	（本文；在西海中）
彭享	パハン（マレー半島中部）
呂宋	ルズン（フィリピンの島）
甘巴利	（本文；海外小国）
粛慎氏	（古代のツングース族、本文；一名把婁。按黒水靺鞨。即粛慎氏 也）
稗離国	（本文；在粛慎氏国西北）
養雲国	（本文；去稗離馬行五十日）
冠莫汗国	（本文；去養雲国又百日）
一群国	（本文；去冠莫汗又五十日）
契丹	10世紀の遼国、満州とモンゴルに存在した遊牧民族、本文；北有牛蹄突厥

鉄甸	（本文；北有牛蹄突厥）
回回国	アラビア諸国
裸壌国	（本文；距日本不遠）
佛浪機国[255]	ポルトガル
南番国	オランダ
永結利国	イギリス
欧羅巴国	イタリア[256]
吉利吉思	キルギズ（ロシア南部）
牛蹄突厥	トルコ（トルコ帝国）
阿魯	アル（インドネシア領）

　これらの『芝峰類説』の外国部における見出しの外国地名35個のうち、『坤輿万国全図』と一致する漢字表記は20個（日本や中国は除外）である。『芝峰類説』における外国地名は中国周辺のアジアが中心で、西洋の地名は「佛浪機国・南番国・永結利国・欧羅巴国」の4つしかみられない。本文に「萬暦　癸卯。中略・・・欧羅巴国輿地図一件六幅。　中略・・・見其図甚精巧。於西域特詳。」のように書いてあるので、『芝峰類説』を著した李睟光は『坤輿万国全図』を見たことがわかる。それにもかかわらず、『坤輿万国全図』の西洋地名を紹介するのに躊躇したようである。おそらくその背景には、『坤輿万国全図』の内容に関して他に確かめる方法がなく、確証を持っていなかったの

---

[255] 「佛郎機」は『坤輿万国全図』においては「ポルトガル」を表している。『采覧異言』においては「佛郎機」を「フランス」と解釈したのは白石の誤りであろう。"「佛浪機」は初めは大砲を指す意であった。しかし明代の中国人が西洋人を「佛郎機」／フランキ／と呼んだ。即ち、「佛郎機」は大砲を作った人たちを指したことから転成されたようである。"（参照：平川祐弘（1969）『マテオ・リッチ伝1、東洋文庫141』＜平凡社＞95項）

[256] 『坤輿万国全図』の「欧羅巴」は今日の「ヨーロッパ」を表すが、『芝峰類説』の「欧羅巴」の表記は「イタリア」を指す。

で、記述しなかったと思われる。すなわち、アジアの部分は中国の書籍で確認することが可能であったために確信を持って紹介することができたが、西洋に関する部分は『坤輿万国全図』以外には参照しうる書籍がなく、確実な記述をするのが難しかったので、その説明を避けたというような事情があったのかもしれない。そのような理由で西洋の地名についても『坤輿万国全図』の表記とは異なる「永結利国」のような表記をしたものと思われる。

　ところで、『坤輿万国全図』でアジア以外における西洋の外国地名の漢字表記は、『芝峰類説』に4つしか現れないが、時代が下ると、「地球前後図」（金正浩作、1834年）には「意大里亜、亜墨利加、孛露、亜毘心城、亜非利加、馬邏可、巴爾巴里亜」のように『坤輿万国全図』における漢字表記と同様のものが多く見られる。

　これらの漢字表記については、『坤輿万国全図』が直接参考されたかどうか今のところは確実ではないが、とにかく『坤輿万国全図』において初めて造られた漢字表記が韓国に流入してそのまま使われたことは明らかである。

　このように、『坤輿万国全図』において初めて造られた外国地名の漢字表記が、近世の日本や韓国に伝わってそのまま使用されていたことがわかる。しかし、近代に入ってからは、外国地名の漢字表記においてさらに多様な表記が見られる。ここではそれらを取り上げて詳細に検討する。

4-2　近代の文献における外国地名の漢字表記

　ここで取り上げる韓国の資料は、世界地理書類や地理教科書・海外見聞録・新聞と翻訳小説などの資料である。

　このような、各分野の資料を調べた理由は、できる限り韓国における外国地名の漢字表記の実態を、一つの分野ではなく多くの分野について調べ、その全貌を明らかにしたかったためである。

これらの資料の漢字表記を通時的、あるいは共時的に調べるために刊行年に沿ってまとめる。

　まず、これらの資料を説明を加えて分類すれば次のようになる。

1．世界地理書類：

1）『地球典要（1857）』

　崔漢綺が著した地理書である。中国の『瀛環志畧』や『海国図志』を参考にして造られた書で、各巻の始まりに「崔漢綺編輯」とあるように、それ以前の地理書を集めた編集書である[257]。

2）『地球略論（1893）』

　西洋人であるAppenzellerによって著された地理書である。本文はハングルで書かれており、漢字語には左側に漢字のルビが付いている。また、外国地名にはすべて漢字が付いてある。

3）『輿載撮要（1893）』

　呉弘黙によって著された地理書である。筆写本として、当時においては近代的に記述された地理書に属する。すべてが漢文である。これを縮約して『輿載撮要（全）』という地理教科書が当時の学部編集局によって刊行された。

2．地理教科書類

1）『万国地誌（1894）』

　学部編集局から刊行された地理教科書である。ハングル・漢字混用

257　参考にしたのは、韓国国立中央図書館所蔵影印（1986）「崔漢綺『明南楼全集三』韓国驪江出版社

文であるが、外国地名はすべてが漢字で表記されている。

２）『小学万国地誌（1895)』

　この書籍は『朝鮮地誌（全)』とともに学部編集局が編纂した地理教科書として、当時の地理教育にもっとも重要な役割を果たした。しかし、「この書の序文には『余乃憤非采求不己幸日士高見亀氏與本部編輯局長李　庚植甫同志…而充然有喜遂囑而訳之隧而輯之…』と書いてある。おそらく日本の地理書の翻訳本に基づいて編纂されたものであろう。」[258]という指摘があることに注意すべきであろう。この書における外国地名の漢字表記は『万国地誌』の表記と完全に一致している。

３）『士民必知（1891 頃）[259]』

　Hulberth.B（漢名；轄甫 1863-1949）によってハングルで書かれた世界地理教科書である。そのハングル版を漢訳したものが学部編集局によって刊行された。

３．新聞類：

１）『独立新聞（1896-1899)』

　韓国で最初の民間新聞で、ハングル専用で韓国語の発展に大きく貢献した。世界の文物を紹介し、韓国人の視野を広げようとした。本文では外国地名がハングルで表記されている。たとえば、「덕국/tʌkkuk/（徳国)」、「오지리/ociri/（奥地利)」、「구라파/kurapʰa/（欧羅巴)」、「미국/mikuk/ 米国」のように漢字表記をそのまま韓国語の音読みにしたハングルで表記されている。

258　南相駿（1992)「韓国近代学校の地理教育に関する研究」ソウル大学大学院博士学位請求論文 146 頁
259　『士民必知』のハングル版が漢字訳された初版は 1895 年であるが、ここで取り上げた版は漢訳第三版（1909）である。

4．啓蒙書類

1）『西遊見聞（1891）』

韓国最初の日本留学生である兪吉濬が著した啓蒙書で、東京の交詢社から出版された。福沢諭吉の『西洋事情』から少なからぬ影響を受け、全20編のうち、著者が直接書いた部分と『西洋事情』の9編[260]を翻訳して引用した部分によって構成されている[261]。

5．小説類

1）「翻訳小説（1895-1919)」

開化期から植民地時代の韓国における翻訳小説のうち、日本語訳本の重訳であると指摘されている[262]作品59編である。

上記の文献にみられる外国地名の表記をまとめたのが図表7と図表8である。

図表7　韓国の文献における外国地名の漢字表記

韓国の資料	地球典要	輿載撮要	西遊見聞	地球略論	万国地誌
現在地名	漢字表記				
アジア	亜細亜	亜細亜	亜細亜	亜細亜	亜細亜
アフガニスタン	阿富汗	亜富汗尼斯担	阿富汗		阿富汗
アラビア	阿刺伯				阿刺伯
イスラエル				尼塞列 猶太国	

260　李漢燮（1985）「『西遊見聞』の漢字語について－日本から入った語を中心に－」（『国語学』141集）41頁に詳細に述べられている。
261　参考にしたのは『韓国名著選集全十二巻』新華社1983版
262　金秉吉『韓国近代翻訳文学史研究』乙酉文化社。ここにおいては『韓国近代翻訳文学史研究（1988）』に日本語訳と韓国語訳を対比したのを参考にした。

イラン（古名ペルシア）	波斯			波斯	波斯
インド			印度	印度	印度
オーストラリア	澳太利亜			澳大利亜	濠太利亜
タイ	暹羅	暹羅			暹羅
ネパール			醴八		
ベトナム	越南		安南 越南		安南
ミャンマー	緬甸		緬甸		緬甸
ルズン	呂宋				
ヨーロッパ		欧羅巴	欧羅巴	欧羅巴	欧羅巴
イギリス	英吉利	英吉利	大不列顛 英吉利	英国	弗列顛諸島
イタリア	意大里亜	伊太利	伊太利		伊太利
オーストリア	奥地利亜	墺地利	墺地利		墺地利
オランダ	荷蘭	荷蘭	荷蘭		荷蘭 和蘭
ギリシャ	希臘	希臘	希臘		希臘
スイス	瑞士		瑞西	瑞士	瑞西
スウェーデン	瑞国	瑞典	西典		瑞典
スペイン	西班牙	西班牙	西班牙		西班牙
セルビア		塞爾維	西比亜		塞爾維亜
デンマーク	連国	丁抹	丁抹		丁抹
ドイツ	日耳曼列国	日耳曼徳逸[263]	日耳曼	徳国	日耳曼
トルコ	土耳其	土耳古	土耳其		土耳其
ノルウェー		那威	諾威		那威
ハンガリー			匈牙里		凶牙里
フランス	佛郎西	法蘭西	佛蘭西	法国	佛蘭西
プロシア	普魯士				

263　本文の説明には「統合日耳曼諸部即皇帝位建国号曰徳」と書いてある。

ベルギー	比利時	比利時	白耳義		白耳義
ポルトガル	葡萄牙	葡萄牙	葡萄牙		葡萄牙
ルーマニア	羅馬尼	楼爾尼亜			羅馬尼亜
ロシア	峩羅斯	俄羅斯	俄羅斯	俄羅斯	露西亜
ロンドン			論頓		
アフリカ	阿非利加 利未亜	亜非利加	亜弗利加	亜非利加	亜弗利加
エチオピア （アビシニア）			亜批時尼亜		
ギニア					機亜那
スーダン			蘇丹		
モロッコ	摩洛哥		摩洛哥		摩洛哥
ザンビーク	莫三鼻給				
アメリカ洲	亜墨利加	亜米利加			
アメリカ	米利堅合衆国	美利堅	花旗国 合衆国	美国	北米合衆国 美国
アルゼンチン	亜然丁合衆国		亜然丁		
ウルグアイ			猶羅貴		
エクアドル		厄爪多	厄爪多		厄爪多
カナダ	加拿他		佳那多		加奈太
グアテマラ		爪他馬拉	爪多磨羅		爪地馬拉
コスタリカ		古修都理加	高斯太楼哥		哥斯徳里哥
コロンビア	可侖比亜	古倫比	哥倫比		哥倫比亜
サンサルバドル			聖撒排多		
チリ		智利	智利		智利
トランシルベニア			土蘭斯抜		
ニカラグア		尼加拉加	尼可羅果		尼加拉爪
パラグアイ	巴拉圭	玻拉？	把羅貴		巴拉圭

仮名表記				
ブラジル	巴西	巴西	巴西	巴西
ベネズエラ			彬崖朱越那	
ペルー	秘魯	秘魯	秘魯	秘露
ボリビア	玻利非亜	玻理比	抜利比亜	玻里比亜
マダガスカル			馬哥塞	
メキシコ	墨西哥	墨士哥	墨西哥 麦時古	墨西哥
ハワイ			布哇	
リベリア			羅伊比頼亜	

図表8

韓国語資料	初学万国地誌	士民必知	独立新聞	翻訳小説
仮名表記	漢字表記			
アジア	亜細亜	亜細亜	亜細亜	亜細亜
アフガニスタン	阿富汗	阿富汗		
アラビア	阿刺伯	阿拉彼亜		亜拉比亜
イラン 古名；ペルシア	波斯	波斯		波斯
インド	印度	印度	印度	印度
オーストラリア	濠太利亜	奥大里亜		墺大利 墺西多羅利
タイ	暹羅	暹羅		
ベトナム	安南	越南 安南		
マニラ				馬尼刺 馬尼拉
ミャンマー	緬甸	緬甸		
ヨーロッパ	欧羅巴	欧羅巴	欧羅巴	欧羅巴
アテネ				アテネ

イギリス	弗列顛諸島	英吉利	英国 英吉利	英国 英吉利
イタリア	伊太利	意大里 古羅馬国		伊太利 意太利
オーストリア	墺地利	奥地利亜	（奥地利）	墺地利 奥地利 墺国
オランダ	荷蘭 和蘭	荷蘭		和蘭 荷蘭
ギリシャ	希臘	希臘	希臘	希臘
スイス	瑞西	瑞士	瑞士	瑞西
スウェーデン	瑞典	瑞典	瑞典	
スペイン	西班牙	西班牙	西班牙	西班牙
セルビア	塞爾維亜			
デンマーク	丁抹	丁抹 連国	丁抹	
ドイツ	日耳曼	徳国	徳国	独逸 徳国
トルコ	土耳其	土耳其	土耳其	土耳其
ノルウェー	那威	那威		諾威
ハンガリー	凶牙利	凶牙利		匈加利 匈国
バビロニア				巴比崙尼亜
パリ			（巴里）	
フィリピン			（比律賓）	比律賓 飛猟濱
フランス	佛蘭西 佛狼西	法蘭西	佛蘭西 （法国）	佛蘭西 法蘭西 法国 仏国

プロシア		普魯士		普魯西 普魯士 普国
ヘブライ				希富累
ベルギー	白耳義	白耳義 比利時	比利時	
ポルトガル	葡萄亜	葡萄亜	葡萄亜	葡萄亜
ポーランド				波蘭
ルーマニア	羅馬尼亜	樓馬尼亜		
ロシア	露西亜	俄羅斯 露国	俄羅斯	露国 俄羅斯
ローマ				羅馬
アフリカ	亜弗利加	阿比利加		阿非利加
エジプト			埃及	埃及
モロッコ	摩洛哥	摩洛哥		
アメリカ	亜美利加 北米合衆国 美国		（米国/美国） （米利堅）	
アルゼンチン		亜然丁		亜爾然丁
エクアドル	厄爪多	厄可羅		
カナダ	加奈太	佳那多		
グアテマラ	爪地馬拉	爪多摩羅		
ギニア		貴崖那		
コスタリカ	哥斯徳里哥	高斯太樓哥		
コロンビア	哥倫比亜	可崙比亜		
チリ	智利	智利		
ニューヨーク				紐育
ブラジル	巴西	巴西		
パラグアイ		把羅貴		

ペルー	秘露	秘魯	
ボリビア	玻里比亜	抜利比亜	
メキシコ	墨西哥	墨西哥	墨西哥
ワシントン			華聖頓

　上記の表に見られるように、中国や日本における漢字表記と同様に、「印度・暹羅・緬甸」などの東洋の地名は西洋の地名と比べて安定している。上記の各々の文献において定字化されている地名は次のとおりである。

・亜細亜（アジア）・印度（インド）・暹羅（タイ）・緬甸（ミャンマー）
・波斯（イラン、古名；ペルシア）・欧羅巴（ヨーロッパ）
・希臘（ギリシャ）・西班牙（スペイン）・葡萄牙（ポルトガル）
・波蘭（ポーランド）・羅馬（ローマ）・挨及（エジプト）
・摩洛哥（モロッコ）・智利（チリ）・巴西（ブラジル）

これらの地名は上記の表の、二つ以上の文献に同一の表記をもって現れる地名である。これらを、前に取り上げた日本の地名の表と比べて、一致するものを示すと次のようになる[264]。

・亜細亜（アジア）・印度（インド[265]）・暹羅（タイ）・緬甸（ミャンマー）・波斯（イラン、古名;ペルシア）・希臘（ギリシャ）・波蘭（ポーランド）・挨及（エジプト）・安南[266]（ベトナム）・瑞典（スウェーデン）・諾威（ノルウェー）

264　福沢諭吉の『世界国尽』における表記は除く。
265　『世界国尽』には「印度地」になっている。
266　「ベトナム」の表記は前に取り上げた5つの文献には「安南」しか見られないが、普通は「越南」というもう一つの字形があって、併せて二の字形が存在する。

このように、韓国における外国地名の漢字表記と日本における表記を比べれば、定字化した地名の多くが共通していることがわかる。
　これらを前に取り上げた『坤輿万国全図』や『海国図志』などの中国における外国地名の漢字表記と比較してみると、共通する表記は、「亜細亜（アジア）・暹羅（タイ）・緬甸（ミャンマー）」の３つだけにしぼられる。したがって、この３つの表記は『坤輿万国全図』から始まって定字化したことがわかる。
　その他の「印度（インド）・欧羅巴[267]（ヨーロッパ）・希臘（ギリシャ）・瑞典（スウェーデン）・波蘭（ポーランド）」などの表記が文献を通して初めてみられるのは、『海国図志』であり、そのほか「摩洛哥（モロッコ）・智利（チリ）・巴西（ブラジル）」などは『瀛環志畧』で初めて見られる。このように韓国や日本において定字化した表記は中国の文献から始まっている表記が多く、その典拠も様々である。
　これ以外の地名は、韓国の文献に２つ以上の字形を持って現れる。いくつかの外国地名の漢字表記を取り上げ、中国の文献に見られる表記や日本の文献にみられる表記との関連性について個別的かつ詳細に分析してみる。

（１）オーストラリア
　「オーストラリア」の漢字表記は、韓国の文献には「奧大里・墺大利・澳太利亜・澳大利亜・濠太利亜・奧大里亜・墺西多羅利」などと多様に現れる。三字形・四字形・五字形の表記が存在するが、前に取り上げた中国や日本の文献に見られる表記と比べれば、四字形の「澳大利亜」は中国の『瀛環志畧』に見られる。三字形の「奧大里・墺大利」

---

[267] 『坤輿万国全図』にも「ヨーロッパ」について「欧邏巴」という漢字表記が見られるが、「羅」の漢字が異なる。「羅」の漢字を用いて「欧羅巴」に定字したのは管見によれば『海国図志』からである。

という表記は「オ[268]」にあたる表記が少し異なるが、「澳太利」が日本の『地名字彙』に見られる。四字形である「濠太利亜」は同じ表記は見られないが、日本の『世界大地図索引』に「濠太剌利亜」という表記が見られるので、「ラ」にあたる「剌」が脱落した形と同形になる。この「オーストラリア」の表記について王敏東氏は次のように説明している。

> 「オー」の部分に対して、中国には「奥」を当てた例があった。しかし、オーストラリアは海洋に囲まれている。中国人は海外の地名によく三水の「水」を付ける傾向があるので、「奥」で始まる表記を使用した年代はごく短く、「水」の印象を呼び起こす「澳」で始まる表記に戻った。（中略）日本では、中国で造られた「澳」で始まる表記が十九世紀の後半によく使われていたが、同時代に中国で見あたらない「墺」で始まる表記も登場した。（中略）しかし、日本においてはこの「澳」(墺・奥)系表記はむしろ「豪」(濠)系表記へ移る過渡的な存在に過ぎなかった。管見の限り「豪」(濠)系表記は日本に多く見られる。[269]

この説によれば、「澳・奥」で始まる表記は、中国系の表記で、「墺」や「豪（濠）」で始まる表記は日本系ということになる。韓国の文献にはそのいずれもが見られるので、韓国には中国から流入した中国系表記と日本からの影響による表記が両方現れていることがわかる。さらに、韓国の文献には五字形としての「墺西多羅利」という表記が見られるが、頭音の「オ」にあたる「墺」を除けば、二音節目の後の表記は中国や日本の文献には見られない表記である。しかし、この漢字表記を韓国の漢字音で読むと、「오서다라리/osʌtarari/」になる。す

---

[268] 韓国語において「澳・墺・奥」の三字は音読みが同じく「神/o/」である。
[269] 王敏東（1992）「外国地名の漢字表記をめぐって」『待兼山論叢・文学編』大阪大学 26

なわち、中国や日本から流入した表記の「奥大里・墺大利・澳太利亜・澳大利亜・濠太利亜」などは韓国の漢字音読みで読む際、原音とのずれが生じるために、そのずれを無くし韓国の漢字音読みで原音と似ている音を表すために選んだ韓国独自の漢字表記と思われる。しかし、現在の韓国のハングル表記は「호주/hocu/[270]」で、これは「濠洲」の韓国の漢字音読みであり、この語形は日本から流入したものと推測される。

（２）イギリス

「イギリス」に対する漢字表記には「英吉利・英国・大不列顛・弗列顛」などが見られる。「英吉利」は「English」の音訳表記で、「大不列顛・弗列顛」は、「Great+Britain」の音訳表記である。中国で刊行された『坤輿万国全図』には、「諳厄利亜」の表記が見られる。また、日本語文献である『采覧異言』には「諳厄利亜」の漢字表記があり、「アンゲルア和呼イングランド」という説明がある。1814年に日本で刊行されて、日本初の英和辞典と言われる『諳厄利亜語林大成』にはこの漢字表記が採用されている。「英吉利」という表記は中国の『海国図志』に見られ、日本の文献にも多く現れる。したがって『海国図志』によって伝わった表記であると思われる。「大不列顛・弗列顛」の表記は、中国の文献には見あたらないので、日本で造られた音訳表記ではなかろうかと思われる。韓国では「イギリス」のことを現在、「영국/jʌŋkuk/」という語形として使われている。これは「英吉利」の一音節目の「英」に国を表す「国」を付けた省略形である。すなわち、「中国においては二音節の語が一番安定している。だから長い単語を略称する場合にも、二音節の形式になりやすい傾向がある。」[271] と

270　申基徹外（1983）『새 우리말 큰 사전（新韓国語大辞典）』三省出版社
271　趙元任（1980）『中国語的文法』、再引用（王敏東（1992）「外国地名の漢字表記について－アフリカを中心に－」『語文』58, 大阪大学 17頁）

述べられているように、中国の使い方である簡略表記と思われる。実際に、前で取り上げた『英華辞典』には「大英国」という表記が見られるし、現代の中国の表記では「英国」として使われている。

（3）フランス
　韓国の文献には「フランス」に当たる漢字表記として「佛郎西・法蘭西・佛蘭西・佛狼西・法国・佛国」などが見られる。三字形の「佛蘭西・法蘭西」は「フランス」の音訳表記で、二字形の「法国」は「法蘭西」の一音節目である「法」に「国」を付けた形である。『坤輿万国全図』には「佛郎察」という表記だけで、「佛蘭西・佛郎西」や「法蘭西」などの表記は見当たらない。その字形が現れるのは、管見によれば『海国図志』が最初である。日本の文献にも「佛蘭西・法蘭西・法国・佛国」という表記が見られるが、この「佛国」という表記は中国の文献にはない表記で、おそらく「法国[272]」に準えて日本で造られたものが韓国に流入して用いられていたのではないかと思われる。しかし、現在の韓国の辞書には「佛蘭西」の表記が載っている。

（4）ドイツ
　「ドイツ」に対する韓国における漢字表記には「日耳曼・徳逸・徳国・独逸」などがある。ここで参考にした9つの文献のうち、4つの文献が「日耳曼」（『輿載撮要・西遊見聞・万国地誌・小学万国地誌』）という表記を、また3つの文献が「徳国」（『士民必知・独立新聞・翻訳小説』）を採用している。その他一つだけに「独逸」（『翻訳小説』）という表記が現れる。
　中国では、現在「ドイツ」について「徳意志」や「徳国」という表記が使われている。この国名は古代には「ゲルマニア（ゼルマニ

272　中国にては、現在「法国」という表記が使われている。

ア[273]）」と呼称されていた。しかし、1871年にプロイセンを中心としたドイツ帝国が成立して「ドイツ」という国名が生まれた。したがって、中国の文献の表記には「ゲルマニア」を音訳した漢字表記の「人爾馬泥亜（『坤輿万国全図』）」、「日耳曼（『海国図志』）」や「プロイセン」を音訳した表記の「普魯士（『瀛環志畧』）」などが混在している。

日本の文献においても、『采覧異言』には『坤輿万国全図』と同じ表記である「人爾馬泥亜」と現れているが、そのほかの文献には「日耳曼」が使われている。新井白石の『西洋記聞（1709）』には「ゼルマニア」という見出しの下に、「ヲヲランドの語には、ホーゴドイチとも、ドイチともいふ、漢に人爾馬泥亜とも人耳馬泥亜とも訳す[274]」と説明されているように、「ドイツ」はオランダ語の「Duits[275]」から生まれた語形である。日本における「独逸」という表記は、『三兵答古知幾（1850）』に初めて見られる[276]。

韓国では近代においては「ドイツ」に対して中国で造られたと思われる表記「徳国（덕국）」も使われていたが、現在は日本語の漢字音訳の表記である「독일/tokil/」のみが使われている。これは「独逸」の韓国語の漢字音読みである。この「独逸」という漢字表記は日本語の漢字音で読まれてこそ「ドイツ」の原音に近い音形になる。中国で造られた表記の「徳意志[277]」などの漢字音が日本語で読まれる際に、原音とのかけ離れが生じるので日本語の漢字音で似ている「独逸」という漢字表記が独自的に当てられた推察できる。このように日本で日本語の漢字音訳によって当てられた表記が韓国に流入してそのまま韓国語の漢字音読みで読まれ、現在のような「독일/tokil/」と原音と

273　新井白石の『采覧異言』には、仮名表記で「ゼルマニア」と表記されている。
274　新井太吉著（1906）『新井白石全集第四』東京活版株式会社　759頁
275　松村明監修（1995）『大辞泉』小学館
276　荒川惣兵衛著（1977）『角川外来語辞典』角川書店
277　『当て字外来語辞典』（1991）柏書房

音形が全く異なる語形が成立したものである。

（５）ロシア
「ロシア」に対する漢字表記は、韓国の文献には「俄羅斯[278]」の表記が多く、そのほか「露西亜・露国」もみられる。中国の文献には『坤輿万国全図』に「魯西亜」が見られ、『海国図志』には「俄羅斯」の表記が現れる。日本の文献には「魯西亜・俄羅斯・露西亜・魯国」など、中国や韓国でも現れる表記がすべて見られる。

韓国においては、「俄羅斯」という表記が中国から伝わって使われていたが、後に日本から「魯西亜」の表記が伝わったことを表す記録がある。1876年に日本に派遣された金綺秀との対話に、次のような文が見られる。

　　上曰　魯西亜云者　是何地也
　　使曰　是俄羅斯国也
　　上曰　然則何以謂魯西亜
　　使曰　魯西亜即俄羅斯之一名也[279]

このように、韓国においては「ロシア」に対する表記は「俄羅斯」という表記が一般に認められ、「俄館播遷[280]」という熟語が生まれて使われており、現代の辞書にも「俄羅斯[281]」だけが載っていることをみ

---

278 「俄羅斯」はロシアの「Russia[rʌʃə]」の音節頭の「r」発音ができない、モンゴル人が［r］の前に母音を追加し、「Opoc（オロス）」と発音したものに中国で漢字を当てて、成立したとみられる。
279 韓国の『承政院日記』高宗13年6月1日条および『修身使記録』（国史編纂委員会1958年刊）所収『修身使日記』130頁。再引用
280 1896年朝鮮の王である高宗がロシア公館に移って居住した事件。
281 申基徹外『『새 우리말 큰 사전（新韓国語大辞典）』韓国三省出版社

れば、「魯西亜」は一時的に韓国に流入して使われていたが、伝統的な「俄羅斯」に追い出されていることがわかる。

（6）アフリカ

「アフリカ」に対する漢字表記は、韓国の文献には「利未亜・亜非利加・亜弗利加・阿比利加・阿非利加」などが見られる。このうち「利未亜」のような三字形は『坤輿万国全図[282]』に見られる表記である。四字形の「阿非利加」などは『瀛環志畧』にその表記が見られる。

現在の韓国辞書[283]には「아불리가/apulrika/ 阿弗利加」という表記が載っているが、中国の文献には見あたらない字形である。日本の文献では「亜弗利加」という表記が優勢で、わずかに「阿弗利加」が『中等世界地図帖（昭2）[284]』だけに見られる。「アフリカ」の一音節目の「ア」については中国や日本、韓国における漢字表記は「阿」と「亜」の二つの形が使われているが、王敏東氏は次のように述べる。

> 中国語において「亜」（/ya/）から「阿」（/a/）へ移ったのはより原音に近い形になったものと思われる。日本語では「阿」も「亜」も「ア」で発音するので、「亜」と「阿」のどちらがといえば、中国の古い形である「亜」の形が受け継がれる傾向がある。[285]

韓国においても「亜」と「阿」は共に同じ音で発音されるので、どちらを選択しても音形には変わりがない。なお、二音節目の「フ」に

---

282 『坤輿万国全図』には、「アフリカ洲」の表記としては「利味亜」と表記されていて、地名として「小亜非利加」という表記がある。
283 上掲辞書
284 小川琢治（1926）『中等世界地図帖』博多成象堂再引用『当て字外来語辞典』柏書房
285 王敏東（1992）「外国地名の漢字表記について－アフリカを中心に－」『語文』58 大阪大学 15頁

あたる表記には「非・弗・比」が見られるが、王敏東氏は「非」は中国で、「弗」は日本で主として用いられていると指摘している。しかし、「比」の字形は中国にも日本にも見あたらない表記である。これはおそらく韓国で当てられたものではないかと思われる。というのは韓国の漢字音としては「非」と「比」は同じ音形を持っている。したがって、「非」で表記しても「比」と表記しても音形には何の変わりがないので、当てられたものと思われる。

現代の辞書に載っている「阿弗利加」の表記は、日本にもその例が見られるので、日本からの借用も考えられるが、もし日本からの借用でなければ、一音節目の「阿」は中国からで、二音節目の「弗」は日本から借用されて合成されて造られた表記ということになる。

（7）アメリカ

現在、「アメリカ」に対する漢字表記をみれば、日本では「米国」が、韓国では「美国」の漢字字形が使われている。しかし、韓国の文献にみられる漢字表記は「亜墨利加・亜米利加・亜美利加・米利堅・美利堅・米国・美国」などがある。「亜墨利加」は『坤輿万国全図』で造られた漢字音訳表記で、その歴史は一番長いともいえる。「ア」に当たる部分が脱落した三字形「美理哥」や「米利堅」は『海国図志』や『瀛環志畧』に初めて見られる。すなわち、『坤輿万国全図』においては一音節に一字を当てたのが、後の時代からは一音節目の「ア」を省略して三字形にした「美－」の表記が生じたことがわかる。これは、原音の「əmérikə」が二音節目の「-me-」にアクセントがあり、一音節目の「a」は聞こえにくいということがあったため、このような三字形の表記が当てられたのである。それゆえ、二字形にも、「英国」のように、「亜米利加」の一音節目の「亜」と「国」が付いた形である「亜国」は見あたらない一方「米国」や「美国」の形は見られる。すなわち、四字形としては「亜米利加」や「亜美利加」が、二字形としては

「米国」や「美国」が一般的な形として普及したのである。

　韓国語では「米国」も「美国」も漢字音で読めばいずれも「미국/mikuk/」になってしまうので、音形としては同じであるが、字形として「美国」に定着したのはおそらく戦後になってからである。その背景にはアメリカ軍政のことも含まれていると推測される。

（8）メキシコ
　「メキシコ」に対する漢字表記は「墨西哥」がほとんど定字化している。『坤輿万国全図』には「墨是可」の表記が見られ、韓国の文献である『輿載撮要』には「墨士哥」と表記されているが、一音節目はいずれも「墨」と定字化している。しかし、福沢諭吉の『世界国尽』には「女喜志古（メキシコ）」という表記が見られる。これは中国の字音に基づいて造られた「墨西哥」が日本語の字音で読むと、原音との音形が合わなくなるので、日本語の漢字音で原音に近い音を表すために考案されたものである。これと同様に韓国の文献である『西遊見聞（1891）』には、「メキシコ」に当たる漢字表記として「墨西哥」と「麦時古」の二つの形が見られる。これは、それまでの慣用である「墨西哥」が韓国の漢字音で読まれると「묵서가/muksʌka/」になり、原音とはほど遠い音形になる。そのために、慣用の字形である「墨西哥」を使いながら、韓国語の漢字音として原音と近い「麦時古（맥시고/mɛksiko/）」を考案したのである。『西遊見聞』には、漢字表記以外にもハングル表記が、たとえば「프란쓰/pʰiranssi/（フランス）」と書いてある。これは、できれば原音を表そうとする意識によるものと思われる。このように、俞吉濬は漢字表記の音形が原音とは相違があるということで様々な工夫をしたのである。前にも述べたとおり福沢諭吉の影響を受けたので、外国地名の漢字表記においても福沢諭吉のように自国語の漢字音で原音に近い音形を持つ字形を選択して当てたものであろう。

これまで、韓国における外国地名の漢字表記を考察し、その漢字表記の出自や借用経路を明らかにするために、中国や日本の文献における漢字表記を取り上げ、それを踏まえて韓国における表記との比較を行った。
　その結果、西洋地名についての漢字表記は、中国でマテオ・リッチによって造られた『坤輿万国全図（1602）』がその嚆矢にあたることがわかる。その『坤輿万国全図（1713）』と新井白石の『采覧異言』における地名表記の 80% 近くが一致していることと、韓国では『芝峰類説（1614）』や『地球前後図（1834）』などに多く見られることによって、外国地名の漢字表記について日本と韓国は両国ともに中国から影響を受けたことも明らかである。
　なお、中国では、アヘン戦争の後、『海国図志（1852）』や『瀛環志畧（1861）』などが造られ日本や韓国に伝わり、多大な影響を与えた。それによって、それまで西洋の地名の漢字表記は、たとえば『坤輿万国全図』において「厄靭斎亜（ギリシャ）」のように一音節に一つの漢字を当てられたのがほとんどであった。しかし、後の『海国図志』では「希臘」のような漢字表記が使われ、日本と韓国に流入して外国地名の漢字表記に多様性が見られるようになった。だが、これらの表記は中国の漢字音に基づいて造られた表記であったため、日本語や韓国語の漢字音で読まれると原音とのずれが生じることになる。日本ではこのようなずれを無くすために漢字表記にルビを附したり、「女喜時古（『世界国尽』）」のような独自の表記を当てたりしていた。一方、韓国は 19 世紀までには西洋に関する知識や文物などがもっぱら中国から伝わったのが、19 世紀以降には日本から入るようになり、日本から影響を受けるようになった。たとえば、兪吉濬は『西遊見聞（1891）』で、世界に対する知識や文物を日本の福沢諭吉の『西洋事情』から影響を受けて紹介したこともある。
　これらの経緯によって、韓国には『坤輿万国全図』をはじめ、『海

国図志』や『瀛環志畧』などのような中国の文献に現れる表記、「澳大利亜（オーストラリア）」・「日耳曼（ドイツ）」などと日本の文献に現れる「濠太利亜（オーストラリア）・独逸（ドイツ）」などの外国地名の漢字表記が共に使われていた。

　現在の韓国においては外国地名はハングルで表記されているが、多くの地名は漢字表記に基づいて成立されたもので、「독일/tokil/」や「아불리가/apulrika/」などは日本系漢字表記「独逸」や「亜弗利加」に基づいた語形である。

　このように、韓国・日本には中国から伝わった外国地名の漢字表記が古くから用いられてきたので、韓国における外国地名の漢字表記、そのすべての借用経路を明らかにすることは容易いことではない。しかし、文献による比較によって一部の表記は中国系か、日本系かを明らかにすることができた。

　今日の日本における外国地名についての仮名表記と韓国における外国地名のハングル表記には、それぞれの背景による特徴と相違点が存在する。すなわち、日本においては、漢字表記が日本語の漢字音と合わない場合、たとえば「和蘭（オランダ）」のように仮名表記、あるいは仮名ルビを附してあるので、「和蘭」で表記されていても、それを「ワラン」と日本語の漢字音で読むことはめったにない。

　しかし、韓国の場合は外国地名の漢字表記についてハングルによるルビが附されていないので、外国地名の漢字表記をそのまま韓国語の漢字音で読んでしまう慣習が定着した。たとえば、「和蘭」を「화란/hwaran/」[286]と読んで原音との相違が生じるようになったのである。それで、現在の韓国語においてはオランダに関して「화란/hwaran/」という語形を使わずに、原語の音形を反映し「Netherlands[néðərləndz]（네덜란드）」の語形で使われている。

286　オランダの英語名である [Holland] の漢字表記。

しかし、「ドイツ」の日本語の漢字音に基づいて造られた「独逸」は、日本の音訳漢字にもかかわらず、そのまま借用され、ハングルで「독일/tokil/」と読まれて、それが固定化したのである。そのためオランダとは違って、元の地名の音形とは全く違う音をもって用いられている。

むすび

　本書では、言語の交流という観点で日本語と韓国語における借用語を取り上げ、まとめようとした。近隣国である両国における言語の影響を学術的な観点で調べ、分析したいためである。

　しかし、結果的に日本語には韓国語系借用語があまりにも少ないため、日本語系借用語が主な対象になってしまった。その背景には、近代以降の植民地時代など歴史的なことがあるには間違いない。最近では、日本で起こる韓流ブームなどにより韓国語のヤンニョムチキン、キムチチゲ、コチュジャンなどの言葉が韓国語系借用語として使われる傾向ではあるが、多くはない。したがって、本書の内容は主に韓国語における日本語系借用語が多く扱われたことは仕方がないことである。

　ともかく、韓国語における日本語系借用語が、文献に現れ始めるのは、「朝・日修好通商条約（1876）」以降、日本を訪問した修信使たちによって記録された「修信使日記」などに見られる「蒸気船・汽車・電線[287]」、「取締[288]」などの和製漢語や訳語などが多かった。その背景には、韓国の「甲午更張（1894）」以降は、当時の制度が日本式に変わり、日本語系の新文明語が大量に韓国語に入るようになったことがある。そして、「日・韓併合（1910-1945）」による植民地の時期においては、日本語が公用語とされていたこともあったので、漢字語以外にも「タクアン・ドカタ・クルマ」などの和語や「サラダ・トラック・ドラム」などの日本語経由外来語が数多く韓国語に流入した。このような日本語は借用語として、現在も使用されているものもある。

　そして、韓国語における日本語系借用語の実態を考察し、分析する

287　金綺秀『修信使日記（1876）』
288　李憲『日槎集略（1884）』

ために、既存の定義や分類とは違って、日本語系借用語について借用の方法や形態によって、次のように定義し分類してその実態を調べた。
　まず、韓国語における借用語を語種別に分類すると次のようにまとめられる。

・借用語：外国語から借用されたすべての語
１）字形と音形による借用
古代の漢字語：菩薩・南無佛など

２）字形のみの借用
　　（１）中国語系漢字語：衆生・葡萄など
　　（２）日本語系漢字語
　　　　　ａ．和語系字音語：出張・日当
　　　　　ｂ．訳語：社会・哲学など

３）音形のみの借用語（外来語）
　　ａ．和語：クルマ
　　ｂ．日本経由の西欧語：サラダ・トラックなど
　　ｃ．和製英語と混種語：オートバイー・生クリームなど
　　ｄ．直接借用された西欧語：샐러드/sɛlrʌti/

　上記の分類に基づいて、韓国語における日本語系借用語の背景や歴史を文献などを通じ、通時的、共時的に考察、分析した。結果的に、日・韓語彙交流史を検討し、両国語における借用の実態を取り上げることができたと思われる。
　そして、各論にあたる「音形のみの借用語」においては、和語や二次的借用語である日本語系外来語が韓国語においてどのような語形をもって現れるかを両国語の音韻体系の比較に基づいて日本語系の音形

のみの借用語の実態をまとめた。

その結果、「音形のみの借用語」である和語や二次的借用語の西欧語系外来語は、音声言語として伝わったものが多く、日本語と韓国語における音韻体系の相違によって本来の語形や音形に変容が生ずることが判明した。

「字形のみの借用語」においては、日本語系訳語を「意訳語」と「音訳語」に分類し、漢字で表記されて訓読み（あるいは湯桶読みや重箱読み）される和語を「和語系漢字語」として取り上げた。また、訳語や漢字で表記された和語などが韓国語に借用され、韓国語の漢字音読み化によってどのような語形をもって現れるかを明らかにするため、日・韓両国語における先行論文と韓国語の文献や辞典などに基づいてその用例を実証的に取り上げた。それでわかったのは漢字文化圏で行われる「字形のみの借用語」である訳語や訓読み字音語は、中国からの漢語とともに、いずれも韓国語の漢字音読みされ、韓国語の漢字語として用いられていることが明らかになった。

なお、医学用語における借用の実態においては、近代以降韓国語に取り入れられ、現在も用いられている多くの医学用語を対象にその借用経路や成立、そしてその実態などを探った。それらを調べるために、韓国で1906年に刊行された『解剖学卷一』における医学用語を取り上げ、その底本と思われる日本の『実用解剖学』の医学用語との比較を行い、日本語からの影響を明らかにすることが可能であった。

そして、「外国地名の漢字表記の借用」においては、外国地名の漢字表記の出自や借用経路を明らかにするために外国地名の漢字表記の嚆矢であるマテオ・リッチの『坤輿万国全図（1602）』と日本と韓国に伝わって近代の外国地名において大きな影響を与えた『海国図志（1852）』などの中国の文献、そして『采覧異言（1713）』や『世界国尽（1869）』などの日本の文献における漢字表記を調査し、それを踏まえて韓国の文献における表記との比較を行った。

それにより、日本、韓国、中国における外国地名の表記や語形の語源などを明らかにすることができた。その内容を簡略にまとめると、「外国地名の漢字表記」では、近世においては日・韓両国ともに中国で造られた『坤輿万国全図（1602）』による影響がみられ、近代においては『海国図志（1852）』や『瀛環志畧（1861）』などによる影響が多かったことがわかった。しかし、中国の文献には見られない漢字表記「独逸」などが日本には見られることによって、中国で当てられた外国地名の漢字表記は、中国の漢字音に基づいて当てられたものなので、日本語の漢字音で読む際には、音形が原音とのずれが生じる。そのずれを無くすために漢字表記にルビを付したり、「独逸」のような独自の表記を当てたりしていたことがわかる。

　韓国では現在「ドイツ」を「독일/toki1/」という語形をもって用いているが、調べた結果、日本語の漢字音に基づいて造られた「独逸」の漢字表記が韓国に借用され韓国の漢字音で読まれることによって生まれた語形であることが判明した。

　このように、借用語において韓国は19世紀までは中国の影響を受けてきたが、19世紀以降は日本から影響を受けるようになる。それによって、韓国語には、中国語からの借用語と日本語からの借用語が混在している。なお、漢字で表記されている漢字語は、韓国語の漢字音読みで読まれることから日本語の字音語や訓読みされる和語、または外国地名などが原語である日本語とは異なる音形を持って、用いられている。

あとがき

　前書きにも述べたように、日本と韓国は近隣国家であり、一衣帯水とも呼ばれるほど近い。したがって古代から現代に至るまで各分野で多くの交流がなされてきたことは言うまでもない。
　また、日本と韓国は同じ漢字文化圏に属しており、言語の分野においても影響を与え合い、両国語には多くの借用語が存在する。
　言語を専門にしている者として、前から両国語における借用語について興味を持っていたので、学術的にまとめてみたかった。
　日本語における韓国語系借用語は、古代に伝わり音韻変化などを経ってその語形を文献的に確認することが難しく、学術的に立証することができないので、結果的にその数が少なくなっていることは残念である。
　反面、韓国語における日本語系借用語については、歴史的な背景もあり多くの用例を取り上げ、分析することができた。
　学術的な内容ですこし難しい部分はあるが、日本語と韓国語の交流史を理解するには役に立つと思う。
　なお、本書が韓国語と日本語の語彙交流およびお互いの影響を含め、借用語の背景について興味を持つ学習者と研究者たちへの基礎資料になることを祈念する。
　最後に、拙い内容で、学術書である本書を快く刊行してくださった博英社の関係者に感謝の意を伝えたい。

参考文献・資料

日本の文献・資料

1. 荒川惣兵衛（1943）『外来語概説』名著普及会
   　　　　　　（1986）『外来語学序説』名著普及会
2. 鈴木丹士郎「梵語からきた日本語」『国語史字典』（1979）東京堂出版
3. 前田太郎（1922）『外来語の研究』岩波書店
4. 杉本つとむ（1994）「あて字概説」『あて字用例辞典』雄山閣
5. 林義雄（1994）「古辞書のあて字―『名語記』・『塵袋』を中心に―」『日本語学』1994, 4
6. 楳垣実（1944）『日本外来語の研究』研究社
   　　　　（1972）『増補日本外来語の研究』青年通信社
7. 沈国威（1994）『近代日中語彙交流史』笠間書院
8. 森岡健二（1969）『近代語の成立―明治期語彙編―』明治書院
9. 高名凱・劉正炎（1958）『現代漢語外来詞研究』鳥井克之訳（1988）『現代中国における外来語研究』関西大学出版部
10. 鮎沢信太郎（1943）『地理学史の研究』愛日書院
11. 織田武雄（1974）『地図の歴史』講談社
12. 船越昭生（1970）「『坤輿万国全図』と鎖国日本」『東方学報』第四一冊 京都大学人文科学研究所
13. 平川祐弘（1969）『マテオ・リッチ伝1』（東洋文庫141＜平凡社＞）
14. 開国百年記念文化事業会編（1958）『鎖国時代日本人の海外知識』乾元社

15. 『福沢諭吉選集第一巻』(1980) 富田正文編「西洋事情—初編 巻之一」岩波書店
16. 徳川宗賢・W. A. グロータース編（1976）『方言地理学図集』秋山書店
17. 河野六郎（1979）『河野六郎著作集一』・『河野六郎著作集三』平凡社
18. 服部四郎（1979）『音韻論と正書法』大修館書店
19. 小林雅宏（1982）「明治初期の翻訳書からみた外国地名の表記」『文献論集』八
20. 国立国語研究所（1981）『外来語の形成とその教育』(国立国語研究所刊行)
21. 松村明（1986）「漢語と外来語」『日本語の世界2』中央公論社
22. 藤井茂利（1990）「郷歌の漢字の用法と万葉の漢字の用法」日本語語源研究会編『語源探求』明治書院
23. 前田太郎（1886）『外来語の研究』岩波書店
24. 石綿敏雄（1989）「外来語カタカナ表記の歴史」『日本語学』
25. 王敏東（1992）「外国地名の漢字表記について—アフリカを中心に—」『語文』58　大阪大学
26. 今田束（1887）『実用解剖学』(株) 東京印刷
27. 佐藤亨(1980)「重訂解體新書の訳語」『近世語彙の歴史的研究』櫻楓社（1986）『幕末．明治初期語彙の研究』桜楓社
28. 杉元つとむ（1987）『解体新書の時代－江戸の翻訳文化をさぐる－』早稲田大学出版部

韓国の文献・資料

1. 李基文（1972）『国語史概説』塔出版社
   　　　　（1991）『国語語彙史研究』東亜出版社
2. 金綺秀「修信使日記」（韓国国史編纂委員会『修信使記録全』(1974) 探求堂
3. 許雄（1973）『国語音韻学』正音社
4. 韓国国立国語研究所（1986）『外来語表記用例集』
5. 朴英燮（1995）『国語漢字語彙論』도서출판 박이정
6. 沈在箕（1990）『国語語彙論』집문당
7. 韓国国立国語研究院（1993）『新小説言語使用実態調査』
8. 南豊鉉（1985）「국어 속의 借用語」『国語生活』第2号
9. 李漢燮（1996）「現代韓国語における漢字使用について」『国語文字史の研究3』和泉書院）
10. 徐在克（1970）「開化期外来語と新用語」『동서문화』4
11. 裵亮端（1975）「韓国外来語の原語判定と表記」『応用言語学』」第7巻，第2号
12. 宋敏（1988）「日本修身使の新文明語彙接触」『語文学論叢』
13. 大韓醫學協會（1984）『英韓韓英醫學用語集』學研社
14. 金敬鎬（2001）「韓國語における日本語系漢字音借語」『日本語學研究』第4集

◆ 辞典類

日本の辞典

1. 佐藤喜代治編（1977）『国語学研究辞典』明治書院
2. 国語学学会編（1980）『国語学大辞典』東京堂出版

3. 『英華辞典』:（ロブシャイド『英華辞典』初版四冊本　（1866-1869）CD-ROM 複刻版アビリティ社）
4. 荒川惣兵衛著（1977）『角川外来語辞典』角川書店
5. 松村明監修（1995）『大辞泉』小学館
6. 『世界大百科事典』（1988）平凡社
7. 樋口信也（1992）『日中辞典』小学館
8. 『コンサイス外来語辞典』（1979）―第三版― 三省堂
9. 小稲義男（1985）『新英和中辞典』研究社
10. 『宛字外来語辞典』（1991）柏書房
11. 「goo 辞書」https://dictionary.goo.ne.jp/word/%E3%83%81%E3%82%B2/

韓国の辞典

1. 李熙昇（1990）『国語大辞典』民衆書林
2. 韓国語大辞典編纂会（1976）『韓国語大辞典』玄文社
3. J. S. Gale（1911）『韓英字典―Korean-English Dictionary』（The Hukuin Printing Co. Lt. Yokohama）
4. 李鍾極（1937）『モダン朝鮮外来語辞典』漢城図書
5. ハングル学会（1992）『韓国語大辞典』―第三版―
6. 李基文監修（1964）『東亜新国語辞典』東亜出版社
7. 裴亮瑞（1970）「韓国外来語に関する序説」『韓国外来語辞典』宣明文化社
8. 辛基徹・辛容徹（1983）『새 우리말 큰사전』三省堂出版社
9. 国立国語研究所『標準国語大辞典』https://stdict.korean.go.kr/main/main.do

◆ 世界地図・地理書
日本の資料

1. 新井白石『采覧異言』（新井太吉（1906）『新井白石全　集第四』＜東京活版＞）
2. 『世界国尽』（1869）（『宛字外来語辞典』柏書房 参考資料）
3. 藤田九二著（1876）『地名字彙』（『英語和解・地名字彙』明治8, 国立図書館所蔵
4. 尺振八訳（1884）『明治英和辞典』六合館蔵版
5. 佐藤博藏（1910）『世界大地図索引』大倉書店
6. 織田武雄（1974）『地図の歴史』講談社
7. 佐藤亨（1980）「『職方外紀』の語彙と我が国近代漢語との関連について」（『文芸研究』日本文芸研究会 95

韓国の資料

1. 李睟光『芝峰類説』（朝鮮研究会（1916）「芝峰類説」活字本、上巻）
2. 崔漢綺『地球典要』（『明南楼全集三』（1986）＜驪江出版社＞）
3. 呉弘黙（1895）『輿載撮要』韓国国立中央図書館蔵
4. Appenzeller（1894）『地球略論』韓国国立中央図書館蔵
5. 兪吉濬（1895）『西遊見聞』（『韓国名著選集全十二巻』新華社）
6. 金秉吉（1988）『韓国近代翻訳文学史研究』乙酉文化社
7. 学部編集局（1895）『万国地誌』韓国国立中央図書館蔵
8. 学部編集局（1895）『初学万国地誌』韓国国立中央図書館蔵
9. 学部編集局（1909）『士民必知―第三版―』韓国国立中央図書館蔵
10. 『独立新聞』＜縮写本（1896-1899）＞

11. 金弼淳著、에비슨 校閲（1906）『解剖學卷一』、韓国延世大学校医科大学医学史科編、済衆院（세브란스）医学教科書韓国医史学科叢書
12. 대한의사협회편저（2005）『필수의학용어집』도서출판 아람

中国の資料

1. 利瑪竇（1602）『坤輿万国全図』宮城県立図書館蔵
2. 『職方外紀』（李之藻『天学初函（1628）』影印本、＜亜細亜文化社刊行＞）
3. 魏源（1852）『海国図志』清道光版本台湾成文出版社
4. 『瀛環志畧』（1861）（壁星泉・劉玉坡鑑定総理衛門藏版＜韓国中央国立図書館蔵＞）
5. 舒志田（2003）「性学粗術の語彙と日本の近代漢語」韓国日本語学会2003年度国際学術大会「漢字文化圏における近代語の成立と交流」発表集

西洋の資料

Mercator world（1569）『Mercators chart of the world』
Abraham Ortelius（1570）『Theatrum orbis terrarium』

著者略歴

❈ 金 敬鎬（キム・キョンホ）
　目白大学韓国語学科教授（文学博士、専修大学）

　主要著書と論文：『国家主義を超える日韓の共生と交流』（共著・明石書店）、『韓流の境界』（共著・ヨクラク）、『楽しい韓国語（入門・初級）』（共著・博英社）、『こだわり中級韓国語』（共著・三修社）などのほか、「日本語音声借用語の音韻変化に対する推論」、「ハングル表記を通した漢字語語彙教育に関する提言」などの論文多数。
　長編時代小説、『玄海－海の道』（単著・博英社）の著者でもある。

本書は目白大学特別研究費（学術書刊行のための経費助成）による刊行である。

言語の交流　−日本語と韓国語における借用語−

初版発行　2025年2月28日

著　　者　金敬鎬
発 行 人　中嶋 啓太

発 行 所　博英社
　　　　　〒 370-0006 群馬県 高崎市 問屋町 4-5-9 SKYMAX-WEST
　　　　　TEL 027-381-8453 / FAX 027-381-8457
　　　　　E・MAIL hakueisha@hakueishabook.com
　　　　　HOMEPAGE www.hakueishabook.com

ISBN　　 978-4-910132-86-0

ⓒ Kyungho Kim, 2025, Printed in Korea by Hakuei Publishing Company.

＊乱丁・落丁本は、送料小社負担にてお取替えいたします。
＊本書の全部または一部を無断で複写複製(コピー)することは、著作権法上での例外を除き、禁じられています。